软岩隧道变形主动支护控制

汪　波　郭新新　王智佼　段海澎　王　勇　著

科学出版社

北　京

内 容 简 介

本书主要从基础理论、设计方法及工程实践三个方面对主动支护技术进行详细阐述。全书分 7 章,主要内容包括:软岩隧道快速主动支护基本原理及其技术实现、基于协同作用效应的新型高强预应力快速锚固系统研发、快速主动支护效应下本构模型的开发及其应用、基于位移差的预应力锚固体系设计方法、软岩隧道中快速主动支护体系变形控制效应、软岩隧道中快速主动支护体系配套工艺技术。

本书可供从事软岩隧道大变形研究的科研人员和工程技术人员使用,也可作为软岩大变形隧道工程建设、设计施工、监理及高等院校相关专业师生的参考书。

图书在版编目(CIP)数据

软岩隧道变形主动支护控制 / 汪波等著. —北京:科学出版社,2022.10
ISBN 978-7-03-071822-8

Ⅰ. ①软… Ⅱ. ①汪… Ⅲ. ①软岩层–隧道支护–研究 Ⅳ. ①U455.7

中国版本图书馆 CIP 数据核字 (2022) 第 042244 号

责任编辑:刘莉莉 / 责任校对:彭 映
责任印制:罗 科 / 封面设计:墨创文化

科学出版社 出版
北京东黄城根北街16号
邮政编码:100717
http://www.sciencep.com

四川煤田地质制图印刷厂印刷
科学出版社发行 各地新华书店经销
＊

2022 年 10 月第 一 版 开本:787×1092 1/16
2022 年 10 月第一次印刷 印张:14 1/2
字数:340 000

定价:149.00 元
(如有印装质量问题,我社负责调换)

前　　言

随着以川藏铁路为代表的一批埋深千米级甚至数千米级的长大深埋地下工程大量出现，隧道工程呈现出应力场赋存状态高、软岩分布范围广等显著特点，由此带来的高地应力软岩隧道大变形灾害问题十分突出。长期以来，我国在软岩隧道大变形处治过程中普遍采用包含全长黏结型锚杆在内的"全被动"强力支护模式，但受制于支护构件的被动承载特性，"全被动"支护体系对隧道围岩应力状态的改善和承载能力的提高作用有限，致使其对软岩隧道变形控制效应不甚理想，常常出现衬砌结构破坏、侵限甚至塌方等工程灾害，在不断拉高工程造价的同时严重制约工程进度，软岩大变形已成为制约国家重大工程建设的瓶颈和难题。基于"主动支护"理论的新型支护体系研究极为迫切。

当前，"主动支护"的技术实现主要以(预应力)锚固系统为载体进行，大多应用于煤矿软岩巷道中，在隧道断面更大、可靠性要求更高、耐久性控制更为严格的交通或水工隧洞中，以预应力锚固系统为核心的"主动支护"体系应用较少，其适用性与可靠性亦有待于进一步探究。为此，以研发的新型预应力锚固系统为纽带，总结出版一本适用于交通/水工软岩隧道变形主动控制方面的专著很有必要。

本书主要以渭武高速木寨岭公路隧道软岩大变形为工程背景，以研发的兼具快速主动、临时+永久等支护功能于一体的新型高强预应力锚固系统为核心载体，从基础理论、设计方法及工程实践三个方面对主动支护技术进行详细阐述，主要内容涵盖：软岩隧道快速主动支护基本原理及其技术实现、基于协同作用效应的新型高强预应力锚固系统研发、快速主动支护效应下本构模型的开发及其应用、基于位移差的预应力锚固体系设计方法、软岩隧道中快速主动支护体系变形控制效应、软岩隧道中快速主动支护体系配套工艺技术。最终形成一套集新理论、新产品、新工艺和新技术于一体的新型主动支护系统，系列研究成果有望开启我国软岩隧道大变形支护新模式。

本书既有较为深入的理论阐述，又有实用性较强的应用技术。本书的编写目的是期望为从事该专业领域的读者提供一本系统介绍主动支护技术的专著。希望本书的出版对我国软岩隧道大变形控制技术的更新及大面积推广起到积极的推动作用。

本书共分7章。全书的整体构思、统稿和审定由汪波负责。各章分工如下：第1章，汪波、郭新新；第2章，汪波、郭新新；第3章，汪波、王智佼、王勇、段海澎；第4章，汪波、郭新新；第5章，汪波、郭新新、段海澎；第6章，汪波、王智佼、郭新新、王勇；第7章，汪波、王智佼、王勇、段海澎。

本书在编写过程中得到了甘肃长达路业有限责任公司、杭州图强工程材料有限公司、杭州丰强工程设计咨询研究院有限公司、中铁隧道局集团有限公司等单位的大力支持，感谢上述单位为本书研究成果取得提供的研究平台和经费支持。特别感谢吴德兴大师在项目研究过程中的悉心指导！感谢郭陈强、马振旺、王志伟、王振宇、蔡树垚、喻炜、刘锦超、魏夏鹏、王东等为本书编写提供的支持与帮助。

本书受到国家自然科学基金高铁联合重点支持项目(U2034205)和甘肃省科技重大专项(19ZD2GA005)等的联合资助。

本书编写中参考的主要资料已在参考文献中注明，如有疏漏之处敬请谅解。由于作者水平有限，书中难免存在不足之处，恳请读者批评指正。

作　　者

2021 年 12 月于成都

目　　录

第1章 绪 论

1.1 问题的缘起

随着我国基础设施建设的飞速发展，隧道与地下工程大规模建设，"深""长""险""大"已成为当前隧道工程的主要特点。特别在我国西南、西北部广大山区，高地应力环境以及复杂多变的地质条件，使隧道修建过程中软岩的大变形问题日益严重和突出。如南昆铁路家竹箐隧道、兰新铁路乌鞘岭隧道、兰渝铁路木寨岭隧道、成兰铁路杨家坪隧道、松潘隧道、317线鹧鸪山隧道等，都先后出现了不同程度的软岩大变形问题(图1.1-1)，最大变形量达到1000~2000mm或以上，给工程修建带来了严重困难和极大安全风险[1]。而按照我国"一带一路"倡议和"八纵八横"战略，目前西部山区包括渝(重庆)昆(昆明)高铁、川藏铁路等在建及拟建的隧道工程总计长度将超过1000km，高地应力环境下的软岩隧道大变形灾害成为制约重大(点)工程顺利推进和建成的瓶颈和难题，研究软岩大变形隧道快速高效修建技术极为迫切。

(a)初支变形破坏   (b)拱架扭曲

图1.1-1 软岩隧道中大变形诱发的结构破坏图

高地应力软岩隧道开挖过程中因围岩自承载能力弱，自稳时间短，围岩常常出现变形速度快、变形量大、持续时间长等特点，开挖后若支护不及时或支护强度不足，极易出现过大的围岩变形而导致结构破坏甚至坍塌等风险。故为有效抑制软岩隧道开挖后快速发展的变形，保持岩体自承载能力，将围岩塑性区及松动圈保持在合理范围内，"及时强支护"体系在高地应力软岩隧道大变形处治过程中被广泛采用。所谓"及时强支护"包含两层涵义：一是隧道开挖后及早地施作支护结构；二是加大支护结构刚度，如采用加厚、二次甚至多次复喷的喷射网筋混凝土、间距更密的高强度钢拱架及施作更加厚实、配筋率更高的刚性二次衬砌(二衬)结构等[2]。在上述思想支配下，锚、喷、网和钢架、二衬等支护诸参数的设计标准都大大突破了各行业规范中的推荐值，典型如兰渝线上的木寨岭铁路隧道[3]，为应对施工中出现的大变形灾害，在岭脊段采用了含 H175 型钢钢架在内的 4 层初支+1层二衬共 1.9m 厚的复合式"强力支护"系统(图 1.1-2)。

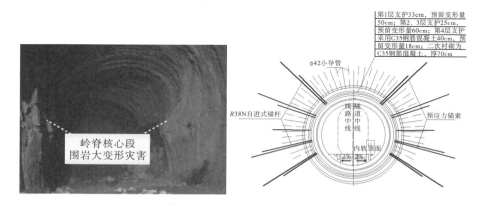

图 1.1-2   兰渝铁路木寨岭隧道大变形灾害及支护设计图

近年来，随着对软岩大变形隧道发生破坏机理与支护控制技术研究的深入，对衬砌结构与围岩间相互作用机制的认知亦逐步加深，以汪波教授为代表的国内外学者提出了"被动支护"的概念[4]：所谓"被动支护"是指依赖围岩产生向洞内的变形或破坏来"诱发"支护结构受力以抵御可能发生的各类灾害的衬砌。从上述认知出发，结合我国隧道中目前采用的初支+二衬支护模式，及由此模式衍生出的由喷射混凝土、钢拱架、系统锚杆与模筑混凝土组成的支护体系可以看出，上述支护构件若要发挥作用，均首先需要围岩产生相对的位移，否则各构件难以发挥支护效应。因此，现行软岩大变形隧道中"强力支护"是由"全被动"常规支护构件组成的全被动支护模式。

在软岩隧道中，上述"强力被动支护"虽在一定条件下能抑制围岩产生的变形，并控制围岩松动圈的发展，暂时抑制了隧道洞室局部范围因变形失稳而塌方，但随着软岩隧洞开挖过程中围岩应力的过度松弛而大范围地释放，岩体因持续大变形而呈非线性流变的特征，以及遇水后表现出体胀和失水则崩解离析等软岩不良地质缺陷特性，其围岩形变荷载将会随历时而持续加剧增长，支护体系的受力和变形亦会随之急剧发展增大。由于"实时强力被动"支护体系无法及时主动加固围岩、快速提高或调动岩体尤其是深部岩体承载能力，故以其为理念的强支护措施在处理较大的隧道变形时，因抑制了岩体形变能的释放反而诱发了更大的围岩压力，导致支护结构处于极高的不利受力状态，经常出现普通刚性锚杆因不能适应围岩的挤压变形而被拉断失效，钢拱支架因受压荷过大而产生受压折弯、扭曲或剪断，喷射网筋混凝土开裂掉块、保护层剥落露筋，以及二衬严重开裂等工程事故（图 1.1-3），而围岩因过度变形而大范围地"侵限"更十分常见。传统的"全被动"强力支护模式及其设计理论在高地应力软岩隧道建设中受到了极大的挑战，基于新型理论下的全新支护体系亟待提出。

(a)初支变形破坏　　　　　　　　　　　　(b)拱架扭曲

图 1.1-3　强力被动支护体系在大变形隧道中的结构破坏图

根据隧道力学可知，洞室开挖打破了原有的围岩地应力平衡关系，导致洞壁切向应力 σ_θ 急剧增大，径向应力 σ_r 急剧降低（基本为零）〔图 1.1-4(a)〕，此时，洞壁围岩由原始的三维应力状态转变为二维应力状态，也即径向约束得到了解除。而对于强度低、性状差的软弱岩体而言，随着隧道开挖过程中岩体径向围压的减小或解除，岩体物理力学性能将逐步降低，岩体状况将逐步恶化，从而导致围岩自承能力迅速减弱，洞周岩体很快进入塑性状态，最终形成过大的松动圈而诱发大变形及坍塌等风险〔图 1.1-4(b)〕[4]。

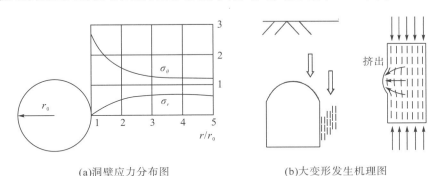

(a)洞壁应力分布图　　　　　　　　　　　　(b)大变形发生机理图

图 1.1-4　基于隧道力学的大变形发生机理图

因此，处于高地应力状态下的软岩隧道洞室开挖后，为消除因洞壁周边约束解除而造成的高应力差及带来的岩体力学性状恶化问题，需主动快速地对洞壁施加径向支护力 p（图 1.1-5），以部分恢复洞壁径向应力，同时使洞周围岩的受力环境尽早恢复到三维应力状态，进而达到快速主动地减小高地应力隧道中洞周应力差、抑制裂隙的扩展贯通及宏观破裂面的形成、提高围岩物理力学性状及其自承能力的目的。图 1.1-6 为主动支护下的围岩应力变化。

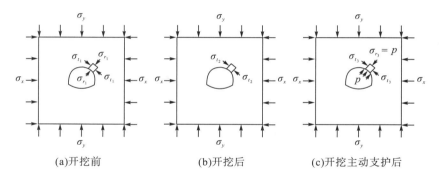

(a)开挖前   (b)开挖后   (c)开挖主动支护后

图 1.1-5   不同阶段围岩应力状态示意图(图中 σ_r 为洞周径向应力，σ_t 为洞周切向应力，p 为支护阻力)

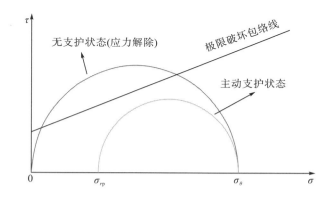

图 1.1-6   主动支护下围岩应力变化

　　基于上述认知，国内外相关学者提出了高地应力隧道中关于"主动支护"的明确定义与内涵[4-6]：所谓"主动支护"，是指在隧道开挖后，对洞室周边及时施加一预应力支护，以改善洞周应力状态及一定深度范围内围岩的自承能力，进而实现抑制或防止软岩隧道大变形发生的目的。故此，在当前我国软岩隧道中，不能一味地采用刚度大、支护强、造价高的"被动支护"手段以达到抑制大变形发生的目的，包含以砂浆锚杆为主体的全长黏结型锚杆在内的"全被动"支护模式应加以改变。

　　鉴于此，以国内典型高地应力软岩隧道为工程依托或示范，以快速改善围岩受力状态和"调动"围岩自承能力的"主动支护"理念为指导思想，开展以新型预应力锚固系统为核心载体的软岩隧道主动支护变形控制理论研究及其技术实践，以期揭示主动支护体系作用机制与承载机理，实现预应力"主动支护"作用下软岩隧道洞室稳定、灾变可控、结构安全与造价节约等多重并举的目的。

1.2　软岩隧道支护理论现状及其存在的问题

　　自 20 世纪初首例严重的交通隧道(辛普伦 I 线隧道)软岩大变形发生以来，国内外隧道工程发生围岩大变形灾害的事例屡见不鲜。国外如日本的惠那山隧道、奥地利的陶恩隧道和阿尔贝格隧道等都是典型的软岩大变形灾害工程案例。国内如青藏线上的关角隧道、宝中线上的大寨岭隧道和堡子梁隧道、南昆线上的家竹箐铁路隧道、兰渝线上的木寨岭铁路隧道等工程均出现了不同形式和程度的围岩大变形情况，给工程建设造成极大的困难，也给隧道设计、施工带来了一系列问题。为此，国内外众多学者针对软岩隧道支护技术方面开展了众多系列研究，并从软岩岩体特性及隧道变形机理等方面入手，先后提出了软岩隧道中"强力被动支护"、"让压支护"及"（预应力）主动支护"等三种主要支护理论[7]。

1.2.1 强力被动支护理论及其存在的问题

所谓"强力被动支护"包含 3 个方面内容：

其一，采用的支护理念为硬（支）抗，即力求以"高强支护力"抵抗围岩形变压力，实现对断面变形的成功控制。

其二，采用的支护技术措施为被动型式，即常规喷射混凝土、型钢拱架、砂浆锚杆和模筑二衬（钢筋）混凝土等，并形成了全被动式的支护体系。

其三，在施工上要求"快挖快支"，尽快闭合支护体系，二衬常紧跟围岩掌子面。

强力被动支护的核心思想正如王梦恕院士指出的那样："隧道开挖后应及时施做锚喷支护，及早给围岩施加一定量的围压，以期尽早提供较强的支护阻力，决不允许过多的释放，在软岩大变形隧道中寻找最佳支护点是错误的"。总体而言，强力被动型支护措施仍是目前软岩隧道大变形处治过程中的首选。如日本惠那山隧道Ⅰ线采用了厚度高达 1.2m 的初支及二衬+两层 H250@0.8m 型钢拱架的强支护体系；Ⅱ线海夹石断层带也同样采用了极强的支护措施。国内兰渝铁路线上两水隧道为遏制大变形的产生和发展，亦采用了双层初支（喷射混凝土 30cm+20cm，H175@0.5m 型钢拱架+I16@1.0m 型钢钢架）+二衬（拱墙 60cm、仰拱 70cm）和初支（喷射混凝土 30cm，H175@0.5m 型钢钢架）+双层二衬（50cm+30cm，C45 钢筋混凝土）的强支护手段。

但是，正如前述分析那样，"强力被动支护"体系由于约束了围岩的变形发展，岩体形变能得不到有效释放，在大尺度变形的软岩隧道中反而诱发了过大的围岩压力，使得支护结构处于极为不利的高应力状态，以"硬扛"模式形成的强力刚性结构在形变量较大的软岩隧道中出现不同程度的各类工程灾害问题几成常态！现今的软岩隧道在强力被动支护下呈现如下突出特征：

（1）软岩变形段基本都采用极强的被动承压支护手段进行控制，该类支护刚度大、延展性差、抗震性能低，若遇超出承载能力的压力或偶然荷载（如地震、爆破荷载等）发生时极易产生前述的如喷射混凝土开裂、剥落，锚杆拉断，以及钢拱架扭曲等破坏，如惠那山Ⅰ线隧道、杜家山隧道等。

（2）为控制变形发展及预防塌方风险，大变形段二衬及时跟进。我国隧道二衬施作普遍采用现浇模筑混凝土工艺，受其限制，二衬浇筑后需经一定时间的养护才能满足设计中提出的强度要求，进而实现较好的承载目的。但软岩隧道中过早地施作二衬，导致其早期强度未达设计标准时，围岩形变压力就已作用上来，从而诱发新建隧道二衬开裂进而影响后期承载的现象，如杜家山隧道[8]、同寨隧道[9]等（图 1.2-1）。

(a)杜家山隧道　　　　　　　　　　　　　　　(b)同寨隧道

图 1.2-1　新建隧道二衬破损图

1.2.2　让压支护理论及其存在的问题

近年来随着软岩隧道建设过程中各类灾害问题的大量出现,传统"强支硬顶"治理思维模式受到了越来越多的质疑。基于"先抗后让""边抗边让""抗让联合"特点的让压支护理念被业内学者提出,该理念汲取了及时强支护及双层支护的核心思想,即在原有的"及时支护""强支护"的基础上增加了"让压支护"的功能(图 1.2-2)。

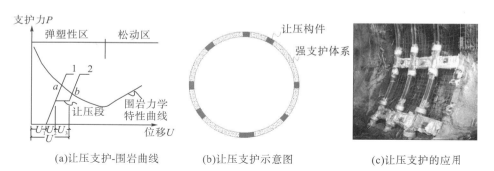

(a)让压支护-围岩曲线　　　　(b)让压支护示意图　　　　(c)让压支护的应用

图 1.2-2　让压支护理念与系统[10]

所谓让压,是要求在保持支护结构恒定承载力的条件下,允许其产生一定的位移量〔图 1.2-2(a)中的让压段〕以释放部分围岩压力及动荷载作用时积聚的能量,待让压量释放完毕后,结构随变形的进一步加大而持续承载直至破坏,以达到充分发挥围岩的自承载能力、优化支护受力、保障隧道稳定安全的目的。让压支护理念正如孙钧院士在《地下工程设计理论与实践》一书中指出的那样,对于软岩大变形地下洞室,支护结构应具备强柔性、高可缩性、边支边让、支护结构后期的增阻性及经济性和施工的便利性等特点。

关于让压支护技术在地下工程中的研究,主要集中在喷射混凝土、钢拱架和锚杆上,其中隧道工程中以喷射混凝土和钢拱架的让压为主,主要存在两类方式:

(1)其一为在环向支护构件中融入高压缩性元件,如 FFu 元件、Meypo 元件、Wabe 元件、屈服应力控制器和限阻器等,典型工程如:①都灵(意大利)至里昂(法国)Base 隧道 Saint Martin La Porte 段[11]，隧道工程师们在喷射混凝土衬砌中安装了高压缩性变形元件来克服挤压大变形导致的隧道支护困难，如图 1.2-3 所示；②蒙华铁路软岩隧道中广泛采用的"喷射混凝土+格栅钢架"+"限制支护阻力阻尼器"支护体系[12]，如图 1.2-4 所示。

图 1.2-3 Saint Martin La Porte 隧道段让压支护体系图

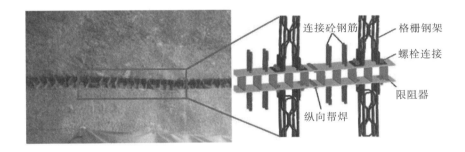

图 1.2-4 蒙华铁路软岩隧道中采用的让压支护体系

(2) 其二为可缩性钢拱架，以 U 型可缩性钢拱架为代表，如图 1.2-5 所示，通过设置滑动接头使其在承受一定的围岩压力后，接头能够产生滑动而允许钢拱架的断面收缩，防止钢拱架扭转或者翘曲破坏。由于可缩性钢拱架符合挤压围岩的变形规律，故其在高地应力挤压大变形交通隧道中也有一定的应用。如日本的惠那山隧道、奥地利的阿尔贝格隧道、国内的家竹箐隧道等均使用过 U 型可缩性钢拱架对隧道挤压变形进行控制。

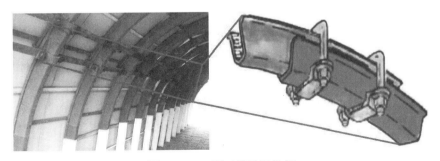

图 1.2-5 U 型可缩性钢拱架

　　上述环向让压支护的变形实际是沿隧道环向产生的，而隧道变形时，无论是周边收敛还是拱顶沉降，产生的都是径向位移，而环向让压技术则是将隧道开挖过程中的径向位移转变为环向位移进行释放，由此，径向位移向环向位移转变的过程中产生了 2π 的倍数差：假设实现隧道径向 30cm 的让压量，换算的环向让压量近 1.9m（$=2\pi\times30$cm），考虑喷射混凝土与拱架间的黏结条件、材料自身性能等因素，在软岩大变形隧道中实现环向 1.9m 让压量是不太现实的。

　　因此，环向让压技术在软岩隧道变形量较大时难以适用，这在都灵至里昂 Base 隧道 Saint Martin La Porte 段[11]让压支护体系的修建过程中体现得极为明显。根据报道，为了满足隧道收敛和衬砌承载力的要求，工程师们多次调整了喷射混凝土中安装的高压缩性变形元件的数量和位置，但直至工程结束也未得到适宜的设计方法。

　　与环向让压支护技术相对，地下工程中还存有径向让压支护技术，主要包括可压缩层和让压锚杆（索）。

　　（1）可压缩层主要设置在初期支护和二衬间，但考虑隧道工程对二衬安全性的要求是极高的，而设置可压缩层实则表示初期支护有出现较大变形的概率，导致二衬安全性存疑，故可压缩层在隧道工程中的应用极少。

　　（2）让压技术起源自让压锚杆（索），亦称大变形锚杆（索），主要应用于煤矿巷道[13]，其中最具代表性的当属 20 世纪 80 年代苏联研制的杆体弯曲型可伸长（波形）锚杆，如图 1.2-6 所示。近年来，随着制造技术、试验测试条件的日趋成熟，新型让压锚杆（索）种类逐渐增多，典型如中国矿业大学的何满潮院士发明的一种恒阻大变形锚杆，如图 1.2-7 所示，可以在巷道发生大变形时自动拉伸，以及 Charlie Chunlin Li 发明的广泛应用于挪威隧道工程中的 D 型锚杆，如图 1.2-8 所示。

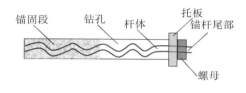

图 1.2-6　苏联波形锚杆

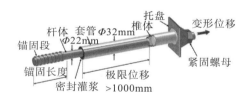

图 1.2-7　恒阻锚杆

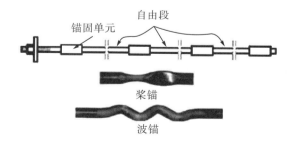

图 1.2-8　挪威 D 型锚杆

正如前述那样，隧道开挖后其变形是沿隧道径向发生的，故从支护围岩变形角度言，以让压锚杆(索)为代表的径向让压支护技术在软岩大变形隧道中无疑是更加适合的。但与环向让压支护技术相同的是，径向让压支护技术的使用也仅是从提高结构变形能力角度出发的，本质上仍属"被动承载"范畴。换言之，缺乏对软岩隧道围岩承载能力提高和调动的关注，如此，"让"到何种程度方能实现有效支护，保证结构受力安全，以及"让"所导致的围岩稳定性降低等如何考虑和"让"了之后的隧道塌方风险是否会急剧增加等，均难以言明。因此，被动的"让"，即只通过增大支护构件变形能力的"让"实则并不适宜。进一步，考虑让压技术的研发与应用时间实际并不长，虽然国内外部分专家学者基于其提出了(新型)让压支护理念，但大部分研究仍仅停留在对让压支护概念的探讨上。

1.2.3　主动支护理论及其存在的问题

所谓"主动支护"，是指在隧道开挖后，对洞室周边及时施加一预应力支护，以改善洞周应力状态及一定深度范围内围岩的自承能力，进而实现抑制或防止高地应力软岩隧道大变形发生的目的。主动支护的核心在于采用预应力锚杆(索)支护技术主动地对围岩尤其是深部岩体的自承载能力进行提升，是其区别于其他支护理论最显著的特征。

鉴于"主动支护"在围岩力学特性的提高、承载能力的调动、位移变形的抑制等方面具有潜在的优越性，世界各国在地下工程建设过程中先后开展了以预应力锚杆(索)为核心构件的主动支护体系的实践应用研究。其中美国是较早认识到主动支护的优越性并率先采用该支护技术的国家，早在 20 世纪 70 年代，美国矿业部门首次将涨壳式锚头与树脂锚固剂联合使用，并采用减摩塑料垫圈实现了锚杆的预应力支护，此举显著提高了顶板的稳定性，大大减少了冒顶事故[14]，至此主动支护体系在美国矿业系统中得到了快速应用。随后，英国、加拿大、澳大利亚等锚固技术发达的国家在矿业开发过程中对预应力主动支护技术亦进行了大力推广。同欧美国家类似，我国地下工程界对预应力主动支护技术的研究与应用亦始于矿业领域。20 世纪 90 年代中后期以来，随着矿井开采深度的不断增大，高埋深带来的大变形灾害问题凸显，以拱架+喷射混凝土为主体的传统被动支护体系在日益复杂的工程灾害防治中常常显得"力不从心"。因此，业界众多学者建议采用以预应力锚固技术为核心的主动支护技术来替代传统的被动支护模式，并将改进后的支护体系应用于煤矿巷道工程中，取得了良好的支护效果。典型代表如，康红普等针对深部煤矿巷道复杂困难条件，提出了高预应力支护理论并开发出相应的高预应力主动支护系统与成套支护技术，且通过实际工程应用验证了支护效果的可靠性[15,16]；何满潮等从充分地发挥巷道围岩的自承能力和锚杆(索)等构件的支护能力等目的出发，提出了包括巷道支护参数耦合和施工预紧力耦合等方面的巷道锚杆耦合支护技术[17]；张农等提出了以高预拉力、高强度、高刚度"三高"锚杆为主体的煤巷高强预应力锚杆主动支护技术，该技术认为坚持以高强锚杆为基础、以高预应力为核心的主动支护是保持巷道长期稳定的关键[18]。

尽管国内外众多学者针对以预应力锚固系统为核心的主动支护技术开展了大量研究并取得了系列研究成果，但截至目前，最具说服力的仍属 T. Lang(1962 年)和 E. Hoek(2007 年)[19]为验证预应力锚固体系对破碎岩体承载能力的提升作用而开展的室内试验

(图1.2-9)，试验表明，原本毫无承载能力的松散碎石经预应力主动支护后，除应力作用范围外(即垫板无支持区)碎石出现掉落，在应力作用范围内(即压缩区)的碎石则形成整体并可以承受一定的荷载(图1.2-9)，预应力锚固对岩体尤其是破碎岩体的自承能力提升作用显著。

(a)Lang(1962年)   (b)Hoek(2007年)

图 1.2-9　预应力锚杆主动支护试验

近年来以高强预应力锚索为主体的主动支护体系在软岩煤矿巷道中的成功实践，为高地应力软岩铁路、公路及水工隧道大变形治理提供了新的思路与方法，但是与煤巷工程不同，隧道工程具有如下突出特征：

(1)初支+二衬的"全被动"支护体系仍是当前交通或水工隧洞中的主流支护模式，受此支护模式影响，二次衬砌将不可或缺，同时长久以来交通与水工隧洞中形成的基于被动支护构件的工艺技术与施工流程，短时间内亦难以彻底改变或摒弃；尤其在浅埋、岩体破碎、高地应力、软弱岩体等地质环境复杂的隧道工程中，拱架等强力被动支护仍将是主要的承载构件，故此，"被动支护"构件作为衬砌结构组成部分将会与"主动支护"构件长期并存。

(2)与煤矿巷道中"临时或半临时"支护体系的理念不同，交通/水工隧洞中现行的复合式衬砌结构的使用寿命要达百年之久，初期支护作为最初的承载单元后期亦将作为永久支护的一部分，由此，对支护体系中各支护构件尤其是锚固系统的耐久性与长期服役性能提出了更高的要求。

(3)与煤矿巷道相比，交通与水工隧洞断面更大，同时受建筑限界的制约，对围岩变形的控制程度要求更高，从而使得支护结构受力更为不利，这对支护体系"提高或调动"围岩承载能力提出了更高的要求。

1.2.4　软岩隧道中常用支护理论的适用性

1.2.4.1　强力被动支护理论及其技术的适用性

在整治软岩隧道大变形时，提高支护结构的刚度、强度仍是常规做法，通过高强度、大刚度的型钢拱架、喷射混凝土，乃至超厚、高配筋率的二次衬砌来限制围岩的变形是极为普遍的。但是，众多的软岩隧道工程支护案例已表明：如此的强力型支护仅能在一定围岩变形范围内取得良好的支护效果，当围岩变形过大时，强化被动属性的支护结构往往并不能成功地抵抗围岩变形所引起的压力，而会发生严重的支护失效。表 1.2-1 总结了国内外典型的软岩隧道强力支护结构破坏工程案例(频繁出现围岩大变形)[20]。

表 1.2-1　强力支护结构破坏工程案例

序号	隧道名称	国家	长度/km	最大埋深/m	地质条件	拱顶沉降/cm	水平收敛/cm	支护失效情况
1	Enasan隧道	日本	8.635	450	风化花岗岩	93	112	衬砌大规模开裂
2	Tauern隧道	奥地利	6.4	1000	千枚岩、绿泥岩	120	—	最大位移速率 20cm/d
3	Arlberg隧道	奥地利	13.98	740	千枚岩、片麻岩、片岩绿泥岩等	—	—	变形初速度 4～6cm/d，最大达 11.5 cm/d
4	Base隧道	意大利	—	600	黑色片岩、砂岩、泥状页岩	—	—	极严重挤压变形，最大位移高达 2m
5	Yacambu-Quibor隧道	委内瑞拉	—	1270	硅质和泥质千枚岩	—	—	支护破坏严重，施工过程中支护形式发生多次变更
6	杜家山隧道	中国	3.727	194	以绢云母千枚岩为主	—	—	喷射混凝土脱落、钢拱架严重扭曲变形、掌子面严重挤出
7	鹧鸪山隧道	中国	8.808	1392	变质砂岩、板岩、千枚岩	—	37.6	喷射混凝土开裂、钢架扭曲、侵入隧道界限
8	乌鞘岭隧道	中国	20.05	1100	板岩、千枚岩、断层泥砾	105.3	103.4	初支掉块开裂、钢拱架局部扭曲、部分初支侵入二衬范围
9	木寨岭铁路隧道	中国	19.095	728	板岩、炭质板岩	181	240.3	初支进行二次换拱，特殊地段换拱达 4 次

　　如表 1.2-1 所示，在挤压变形较严重的隧道中，强力被动支护体系多有不适应，支护失效现象频发，但在一般和轻微挤压大变形段落，强力被动支护技术无论是在变形和稳定性控制，还是在综合设计、施工习惯，及工程组织效率和工程管理等方面仍是具有明显优势与应用价值的(详情请参见《高地应力软岩隧道及时-强-让压支护理论与工程实践》一书)。

1.2.4.2　让压支护理论及其技术的适用性

　　截至目前，让压支护主要集中在煤炭工程领域，以 U 型钢拱架和让压锚杆(索)的应用为主，其中：

　　(1)U 型钢拱架。1986 年煤炭工业部生产司发布关于使用《巷道金属支架系列》的决定(86 煤生字第 495 号)，对我国煤矿巷道普遍使用的 9 种架型、131 种规格的金属支架及相关附件进行了标准化(MT 143—1986)，提出了选择支架的步骤和方法，断面参数和极限承载力的计算过程，支架附件的选择依据。部分可缩性支护设计如图 1.2-10 所示。

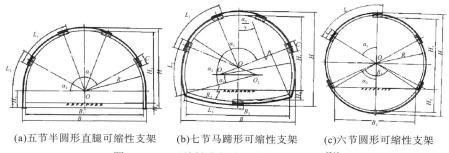

(a)五节半圆形直腿可缩性支架   (b)七节马蹄形可缩性支架   (c)六节圆形可缩性支架

图 1.2-10　可缩性支架(U 型钢拱架)设计[21]

（2）让压锚杆（索），亦称吸能锚杆（索），其自 20 世纪问世以来，有效解决了深部软岩工程领域的大变形和瞬时高动载荷问题。截至目前，已有几十种吸能锚杆被研制出来，例如锥形锚杆、Garford 锚杆、Yield-Lok 锚杆、Roofex 锚杆等。特别是近年来随着浅部矿产资源的逐渐枯竭，矿山开采逐步向 1 000 m 以下深部进军，让压锚杆（索）的研发与应用已成为深地工程研究的热点之一。

与煤炭工程领域不同，上述 U 型钢拱架和让压锚杆（索）在铁路、公路及水工隧道中的应用却极为少见。究其原因主要有以下几点：

（1）交通及水利领域中大变形问题并不像煤矿系统中那么突出，这导致对于变形支护技术的重视程度及支护理论的认识不够深入。

（2）两者之间的支护理念存在较大的差异，矿业系统中一般仅施作一次支护，即所谓的初次衬砌，且大多作为临时支护，使用周期较短；而交通及水工隧洞中现行的支护系统一般均采用初支及二衬共同作用的复合式衬砌，且初支作为最初的承载单元后期将作为永久支护的一部分，同时，要求结构的使用寿命达百年之久。

（3）U 型钢拱架的支护刚度相对较低，在应对断面更大的交通隧道工程时，其承载能力明显不足；同时，随断面增大，环向让压难以有效适应围岩径向变形的不足也将成倍数地放大。

（4）由于隧道支护系统是含锚杆、拱架及喷射混凝土的综合体，在围岩大变形过程中，一般要求该系统能与围岩发生统一的协调变形，这就要求整个初期支护系统中各部分均能发生相应的变形，因此，单纯研究让压构件，忽视支护系统中各支护构件的协调变形特征，对于软岩隧道让压支护系统而言是远远不够的。进一步，环向让压支护技术与围岩变形的"匹配性"存有较大问题，这导致让压支护体系的适宜结构组成难以确定，尤其是挤压大变形隧道中多数是存在优势变形部位的，并非理想的径向"均一"变形。

综合上述，让压支护理论及其形成的让压支护体系在高地应力铁路、公路及水工软岩大变形隧道中的效用性与可靠性有待于进一步验证，截至目前，难以大规模、成系统地应用于软岩隧道中。

1.2.4.3　主动支护理论及其技术的适用性

地下工程中主要采用的主动支护技术实现形式（多数来自巷道工程）与适用条件可归纳如表 1.2-2 所示。

表 1.2-2　主动支护技术实现形式与适用条件[22]

序号	支护形式	适用条件
1	预应力锚杆支护	围岩完整、强度大的岩巷与隧道
2	预应力锚杆钢带(梁)支护	围岩强度较大、较完整，节理、裂隙等结构面不发育
3	预应力锚网支护	围岩强度较大、较稳定，发育一定的节理、裂隙等结构面，围岩应力不大
4	预应力锚网带(梁)支护	围岩强度较低，节理、裂隙等结构面较发育
5	预应力锚网、桁架支护	大断面巷道、硐室和交岔点，复合顶板巷道
6	预应力锚网与锚索联合支护	适用于多种条件

　　分析表 1.2-2，可知现今的主动支护技术应用极为广泛，适用于各种围岩条件，其实现的技术途径主要包含三种形式的预应力锚杆(索)锚固系统：中空预应力锚杆锚固系统、树脂锚杆锚固系统和小孔径预应力树脂锚索锚固系统。

　　1. 中空预应力锚杆锚固系统[23]

　　中空预应力锚杆，即内锚外注式锚杆，主要分为涨壳式预应力中空锚杆(图 1.2-11)和(水泥药卷)分段式预应力中空锚杆(图 1.2-12)，多应用于完整性较好、强度较高的岩体隧道中，如京张高速铁路八达岭长城站大跨段、杭州万松岭大跨市政隧道采用预应力锚杆(索)的主动支护技术有效保障了大断面地下车站的稳定性；在建的郑(州)万(州)高速铁路全线隧道中采用以预应力锚杆为核心构件的主动支护技术，有效控制了围岩变形，优化了原有的被动设计参数，大大降低了工程造价。

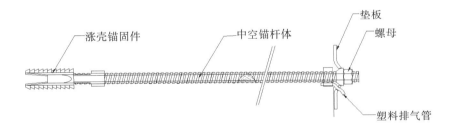

图 1.2-11　涨壳式预应力中空锚杆

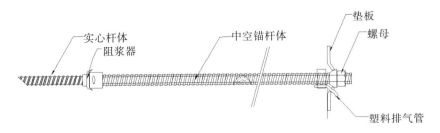

图 1.2-12　分段式预应力中空锚杆

2. 树脂锚杆锚固系统

树脂锚杆锚固系统主要由杆体、垫板、螺母、垫圈和锚固剂等组成，如图 1.2-13 所示，其在我国煤矿巷道工程中得到了大面积的推广应用：从服务年限比较长、不受采动影响的大巷、硐室，到服务时间较短、受动压影响的回采巷道；从薄及中厚煤层回采巷道，到厚煤层、特厚煤层综放开采沿煤层底板掘进的煤顶和全煤巷道；从近水平煤层、缓倾斜煤层巷道，到急倾斜煤层巷道；从围岩稳定巷道，到软岩巷道、破碎围岩巷道；从实体煤巷道，到沿空掘巷和沿空留巷；从小断面巷道到大断面开切眼与交岔点；从浅部巷道，到深部高应力巷道，涵盖了我国煤矿的各种巷道类型。我国已于 2018 年编制完成了《煤矿巷道锚杆支护技术规范》[22]。

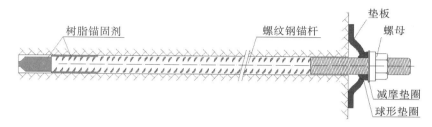

图 1.2-13　树脂锚杆锚固系统

3. 小孔径预应力树脂锚索锚固系统

所谓"小孔径"，是相对于交通隧道中包含注浆层厚度的大孔径而言的，煤矿领域中，由于较少考虑锚固系统的耐久性问题，在施工过程中，为增加工效、节约成本和保障锚固系统的作用效应，锚孔孔径一般小于有注浆保护层的锚固系统孔径。小孔径预应力锚索系统于 1996 年由煤炭科学研究总院开发完成，采用单根钢绞线，钻孔直径与锚杆钻孔相同，使用锚索体直接搅拌树脂药卷锚固，大幅提高了锚索安装速度，而且实现了锚索主动、快速承载。目前小孔径树脂锚固预应力锚索已在各类煤巷中得到了推广应用（表 1.2-3）。小孔径预应力锚索系统的开发显著扩大了锚固支护的应用范围。

表 1.2-3　复杂困难巷道的锚杆（索）联合支护[24]

巷道类型	围岩特点	支护形式	典型矿区
软岩巷道	围岩松软，强度低，遇水软化、膨胀	全长锚固预应力锚杆与锚索，喷射混凝土，必要时增设金属支架	平庄、龙口、铁法、淮南、淮北等矿区
破碎围岩巷道	围岩内结构面发育，煤岩体破碎、稳定性差	全长锚固预应力锚杆与锚索，注浆加固，注浆锚杆、锚索，钻锚注锚杆	各矿区的断层、褶曲、陷落柱等地质构造破碎带
煤顶或全煤巷道	放顶煤开采巷道，顶板、两帮均为煤层，或四周全部为煤层	高强度预应力锚杆与锚索，全断面锚索	大同、兖州、开滦、邢台、潞安、晋城、阳泉、华亭等矿区
深部高应力巷道	埋深大，围岩应力大，并伴有冲击地压等动力灾害	高强度、高延伸率、高冲击韧性预应力锚杆与锚索，全断面锚索，必要时增设金属支架，采用应力控制措施	新汶、淄博、徐州、淮南、开滦、平顶山、义马等矿区
强烈采动影响巷道	受二次、多次采动影响，沿空留巷，多巷布置复用巷道等，采动应力大，作用时间长	高强度、高延伸率、高冲击韧性预应力锚杆与锚索，全断面锚索，必要时增设加强支护，采取应力控制措施	工作面采用多巷布置方式，采用沿空留巷的矿区

　　综合上述可以看出，主动支护理论及其技术的应用，极大地拓宽了锚杆(索)系统应用的范围，尤其是小孔径预应力锚索系统在各种复杂地质煤矿巷道中的成功实践，为软岩隧道中的大变形治理提供了新的思路与方法，成功值得期待！但是，与采用"临时或半临时"支护体系的煤矿巷道不同，交通隧道中现行的支护结构体系需满足百年的长期服役需求，因此，矿业领域中现行的高强主动支护系统，包括树脂锚杆系统和小孔径树脂锚索系统在软岩隧道中的适用性与可靠性有待于进一步系统深入研究。

1.3　木寨岭特长公路隧道简况[25]

1.3.1　工程概况

　　目前在建的兰海高速(G75)渭武高速段木寨岭公路隧道，位于甘肃省定西市境内，隧道横跨漳县、岷县两县，穿越最高海拔为 3252m 的漳河与洮河分水岭木寨岭，是国家"八纵八横"交通网络建设战略的主要组成部分，也是国家实施"一带一路"倡议的重要交通干线。

　　木寨岭隧道采用分离式设计，其中左线进口里程 ZK210+635，出口里程 ZK225+861，全长 15226m；右线进口里程 K210+635，出口里程 K225+803，全长 15168m；设计高程 2419.12～2641.25m，(单坡，-1.51/-0.683%)，最大埋深约 629.1m。隧道采用分离式双向四车道设计，隧道建筑限界净宽 10.25m，设计速度 80km/h；线路走向与 G212 线走向基本一致，与兰渝铁路木寨岭隧道水平距离约 900～1200m(图 1.3-1)。

图 1.3-1　木寨岭隧道线路走向图

1.3.2　工程地质特征

1.3.2.1　地质条件

　　木寨岭公路隧道穿越秦岭东西复杂构造带，隧道岩性为砾岩、断层压碎岩、炭质板岩、千枚化炭质板岩、砂岩等，以软质炭质板岩为主(图 1.3-2)。隧址构造交汇部位地应力高度集中，褶皱带活动强烈，近东西走向断层发育，地质构造极为复杂，有 3 个背斜、3 个向斜构造，6 处褶皱、12 条断层。

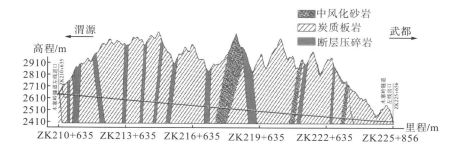

图 1.3-2　木寨岭公路隧道地质纵断面图

施工过程中揭示掌子面围岩主要为薄层状灰黑色炭质板岩(图 1.3-3)，大部分围岩扭曲严重或破碎，节理裂隙和揉皱发育，薄层状结构(1～3cm)；围岩软弱，断层构造明显，层理呈压扭性不规则状等，整体性差，自稳能力弱，易掉块坍塌，且易发生顺层滑塌；大部分段落掌子面有渗水，局部有股状水。

图 1.3-3　典型单斜薄层(揉皱发育)炭质板岩

1.3.2.2　初始地应力特征

1. 区域地应力场分析

根据《甘肃省区域地质志》有关构造应力场分析，该区域自中元古代以来一直以南北向的持续挤压应力为主，结合区域地质资料，区域构造线总体呈 NWW 向或近 EW 向展布，综合分析隧址区的主要断裂、褶皱构造走向(87°～126°)，认为区域地应力方向应为 NNE 向。兰渝铁路木寨岭隧道地应力测试：根据对隧道通过的断裂、褶皱构造走向(N55°～60°W)的分析，区域地应力方向应该为 N30°～40°E，最大主应力为 38.38MPa，测得的主应力方向与区域地应力方向一致，开挖中隧址区最主要的工程地质问题就是软岩变形问题，隧址区属高应力区。

2. 实测地应力结果分析

施工图设计阶段对钻孔 S-SK03(里程 K214+085 处)和 S-SK05(里程 K218+400 处)进行了地应力测试。测试方法采用水压致裂法。由于地层破碎、钻孔掉块、涌水等地质条件限制，在实测中对钻孔 S-SK03 和 S-SK05 分别选取了 5 段和 3 段进行测试，取 $\sigma_{max}=S_H$，隧址区范围内的 R_c 值范围为 20～30MPa，R_c/σ_{max} 值列于表 1.3-1。

表 1.3-1　木寨岭公路隧道区 R_c/S_H 量值表

序号	测段深度/m	σ_{max}/MPa	R_c/MPa	R_c/σ_{max}
1	250	9.74	20～30	2.05～3.08
2	270	10.64	20～30	1.88～2.82
3	300	10.83	20～30	1.85～2.77
4	320	11.35	20～30	1.76～2.64
5	365	11.34	20～30	1.76～2.65
6	370	14.36	20～30	1.39～2.09
7	397	14.05	20～30	1.42～2.14
8	427	15.64	20～30	1.28～1.92

从表 1.3-1 中可知,隧道区 8 个测段的 R_c/σ_{max} 值均小于 4,表明测点附近属极高应力区,隧址区地层岩性较软,岩体较破碎,在极高应力状态下,隧道开挖后,围岩会发生较大变形。

1.3.3　结构参数设计及支护特性分析

1.3.3.1　支护结构参数

木寨岭公路隧道原设计参数仍主要沿袭了兰渝铁路木寨岭隧道的支护思路,采用"强撑"的主要设计支护方案,以 SVc、SVf 型衬砌结构应用最多,主要支护参数如下。

1. SVc 型衬砌类型

HW175 型钢拱架,间距 80cm/榀(仰拱未封闭);Φ42 超前注浆小导管,L=4.5m,环向间距 40cm;径向设 Φ25 中空注浆锚杆,L=4.0m,间距 100cm×80cm(环×纵);Φ8 钢筋网,间距@15cm×15cm;C25 早强喷射混凝土厚度 25cm;二衬采用 C30 钢筋混凝土,厚度 50cm,主筋为 Φ22 螺纹钢筋,间距 25cm;预留变形量为 20cm。SVc 型衬砌结构如图 1.3-4 所示。

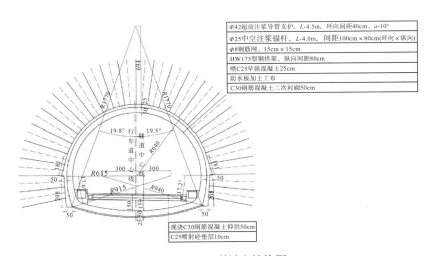

图 1.3-4　SVc 型衬砌结构图

2. SVf 型衬砌类型

HW175 型钢拱架(仰拱封闭),间距 50cm/榀;Φ42 超前注浆小导管,L=4.5m,环向间距 40cm;径向分别设 Φ42 径向注浆导管(L=4.0m)及 Φ25 自进式锚杆(L=5.0m),间距 100cm×150cm(环×纵),交错布置;Φ8 钢筋网,间距@15cm×15cm;C25 早强喷射混凝土厚度 28cm;二衬采用 C30 钢筋混凝土,厚度 55cm。上中台阶、中下台阶之间各设一道临时仰拱,I18 工字钢架间距 50cm,C25 早强喷射混凝土厚度 18cm。预留变形量为 35cm。SVf 型衬砌结构如图 1.3-5 所示。

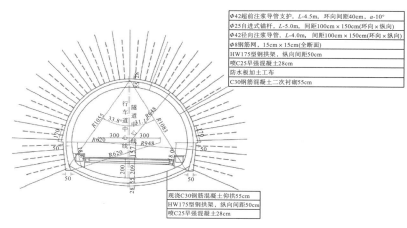

图 1.3-5   SVf 型衬砌结构图

1.3.3.2   支护特性

分析木寨岭公路隧道支护衬砌的类型,其主要是由"喷射混凝土、型钢拱架、系统砂浆锚杆、模注混凝土"组成的,属全被动支护模式。

以我国《公路隧道设计规范 第一册 土建工程》(JTG 3370.1—2018)为例,列出部分相关建议值,如表 1.3-2 所示(鉴于产生软岩隧道大变形段基本处于 V 级围岩区,故表中仅选列规范中 V 级围岩段支护参数的推荐值)。

表 1.3-2   《公路隧道设计规范》[26]中支护参数推荐值

围岩级别	喷射混凝土/cm		锚杆			钢筋网间距/cm	钢架/cm		二次衬砌厚度/cm	
	拱、墙	仰拱	位置	长度/m	间距/m		间距	截面高	拱、墙混凝土	仰拱混凝土
V	18~28	—	拱、墙	3.0~3.5	0.6~1.0	拱、墙@20×20	0.6~1.0	14~22	35~50 钢筋混凝土	0 或 35~50 钢筋混凝土

通过设计值与规范推荐值对比分析可知:

(1)喷射混凝土。规范推荐喷射混凝土厚度值为 18~28cm。木寨岭公路隧道主要衬砌 SVc、SVf 采用 28 cm。

(2)钢拱架。规范推荐拱架间距值为 0.6~1.0m。木寨岭公路隧道主要衬砌 SVc、SVf 均采用 HW175 型钢,支护间距为 0.5m、0.8m。

（3）锚杆。规范推荐锚杆长度值为 3.0～3.5m。木寨岭公路隧道主要衬砌 SVc、SVf 均采用全长黏结锚杆，长度为 4m、4～4.5m。

（4）二衬厚度。规范推荐二衬厚度值为 35～50cm。木寨岭公路隧道主要衬砌 SVc、SVf 采用 50 cm、55 cm。

上述分析可看出，为应对木寨岭公路隧道变形问题，支护参数值普遍临界于规范推荐上限值或超推荐上限值，尤以 SVf 型衬砌参数为典型，其"强力被动支护"的特点非常显著。此外，针对大变形段落，设计中除采取上述"强力被动支护"结构外，同时辅以以下对策与措施：

（1）分部开挖、及时支护、及时封闭。

（2）增大预留变形量。大变形段隧道洞壁位移比正常段隧道大，所以在设计中考虑了增大预留变形量，以避免变形过大造成侵限。

1.3.4　木寨岭公路隧道大变形状况简述

木寨岭隧道施工过程中，多次发生大变形导致拆换拱，尤其 2#、3# 斜井最为严重，典型破坏现象如图 1.3-6 所示。

(a)围岩大变形　　　　　　　　　　　(b)支护系统压溃

(c)混凝土开裂、掉块　　　　　　　　(d)钢架弱轴向翘曲

(e)拱架强轴向扭曲　　　　　　　　　(f)钢架强轴向折叠

图 1.3-6　木寨岭公路隧道典型破坏实景

统计斜井施工阶段大变形情况如下：

（1）2#斜井累计发生较大变形侵限 10 次，最大变形累计收敛为 3145mm；最大变形收敛速率 831mm/d。累计变形换拱段落 530m，占斜井施工段落的 30%。尤其 2018 年，共计完成隧道进尺 300m（不含锚索施工 70m），发生拆换拱 136m，拆换比达 45%。

（2）3#斜井累计发生较大变形侵限 12 次，最大变形累计收敛为 2000mm；最大变形收敛速率 205mm/d。累计变形换拱段落 451.4m，占斜井施工段落的 36%。尤其 2018 年，共计完成隧道进尺 257m，发生拆换拱 118m，拆换比达 46%。

针对木寨岭隧道特殊、复杂的地质、围岩特性，业主单位多次组织召开专家咨询会，制定了以多层强力支护为核心的变形支护预案（表 1.3-3），并开展了现场支护试验研究。

表 1.3-3   设计支护预案参数

项目	I 级大变形	II 级大变形	III 级大变形（a）	III 级大变形（b）
预留变形量	40cm	50cm	60cm	80cm
超前支护	$\Phi42$，L-3.3m，环向间距 40cm	$\Phi42$，L-3.3m，环向间距 40cm	$\Phi42$，L-3.3m，环向间距 40cm	$\Phi42$，L-3.3m，环向间距 40cm
喷射混凝土	28cm	第一层 28cm 第二层 25cm	第一层 28cm 第二层 25cm	第一层 28cm 第二层 25cm 第三层 25cm
径向锚杆	$\Phi42$ 环向注浆小导管，L=450cm，拱部和边墙设置	$\Phi42$ 环向注浆小导管，L=450cm，拱部和边墙设置	$\Phi32$ 自进式预应力长锚杆，L=800cm；$\Phi42$ 径向注浆导管，L=450cm，拱部和边墙设置	$\Phi32$ 自进式预应力长锚杆，L=800cm；$\Phi42$ 径向注浆导管，L=450cm，全环设置
钢筋网片	$\Phi8$（全断面设置、双层）	$\Phi8$（全断面设置、三层）	$\Phi8$（全断面设置、三层）	$\Phi8$（全断面设置、四层）
拱架	HW200b 型钢拱架，纵向间距 60cm	拱架间距 60cm，第一层 HW200b，第二层 HW175	拱架间距 60cm，第一层 HW200b，第二层 HW200b	拱架间距 60cm，第一层 HW200b，第二层 HW175，第三层 4@25 格栅
仰拱、二衬厚度	C30 钢筋混凝土，厚度 55cm	C30 钢筋混凝土，厚度 60cm	C30 钢筋混凝土，厚度 65cm	C30 钢筋混凝土，厚度 80cm

采用变形支护预案，初期对支护变形的控制起到了一定的效果，但在后期的大变形中效果不佳。如此，在进入 2#、3#斜井大变形、大断面的落底交叉段落，采用常规设计方案和处治措施无法确保安全通过，参建人员信心尽失，施工举步维艰。尤其是 3#斜井在 2018 年 10 月已施工到井底，达到挑顶落底条件，但由于斜井井底段连续发生大变形，加之交叉口围岩整体较差，常规支护方案无法保证施工安全，经过多次咨询和论证，没有形成安全有效的落底方案，施工推进十分艰难。

第2章 软岩隧道快速主动支护基本原理及其技术实现

一般言，隧道等地下工程随着洞室开挖，围岩体径向应力释放（消散），切向应力聚集（集中），力学性能将出现下降，并呈现出恶化的态势。上述的围岩劣化过程在普通隧道中是不甚明显的，但在软岩隧道，尤其是高地应力软岩隧道中，却是极为显著的，围岩的力学性能多数迅速下降，并难以有效遏制。因此，忽略了对软弱围岩因开挖导致劣化过程的认识，是目前强力被动支护或者让压支护在软岩大变形隧道中应用效果不甚理想的主要原因之一。

实际上，对于处于高地应力状态下的软岩隧道，因受限于岩体的物理力学特性与加载特性，在洞室开挖后，急需快速主动地给予一个支护力，消除因洞壁周边约束解除而造成的高应力差及带来的岩体力学性状恶化问题，并抑制裂隙的扩展贯通及宏观破裂面的形成。而上述施加的快速主动支护力所起到的支护效果，通常是事半功倍的，支护成效极为显著。

2.1 软岩隧道快速主动支护的基本原理

2.1.1 软岩隧道快速主动支护内涵

在明确主动支护的基础上，软岩隧道，尤其是高应力软岩隧道中的快速主动支护内涵，将具如下特征：

(1)快速（及时）性：及早施加支护阻力，尽早遏制围岩松动圈和塑性区的发展。

(2)主动性：采用预应力构件进行主动支护，使施锚区尽快形成"承载拱"。

(3)强力性：在挤压型大变形隧道中需具备高强支护能力。

从上述支护内涵出发，在地下工程中，若要实现快速主动支护，适宜的预应力锚杆（索）系统将是整个主动支护体系的核心，乃至根本所在。

2.1.2 软岩隧道主动支护作用机理

1. 基于应力传递的单根预应力锚杆（索）支护机理

如图 2.1-1 所示，从单个预应力锚杆（索）与岩体力学传递机制上进行分析，预应力锚索通过垫板径向挤压洞壁、锚固段拉伸深部围岩，在锚固段与洞壁间形成挤压区。挤压区内岩体结构面贴合紧密，并在三向受压状态下强度、内聚力等力学参数得以提升，特别是对于进入塑性状态的岩体，力学性能的提升效果是极为显著的[27]。

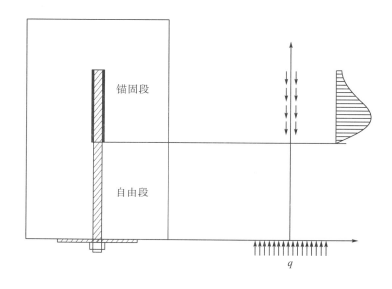

图 2.1-1　单根预应力锚杆(索)支护围岩受力状态

2. 基于应力传递及叠合效应的预应力锚杆(索)群支护机理

如图 2.1-2 所示，从多根锚杆(索)联合形成的锚杆(索)群和岩体间的力学传递机制上进行分析，当锚杆(索)间距小于一定值后，锚杆(索)在垫板与锚固区范围存在压缩带，该压缩区内岩体近似处于三向受压状态，变形参数和强度参数均得到提升；而压缩区内岩体可抑制锚杆(索)锚固圈外侧破碎岩体向净空侧位移趋势，阻止岩体结构面向深部发育，协调内部岩体的承载性能，最终实现对围岩变形的有效控制。

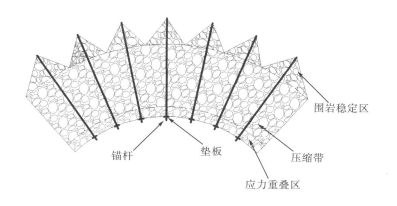

图 2.1-2　锚杆(索)群形成的压缩拱效应

3. 基于围岩-支护系统协同作用的主动支护作用机理

图 2.1-3 给出传统被动支护和快速主动支护下的围岩-支护特征曲线。假定在围岩位移量产生初期变形 U_0 时施作三种支护并分析围岩变形与支护力关系，其中①②为被动支护，③为主动支护，支护刚度大小关系为②>①=③。

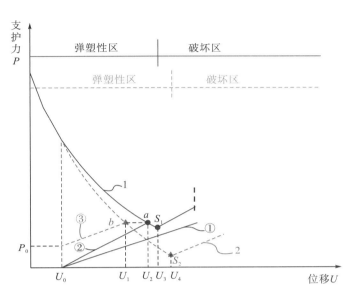

图 2.1-3 围岩-支护特征曲线

如图 2.1-3 所示，采用传统被动支护，若支护刚度低，如支护曲线①，提供的支护力难以有效控制岩体变形，支护曲线与围岩曲线无法相交，支护失败，出现大变形；为此，提升支护刚度，采用强力支护，如支护曲线②，较支护曲线①，刚度大幅提升，可在围岩位移为 U_2 处成功控制围岩变形，但需要指出的是，U_2 与围岩破坏(大变形/失稳)位移 U_3，量值相差较小，如此，高应力带来的软岩持续蠕变效应，将极有可能在隧道"成功"支护一段时间后，发生围岩大变形，这也是高应力软岩隧道缓侵型大变形频繁出现的原因之一。但是，当采用主动支护③时，因主动支护具备改善围岩自承载的能力，主动支护下的围岩特性曲线较被动支护显著改善，其突出特征为主动支护下的围岩破坏(大变形/失稳)位移 U_4 要明显大于被动支护下的围岩破坏(大变形/失稳)位移 U_3；如此，即使在不增加支护刚度的前提下，即支护曲线③的支护刚度等于支护曲线①，其与围岩特性曲线在围岩位移为 U_1 时，也可成功相交，图中所示，U_4 与 U_1 间的距离要明显大于 U_3 和 U_2 间的距离，支护的可靠性大幅提升，此亦主动支护能在高应力软岩挤压型大变形隧道中取得成功的关键。

综上分析，主动支护在提供主动支护力的同时改善了围岩的物理力学性质，可将围岩位移量控制在较小值。而这种控制效果的实现是显著区别于传统提升支护刚度的方式的，其是着力于岩体，通过主动支护措施充分调动、提升围岩自身力学性能。

2.2　软岩隧道中快速主动支护的必要性与有效性分析

2.2.1　计算模型、参数及工况

2.2.1.1　计算模型

以木寨岭公路隧道 SVf 型衬砌结构支护断面为研究对象，设定将砂浆锚杆支护区域转变为主动支护区域，即改变该区域的围岩参数，且不考虑其余被动型支护构件(钢架&喷射混凝土)；同时，为使数值仿真结果更加清晰、简洁，计算模型建立如下：

(1)计算采用二维平面应变模型，且仅包含一种计算单元(实体单元)；同时为消除边界效应，模型尺寸取 129 m×129 m，开挖隧道位于正中间，相应计算模型如图 2.2-1 所示。

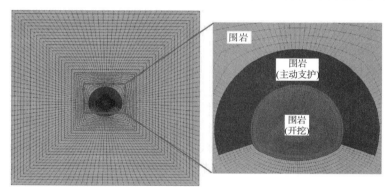

图 2.2-1　数值计算模型[*]

(2)模型下边界设置竖向零位移约束；上边界考虑到木寨岭公路隧道平均埋深，施加 8.0 MPa 面荷载，即换算隧道处埋深约 400 m；左、右边界考虑到木寨岭公路隧道构造应力分布特征，采用强制节点位移法，位移值设置为 1.7 m，生成的初始应力场如图 2.2-2 所示。

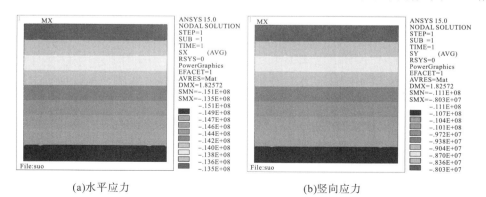

(a)水平应力　　　　　　　　　　　　(b)竖向应力

图 2.2-2　初始应力场(单位：Pa)

---

[*] 本书部分图片以彩图形式附于书后彩版。

2.2.1.2　计算参数

围岩参数结合木寨岭隧道地勘资料及规范中关于 V 级围岩的推荐值进行选取，如表 2.2-1 所示。

表 2.2-1　材料参数的选取

材料类别	弹性模量 E/GPa	泊松比 υ	黏聚力 c/kPa	内摩擦角 φ/(°)	重度 γ/(kg/m³)
围岩	0.8	0.37	200	25	2500

2.2.1.3　计算工况

依托围压对岩体力学特性影响的研究[28,29]，本次计算分析主要计入主动支护对围岩黏聚力 c 的影响，其次为对围岩弹性模量 E 的影响，不计对围岩内摩擦角 φ 的影响，拟定计算工况如表 2.2-2 所示。

表 2.2-2　计算分析工况

工况组号	工况编号	弹性模量 E		黏聚力 c	
		量值/GPa	升幅/%	量值/kPa	升幅/%
Zgk-1	Zgk-1-1	0.8	0	200	0
	Zgk-1-2			300	50
	Zgk-1-3			400	100
	Zgk-1-4			500	150
	Zgk-1-5			600	200
	Zgk-1-6			700	250
Zgk-2	Zgk-2-1	0.9	12.5	200	0
	Zgk-2-2			300	50
	Zgk-2-3			400	100
	Zgk-2-4			500	150
	Zgk-2-5			600	200
	Zgk-2-6			700	250
Zgk-3	Zgk-3-1	1.0	25	200	0
	Zgk-3-2			300	50
	Zgk-3-3			400	100
	Zgk-3-4			500	150
	Zgk-3-5			600	200
	Zgk-3-6			700	250

2.2.2　主动支护的有效性

主动支护的实质是对围岩力学特性的改善，因此分析其有效性，应从两方面展开：一是考虑相同应力释放率下，主动支护区域围岩力学参数对围岩位移与塑性区（稳定性）的影响；二是不同主动支护区域围岩力学参数下，围岩自承载性能的变化。

2.2.2.1　相同应力释放率下的围岩位移与塑性区分析

以工况 Zgk-1-1（未加固工况）为基准，确定各计算工况的应力释放率为 75%。

1. 围岩位移

工况 Zgk-1-1、Zgk-1-6、Zgk-3-6 的围岩水平位移云图如图 2.2-3 所示，竖向位移云图如图 2.2-4 所示。

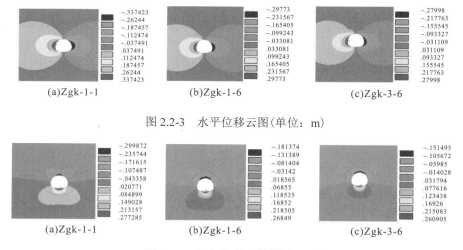

图 2.2-3　水平位移云图（单位：m）

图 2.2-4　竖向位移云图（单位：m）

由图 2.2-3 和图 2.2-4 可以看出：

（1）黏聚力 c 增大（Zgk-1-1 & Zgk-1-6），围岩位移减小，具体而言，拱顶沉降减小最为明显，即由工况 Zgk-1-1 的 30.0 cm 降至工况 Zgk-1-6 的 18.1cm，减小 11.9 cm，减幅 39.7%；边墙水平位移次之，相应量值为 33.7 cm、29.8 cm、3.9 cm、11.6%；拱底隆起影响最小，相应量值为 27.7 cm、26.8 cm、0.9 cm、3.2%。

（2）弹性模量 E 增大（Zgk-1-6 & Zgk-3-6），围岩位移减小，规律与黏聚力 c 的变化一致，即均表现为对拱顶影响最大、边墙影响次之、拱底影响最小。析之原因，主要是受到主动支护作用范围影响，即未支护（加固）拱脚以下围岩。

进一步提取各工况拱顶沉降、边墙水平位移和拱底隆起的量值，绘制其随黏聚力 c 和弹性模量 E 变化的曲线，如图 2.2-5 和图 2.2-6 所示。

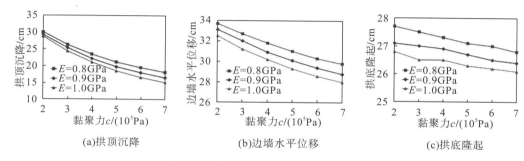

图 2.2-5　测点位移与黏聚力 c 关系曲线

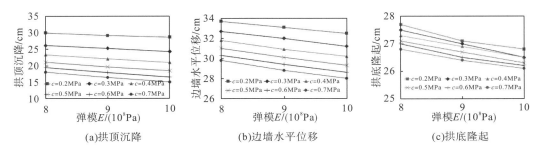

(a)拱顶沉降　　　　　　　(b)边墙水平位移　　　　　　　(c)拱底隆起

图 2.2-6　测点位移与弹性模量 E 关系曲线

由图 2.2-5 和图 2.2-6 可以看出：

(1)随黏聚力 c 增大，围岩位移逐渐减小，减幅逐渐趋缓；以拱顶沉降最为明显，当 E=0.8 GPa 时，c 由 $2×10^5$ Pa 增至 $3×10^5$ Pa，位移减小 3.8 cm，c 由 $6×10^5$ Pa 增至 $7×10^5$ Pa，位移仅减小 1.4 cm，差值高达 2.4 cm。

(2)随弹性模量 E 增大，围岩位移基本呈线性减小；以拱顶沉降为例，当 c=0.2 MPa 时，E 由 0.8 GPa 增至 0.9 GPa，位移减小 0.8 cm，E 由 0.9 GPa 增至 1.0 GPa，位移减小 0.6 cm，差值仅 0.2 cm。

为评估黏聚力 c 和弹性模量 E 变化对围岩位移的影响程度，设"影响度=相邻工况位移差值/相邻工况参数变化率"，以拱顶沉降为分析对象，绘制其影响度随 c、E 变化的曲线，如图 2.2-7 所示。

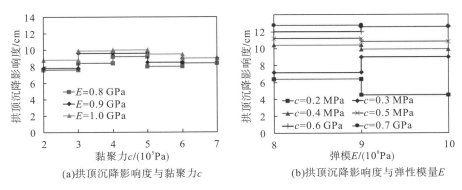

(a)拱顶沉降影响度与黏聚力 c　　　　　　(b)拱顶沉降影响度与弹性模量 E

图 2.2-7　拱顶沉降影响度与黏聚力 c、弹性模量 E 关系曲线

由图 2.2-7 可以看出：

(1)黏聚力 c 对拱顶沉降的影响基本不随弹性模量 E 发生变化，即不同 E 值下，增大 c 值对围岩位移的控制效率较恒定，数值显示 c=2~3 MPa、3~4 MPa、4~5 MPa、5~6 MPa、6~7 MPa 时的拱顶沉降影响度在 7.6~10 cm，平均值 8.9 cm。

(2)黏聚力 c 不变时，弹性模量 E 对拱顶沉降的影响基本不变；c 增大后，E 对拱顶沉降的影响增大，但增幅趋缓，具体而言，c=0.2 MPa、0.3 MPa、0.6 MPa、0.7 MPa，E=0.8~1.0 GPa 时的拱顶沉降影响度平均值分别为 5.5 cm、8.1 cm、12.3 cm、12.7 cm；究其原因，c 较小时，围岩位移主要受岩体的塑性性质影响，E 对围岩位移的影响较小，当 c 增大后，

E 的影响将逐渐显现, 至围岩完全进入弹性状态后, E 对围岩位移的影响趋于恒定。

综合上述, 提升软弱围岩的黏聚力 c 和弹性模量 E 均可使得围岩位移出现明显减小, 尤其是当 c 较小(围岩差)时, 提升其量值将能取得显著的围岩位移控制效果。

2. 塑性区分析

计算结果显示围岩塑性区的差异主要集中在主动支护作用区域, 拱底围岩塑性区变化很小; 故为清晰呈现黏聚力 c 和弹性模量 E 对围岩塑性区分布的影响, 提取了主动支护作用区域的塑性区云图, 如图 2.2-8 所示。

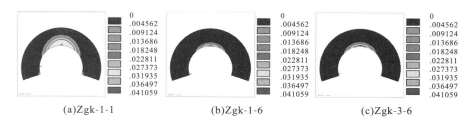

(a)Zgk-1-1　　　　　　　(b)Zgk-1-6　　　　　　　(c)Zgk-3-6

图 2.2-8　塑性区云图

注: 为使图像更具对比性, 设置云图中 "深蓝-红" 的数值均同 Zgk-1-6(0-0.041059), 即 "灰色" 对应的塑性应变值要大于 "红色"

由图 2.2-8 可以看出:

(1)黏聚力 c 增大(Zgk-1-1 & Zgk-1-6), 围岩塑性区面积减小; 具体而言, 工况 Zgk-1-1 塑性区分布在拱顶至拱腰以及拱脚等区域, 且最大扩展深度超过了主动支护深度的 1/2; 工况 Zgk-1-6 的塑性区仅出现在拱顶区域, 面积大幅减小, 最大扩展深度不足工况 Zgk-1-1 的 1/3, 显示提升 c 可显著减小围岩塑性区范围与面积。

(2)弹性模量 E 增大(Zgk-1-6 & Zgk-3-6), 围岩塑性区面积出现一定增加, 析之原因, 在强度参数(c、φ)不变的前提下, 提升变形参数值(E)使得围岩变形量减小, 导致岩体积聚的能量相对增大, 继而塑性区呈现出一定(轻微)的面积增大现象。

进一步提取主动支护作用区域的最大等效塑性应变、塑性区面积, 绘制其随黏聚力 c 和弹性模量 E 变化的曲线, 如图 2.2-9 和图 2.2-10 所示。

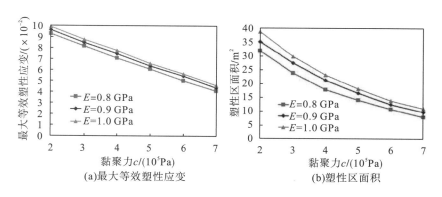

(a)最大等效塑性应变　　　　　　　　(b)塑性区面积

图 2.2-9　塑性区参数与黏聚力 c 关系曲线

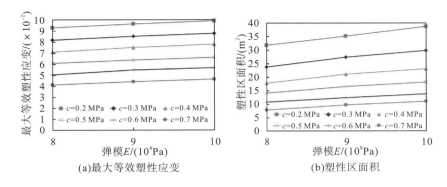

图 2.2-10 塑性区参数与弹性模量 E 关系曲线

由图 2.2-9 可以看出：黏聚力 c 对塑性区参数具有显著影响，随 c 增大，最大等效塑性应变、塑性区面积均下降，以 $E=0.8$ GPa、$c=2\times10^5$ Pa 的量值为基准，E 不变、$c=7\times10^5$ Pa 时的最大等效塑性应变、塑性区面积分别减小了 5.17×10^{-2}、23.88 m^2，减幅高达 55.7%、75.4%；变化规律上，最大等效塑性应变均近似呈线性下降，且下降梯度（曲线斜率）基本相等，约 $1\times10^{-2}/(10^5$ Pa)，而塑性区面积的减幅则逐渐趋缓，以 $E=0.8$ GPa 为例，c 由 2×10^5 Pa 增至 3×10^5 Pa，塑性区面积减小 7.96 m^2，c 由 6×10^5 Pa 增至 7×10^5 Pa，减小量值为 2.90 m^2，差值达 5.06 m^2。

由图 2.2-10 可以看出：弹性模量 E 对塑性区参数有一定影响，随 E 增大，最大等效塑性应变、塑性区面积均上升，以 $c=0.2$ MPa、$E=0.8$ GPa 的量值为基准，c 不变、$E=1.0$ GPa 时的最大等效塑性应变、塑性区面积分别增大了 0.65×10^{-2}、7.01 m^2，增幅为 7.0%、22%；变化规律上，最大等效塑性应变和塑性区面积均近似呈线性上升，其中最大等效塑性应变的上升梯度基本恒定，约 $0.3\times10^{-2}/(10^8$ Pa)，而塑性区面积的（平均）上升梯度随 c 增大呈现减小趋势，减幅趋缓，具体表现为 $c=0.2$ MPa、0.3 MPa、0.4 MPa、0.5 MPa、0.6 MPa、0.7 MPa 对应的平均上升梯度值分别为 3.5 m^2/(0.2GPa)、3.0 m^2/(0.2GPa)、2.6 m^2/(0.2GPa)、2.0 m^2/(0.2GPa)、1.5 m^2/(0.2GPa)、1.5 m^2/(0.2GPa)。

为评估黏聚力 c 和弹性模量 E 变化对塑性区参数的影响程度，以塑性区面积为分析对象，绘制其影响度随 c、E 变化的曲线，如图 2.2-11 所示。

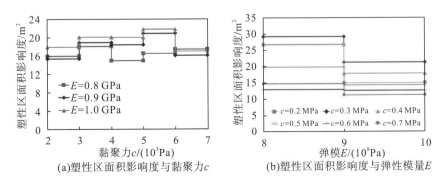

图 2.2-11 塑性区面积影响度与黏聚力 c、弹性模量 E 关系曲线

由图 2.2-11 可以看出：

(1)黏聚力 c 对塑性区面积的影响基本不随弹性模量 E 发生变化，即不同 E 值下，增大 c 对塑性区面积的减小效果较恒定，数值显示 c=2～3 MPa、3～4 MPa、4～5 MPa、5～6 MPa、6～7 MPa 时的塑性区面积影响度为 15～22 m²，平均值为 17.9 m²。

(2)随黏聚力 c 增大，弹性模量 E 对塑性区面积的影响逐渐减小，具体而言，c=0.2～0.3 MPa 时，E(0.8～1.0 GPa)的平均影响度为 23.1 m²，而 c=0.6～0.7 MPa 时，E(0.8～1.0 GPa)的平均影响度为 12.9 m²。

综合上述，增大 E 将导致塑性区面积增大，但已有的岩体围压试验均表明主动支护对围岩 c 的提升效果要远超 E，且考虑到 c 增大后，E 对塑性区的影响将降低，故认为主动支护能改善围岩的塑性区分布，且可使围岩稳定性增强。

2.2.2.2　不同围岩力学参数下的围岩自承载性能分析

依据围岩不稳定判断准则，即"塑性区贯通或当围岩塑性区深度达到洞跨的 3/4 以上时认为围岩趋于失稳"和"数值计算未能有效收敛"(围岩破坏)，试算表 2.2-2 中各工况最大围岩自承率，得到最大自承率(精确至 0.1%)如表 2.2-3 所示，并绘制围岩最大自承率与黏聚力 c 和弹性模量 E 的关系如图 2.2-12 所示，其中，Zgk-1/2/3-1、Zgk-1/2/3-2、Zgk-1/2/3-3、Zgk-1/2/3-4、Zgk-1-5 相邻自承率(表中最大自承率+0.1%时)的失效模式为塑性区贯通，其余失效模式为数值计算未能有效收敛，如图 2.2-13 所示。

表 2.2-3　最大围岩自承率

工况编号	最大自承率/%	工况编号	最大自承率/%	工况编号	最大自承率/%
Zgk-1-1	77.6	Zgk-2-1	77.3	Zgk-3-1	77.3
Zgk-1-2	80.1	Zgk-2-2	79.9	Zgk-3-2	79.8
Zgk-1-3	82.6	Zgk-2-3	82.4	Zgk-3-3	82.4
Zgk-1-4	85.3	Zgk-2-4	85.2	Zgk-3-4	85.2
Zgk-1-5	88.0	Zgk-2-5	88.0	Zgk-3-5	88.0
Zgk-1-6	88.2	Zgk-2-6	88.2	Zgk-3-6	88.2

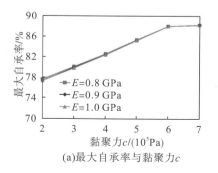

(a)最大自承率与黏聚力 c

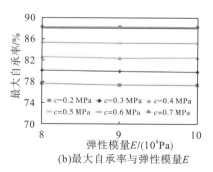

(b)最大自承率与弹性模量 E

图 2.2-12　最大自承率与黏聚力 c、弹性模量 E 关系曲线

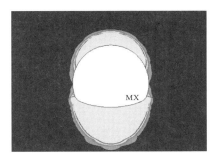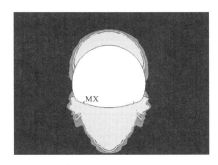

(a)塑性区贯通(Zgk-1-5)　　　　　　　(b)计算不收敛(单元畸形)(Zgk-1-6)

图 2.2-13　隧道围岩不稳定形态

由图 2.2-12 和图 2.2-13 可以看出：

(1)黏聚力 c=0.2～0.6 MPa，随 c 增加，围岩最大自承率逐渐上升，升幅约 2.7%/(10^5 Pa)，即 c 每增加 0.1 MPa，围岩的自承率上升 2.7%；同时，弹性模量 E 对围岩自承率的影响很小，在 0～0.3%，表现为随 E 增大，围岩自承率出现一定降低。综合分析知，主动支护具备提升围岩自承率的能力，且效果明显。

(2)黏聚力 c 由 0.6 MPa 增至 0.7 MPa，围岩最大自承率仅增加 0.2%，究其原因为，数值模拟仅在拱脚以上部位设置了主动支护(参数强化)，拱底区域围岩的自承载能力未改变，当二者差异逐渐增大，虽不会出现塑性区贯通导致的围岩失稳，但拱底围岩将直接(大变形)破坏，因此计算无法收敛。

上述分析表明，围岩大变形主动支护中应考虑环向支护范围对围岩稳定性的影响，避免出现围岩局部破坏导致的整体失稳。

2.2.3　快速(主动)支护的必要性

快速(主动)支护的核心即是在隧道开挖后尽可能早地施作主动支护。基于此，本小节通过分析围岩自承率不同时，施作主动支护对位移和塑性区的影响，以探讨快速支护的必要性。

以中间工况(工况 Zgk-2-3)岩体参数为例进行分析，根据相关文献对掌子面围岩先期位移的研究，设定围岩自承率下限为 40%；据表 2.2-3 中的围岩最大自承率，设定围岩自承率上限为 80%；拟定计算工况如表 2.2-4 所示。

表 2.2-4　必要性分析工况

工况编号	Step1 围岩自承率/%	Step2 主动支护承载率/%	总应力释放率/%
Gb-1	40	40	
Gb-2	50	30	
Gb-3	60	20	80
Gb-4	70	10	
Gb-5	80	0	

工况 Gb-1～Gb-5 拱顶沉降与主动支护区域内塑性区面积如表 2.2-5 所示，其随工况变化的曲线如图 2.2-14 和图 2.2-15 所示。

表 2.2-5　拱顶沉降与塑性区面积

工况编号	拱顶沉降/cm			塑性区面积/m²		
	Step1	Step2	合计	Step1	Step2	合计
Gb-1	10.5	17.3	27.8	2.3	22.5	26.2
Gb-2	13.7	15.4	29.1	8.5	19.8	28.3
Gb-3	18.0	12.7	30.7	20.4	14.2	33.2
Gb-4	24.8	8.2	33.0	30.9	8.4	38.5
Gb-5	37.1	0	37.1	46.6	0	46.6

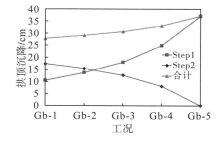

图 2.2-14　拱顶沉降随工况变化曲线　　　　图 2.2-15　塑性区面积随工况变化曲线

由图 2.2-14 可以看出：工况 Gb-1～Gb-5（主动支护逐步滞后），总体表现为围岩位移逐渐增大；其中，Step1 中拱顶沉降增大，且增速快速增大，显示开挖后如不及时进行支护，随围岩应力逐渐释放，围岩位移将快速发展；例，围岩自承应力由 40%（Gb-1）增至 50%（Gb-2）时，拱顶沉降增大 3.2 cm，而当自承应力由 70%（Gb-4）增至 80%（Gb-5）时，拱顶沉降增大 12.3 cm；Step2 中拱顶沉降减小，且减速增大，表明围岩应力释放率越大时主动支护效果越明显，亦即对力学性质越差的围岩，主动支护的位移控制效果越明显。

由图 2.2-15 可以看出：工况 Gb-1～Gb-5，总体表现为塑性区面积逐渐增大；其中，Step1 中塑性区增大，且增速快速增大，显示开挖后如不及时进行主动型支护，随围岩应力逐渐释放，围岩塑性区将快速发展；例，围岩自承应力由 40%（Gb-1）增至 50%（Gb-2）时，塑性区面积增大 6.2 m²，当自承应力由 70%（Gb-4）增至 80%（Gb-5）时，塑性区面积增大 15.7 m²；而 Step2 中塑性区面积减小，且减速增大，表明围岩应力释放率越大时支护效果越明显，亦即对力学性质越差的围岩，主动支护的塑性区控制效果越明显。

综上，对于围岩条件差、应力水平高的大变形隧道，快速主动支护对减小围岩位移和控制塑性区发展（降低围岩力学性质的弱化）等均具有较好效果。

2.3　软岩隧道快速主动支护技术的实现形式及其体系组成

从"主动支护"的定义与内涵出发，预应力的施加是实现支护"主动"的关键，也是区别锚固系统主、被动的决定性因素。目前用于隧(巷)道工程实践的主动支护技术均是以"预应力锚杆(索)系统"为核心载体，并与辅助构件(多现于巷道支护)组合所构成的。

2.3.1　现行常用预应力锚固体系概述[30]

2.3.1.1　机械型预应力锚固体系

机械型预应力锚固体系，主要依靠锚固装置或杆体与钻孔孔壁接触形成摩擦力来提供锚固力，主要包含涨壳式锚固锚杆和摩擦锚固锚杆，其中涨壳式锚固锚杆使用量较大。

涨壳式锚固原理如下：当对锚杆施加荷载 F 时，锚杆体 3 受荷，带动涨壳内楔 2 向外移动，进而对涨壳夹片 1 施加挤压力 F_j，使得涨壳夹片 1 与钻孔壁贴紧，并产生与杆体受荷方向相反的摩擦阻力 F_f 以平衡支护体系受力，阻止涨壳式锚固件继续移动。上述涨壳式锚固件的受力方式，可使对锚杆体施加预应力成为可能，且随着施加于锚杆体 3 上荷载 F 的增大，楔块与钻孔壁间的摩擦阻力 F_f 也增大，由此可实现一定外加荷载 F 下，锚杆系统锁定在钻孔内(图 2.3-1)。涨壳式预应力锚固系统安装工艺如图 2.3-2 所示，可对其实施后注浆(注浆时保持 0.5～0.8MPa 压力)。

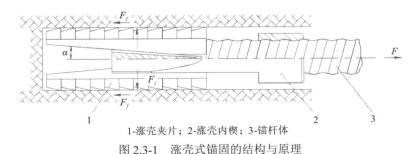

1-涨壳夹片；2-涨壳内楔；3-锚杆体

图 2.3-1　涨壳式锚固的结构与原理

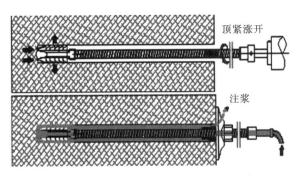

图 2.3-2　涨壳式预应力锚固系统安装示意图

2.3.1.2 黏结型预应力锚固体系

黏结型预应力锚固体系，一般为锚杆(索)部分或全长用水泥、树脂等胶结材料，将杆体与钻孔壁黏结在一起，以胶结材料的黏结力为核心提供锚固力。黏结型预应力锚固体系按锚固材料主要分为水泥药卷锚固和树脂锚固。

水泥药卷是以普通硅酸盐水泥等为基材掺以外加剂的混合物，或单一特种水泥，按一定规格包上特种透水纸而呈卷状，浸水后经水化作用能迅速产生强力锚固作用的水硬性胶凝材料。现场施作原理：锚杆通过锚杆端部将水泥药卷挤入锚孔，快速黏结锚固端与孔壁，由此提供一定的锚固力，图 2.3-3 为其安装示意图。水泥药卷可全长锚固，亦可端锚，其具有锚固快、安装简便、价格低廉等优点。图 2.3-4 为水泥药卷。

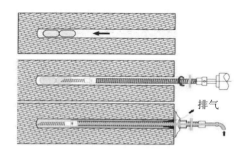

图 2.3-3 水泥药卷锚固安装示意图

图 2.3-4 水泥药卷

树脂锚固剂为高分子材料，因其黏结强度大、固化快、安全可靠性高，在煤巷锚杆支护中的应用极为广泛，树脂锚固已成为煤巷锚杆的主要锚固手段。一般而言，树脂锚固具有如下优点：较大的锚固力、较高的变形模量、固化时间可调(对应不同的产品系列标准)。但其也存在一定的缺陷，主要有下述两点：

(1)树脂药卷锚固作为临时性锚固措施，因其耐久性难以满足长期服役需求，在公路、铁路及水利工程中应用受限。

(2)药卷对水敏感，一方面锚固剂固化时对水的要求较为严格，当水混入锚固剂时，可使锚固力出现明显降低，另一方面长期浸泡于水中，可加快锚固剂黏结性能降低或失效。

现场施作一般采用手持式或单体式锚杆钻机进行快速搅拌锚固，如图 2.3-5 所示。

(a)手持式钻机

(b)单体式钻机

图 2.3-5 树脂预应力锚固体系搅拌工具

2.3.2　常用预应力锚固方式在软岩隧道中的适应性研究

2.3.2.1　现场试验工况设计

为厘清各类型锚固效果的差异，得出适用于软岩隧道的快速预应力锚固系统以实现及时主动强支护理念，试验以单一锚固形式开展。试验中机械式锚固选择涨壳式锚固，黏结式锚固选择水泥药卷、树脂和水泥浆锚固，试验工况如表 2.3-1 所示。基于各锚固型式已有的支护特点［涨壳式和树脂锚固具备快速锚固的性能，水泥药卷和水泥浆（全长）锚固属隧道工程中的永久支护形式］，对试验内容设定如下：

（1）涨壳式锚固研究不同孔深的可锚性（即锚固难易程度）和锚固力变化规律，探究实现主动支护的能力，试验组号为 ZK。

（2）水泥药卷锚固研究不同凝结时间下锚固力的变化规律，探究实现及时（快速）支护的能力，试验组号为 SY。

（3）树脂锚固研究不同锚固长度下锚固力的变化规律，探究实现主动支护的能力，试验组号为 SZ。

（4）水泥（砂）浆锚固作为公路、铁路及水工隧道（洞）设计规范中推荐的锚固型式，实践中多采用 7d 或 28d 的拉拔试验，缺乏锚固力随时间变化规律的研究。故此，本书开展不同凝结时间下的锚固力变化规律研究，论证其在软岩大变形隧道中的适用性，试验组号为 SJ。

表 2.3-1　试验工况

试验组号	锚固形式	锚杆直径/mm	锚杆长度/m	锚固长度/m	拉拔前等待时间/h	编号
ZK	涨壳式锚固·		3	0（点锚）	0	ZK-3-0
			4			ZK-4-0
			5			ZK-5-0
SY	水泥药卷锚固		1.1（5 节药卷；端锚）		0.2	SY-1.1-0.2
					0.5	SY-1.1-0.5
					1.0	SY-1.1-1
					2.0	SY-1.1-2
					24	SY-1.1-24
SZ	树脂锚固	Φ25	4	0.5（1 节药卷；端锚）	0.2	SZ-0.5-0.2
				1（2 节药卷；端锚）	0.2	SZ-1-0.2
				1.5（3 节药卷；端锚）	0.2	SZ-1.5-0.2
SJ	水泥浆锚固			3.5（全长锚）	12	SJ-3.5-12
					24（1d）	SJ-3.5-24
					168（7d）	SJ-3.5-7d
					672（28d）	SJ-3.5-28d

注：每一编号试验（除涨壳式锚固）均进行了 3 根锚杆试验；ZK-a-b，"a"为锚杆长度，"b"为锚固时间，实际锚固长度应为 a 减去外露长度 0.5m；SY/SZ/SJ-c-b，"c"为锚固长度。

2.3.2.2 试验段工程概况及试验材料与设备

试验段选择在木寨岭公路隧道 2 号斜井 XK0+740～XK0+760 段边墙处,埋深约 280m,施工中揭示该区段内围岩主要为炭质板岩(图 2.3-6),单轴饱和抗压强度不足 30MPa,岩体破碎、完整性差、自稳能力低(岩体完整性指数 K_v=0.32～0.58,岩体质量指标[BQ]=143～183),综合评定围岩级别为 V 级;现场监控显示该区段施工中拱顶累计下沉约 120～210mm,拱腰收敛达 300～420mm。

(a)XK0+744   (b)XK0+754.8

图 2.3-6 试验段掌子面围岩

ZK、SY 和 SJ 组锚杆均采用 Φ25×7 普通中空注浆螺纹锚杆 [图 2.3-7(a)],杆体材料为 Q420 钢。考虑到钻孔直径、锚杆直径、树脂锚固剂直径应满足"三径匹配"的要求,SZ 组采用焊接式组合锚杆 [图 2.3-7(b)]。其中锚固段杆体直径 32mm,对应钻孔直径 42mm、锚固剂直径 35mm。涨壳头 [图 2.3-7(c)] 采用与 Φ25×7 普通中空螺纹锚杆相配套的 EX25N 型。采用的水泥药卷规格为 32mm×250mm [图 2.3-7(d)];采用的树脂药卷规格为 CKb3540 35mm×400mm [图 2.3-7(e)]。水泥浆暂先采用水灰比为 1:0.4 的纯水泥浆作为灌浆黏结材料 [图 2.3-7(f)],该水灰比要小于《岩土锚杆与喷射混凝土支护工程技术规范》(GB 50086—2015)推荐的 0.50～0.55 或《岩土锚杆(索)技术规程》(CECS 22—2005)推荐的 0.45～0.50,究其原因是其具有固结强度高、收缩率低和不易沉淀析水等优点。

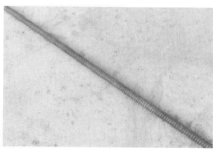 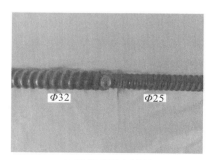

(a)Φ25锚杆   (b)焊接式组合锚杆

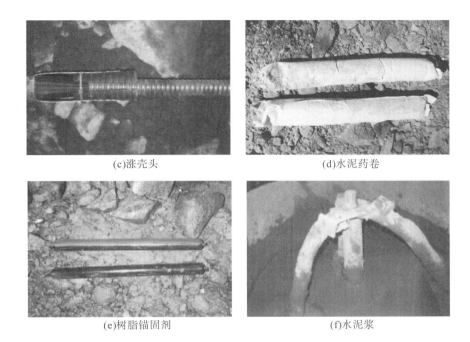

(c)涨壳头　　　　　　　　　　　　　(d)水泥药卷

(e)树脂锚固剂　　　　　　　　　　　(f)水泥浆

图 2.3-7　试验材料

2.3.2.3　试验过程与结果分析

　　现场试验过程主要包含钻孔、验孔及清孔、锚杆安装与拉拔四大步骤(图 2.3-8)。钻孔采用 YT28 钻机配十字冲击钻，以外露 50cm 锚杆长度为标准控制钻孔深度。安装过程随锚固型式的不同有所差异：涨壳式锚固将带涨壳头的锚杆推至孔底，再反向拉拽；水泥药卷锚固先将药卷送至孔底，后插入锚杆；树脂药卷锚固是先将药卷送至孔底，后采用手持式钻机旋转推入锚杆至孔底，再搅拌 30s 锚固；水泥浆锚固采用"先插法"施工。

　　拉拔采用 SW-300 型手动泵(最大拉力可达 300kN)按 5/10kN 加载速率逐级加载，直到油压无法施加或锚固体系发生破坏为止。拉拔过程中每级荷载加载完成后，通过百分表测读杆端位移。

(a)钻孔　　　　　　　　　　　　　(b)验孔及清孔

(c)锚杆安装　　　　　　　　　　(d)拉拔

图 2.3-8　试验过程

试验获取各工况锚杆荷载-位移(P-S)曲线如图 2.3-9 所示。

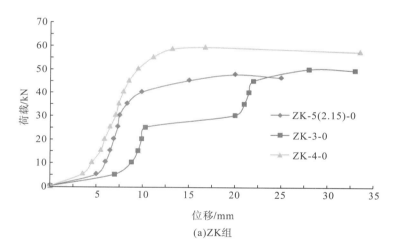

(a)ZK组

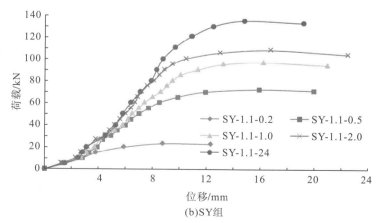

(b)SY组

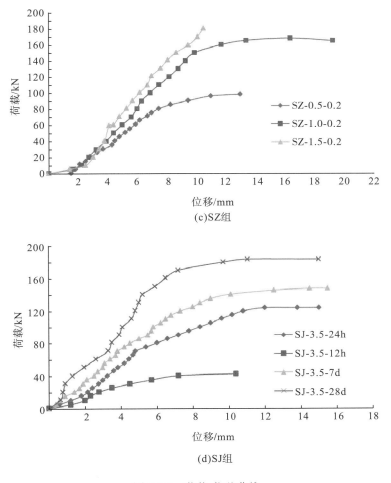

图 2.3-9　荷载-位移曲线

从图 2.3-9 可以看出，不同锚固形式下锚杆荷载-位移曲线均呈现如下 4 个特征阶段：

(1) 拉紧/压密阶段：位移增长快而荷载基本保持不变，在机械式锚固时表现为机械端部拉紧，在黏结式锚固时表现为垫板-围岩压密。

(2) 弹性阶段：荷载与位移呈线性增长关系。

(3) 强化阶段：位移增大 (速率明显增加)，荷载增长，表现出强化特性。

(4) 滑动失效阶段：位移持续增大，而拉拔力难以上升，甚至可能出现降低。

需要指出的是，ZK-3-0 拉拔过程中因锚孔质量欠佳，导致涨壳头脱锚，进而出现拉拔过程中位移突然增大而荷载基本不变的现象 [图 2.3-9(a)]；SY-1-0.2 因锚固时间仅为 0.2h (不满足凝结时间不小于 0.5h 的要求)，所以加载过程中并未出现明显的 4 个阶段 [图 2.3-9(b)]；SZ-1.5-0.2 试验加载至 180kN 时，因组合锚杆焊接处出现了脆断，致荷载-位移曲线仅出现"压密阶段"和"弹性阶段" [图 2.3-9(c)]。

试验同时获取各工况下锚固力与各影响因素间的关系曲线，如图 2.3-10 所示。

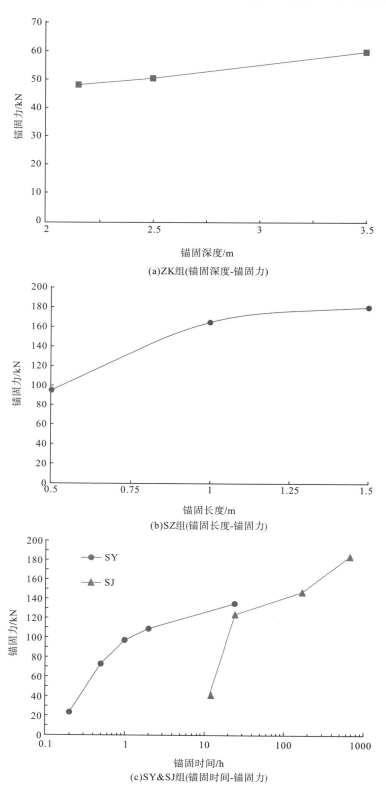

(a)ZK组(锚固深度-锚固力)

(b)SZ组(锚固长度-锚固力)

(c)SY&SJ组(锚固时间-锚固力)

图 2.3-10　锚固力与影响因素关系曲线

从图 2.3-10 可以看出：

(1)涨壳式锚固的锚固力仅为 50～60kN，支护力弱；试验中锚固深度增加 1.35m，锚固力仅增大 10kN，表明锚固深度的增加对锚固力的提升有限［图 2.3-10(a)］。

(2)树脂搅拌完成后等待 10min 即可施加预应力，0.5m、1.0m 和 1.5m 锚固长度对应的锚固力分别为 98kN、168kN 和>180kN，锚固性能优越［图 2.3-10(b)］。

(3)水泥药卷在凝结 0.2h、0.5h、1h 和 24h 后产生的锚固力分别为 23kN、72kN、97kN 和 135kN［图 2.3-10(c)］，表明随药卷凝结时间的增长，锚固力逐渐增大，若想形成较强的支护力，最佳预应力施加时间应为药卷凝结 1h 后。

(4)水泥浆锚固型式下锚固力随浆液凝结时间的增长而逐渐增大，0～24h 锚固力增长迅速，12h 锚固力达 42kN，24h 锚固力达 124kN，28d 锚固力>184kN。

综上分析可知，软岩隧道中涨壳式锚固适用性低；树脂锚固可实现及时(快速)支护，且支护力强(1m 锚固段锚固力超 168kN)；水泥药卷锚固的及时性与支护力均弱于树脂锚固；水泥浆锚固具备良好的长期效应。

2.3.3　软岩隧道中适宜的快速主动支护技术的提出

软岩隧道中的快速预应力锚固系统，应满足如下两点：一是可实现及时与(强)主动的支护理念，即要求能快速及时地加载上一个较大的预应力；二是满足隧道工程对锚固系统长期服役的要求。

故此，依据不同锚固型式的锚杆在木寨岭公路隧道的现场试验可以看出：

(1)机械式锚固型锚杆虽具有安装方便、可及时承载的优点，但在软岩隧道中，受岩体强度低、破碎、节理裂隙发育等因素的影响，该类型锚杆的极限锚固力较小、锚固效果差、安装工效低，故以涨壳式锚杆为代表的机械锚固型锚杆并不适用于软岩隧道中的及时主动型支护体系。

(2)黏结式锚固型锚杆随胶结材料的不同而表现出不同的特性，总体而言，从实现及时主动支护目的出发，应首选锚固力大、稳定性可靠的树脂锚固型锚杆，但树脂药卷属化学类药剂，效用时间短，其耐久性问题一直是困扰工程界的难题之一；此外，树脂锚固遇水后锚固力大打折扣甚至易产生失效现象，在软岩隧道工程中遇水有两种情况：其一为施工过程中遇水，其二是随着隧道开挖后围岩应力场的逐渐调整，岩体中新裂隙产生且不断扩展，进而诱发地下水向原本干燥状态的树脂锚固系统附近汇聚，引发预应力锚固体系失效，进而导致整个支护体系强度不足，使得已施作好的初支系统出现破坏现象，该现象在木寨岭公路隧道最初未采用后期注浆的预应力锚固系统段已有发生。另外，若仅采用端部锚固，环境与应力的耦合作用将加速锚杆的腐蚀与预应力损失，难以满足交通隧道百年运营的要求，上述即是树脂锚固系统在交通隧道领域极少应用的根本原因所在。

故此，若从交通隧道的耐久性需求出发，应选择工艺成熟、锚固效果良好且具备长期耐久性的水泥砂浆锚杆，但遗憾的是，该类锚杆无法实现及时主动支护的目的，故现有的单一锚固型式无法满足软岩隧道中及时主动的支护需求。

　　鉴于此，提出基于"及时（树脂端锚）+永久（水泥浆全长锚固）"结合的预应力锚固体系，使用"树脂"和"注（水泥）浆"两种锚固形式，先"及时"进行树脂端部锚固，施加预应力，后进行自由段注浆黏结，其控制软岩大变形的机理为：在树脂端部锚固完成并施加预应力后，锚杆（索）通过垫板及时主动地对隧道洞壁围岩施加约束，在端锚处与垫板之间形成压缩区，岩体受围压作用后其物理力学参数将得到有效提升，进而使得深部岩体产生"承载拱效应"，从而有效"提高"和"调动"洞周围岩的承载能力，实现抑制洞周塑性区/松动圈发展、控制变形的目的。后注浆避免了前期可能存在的前端树脂锚固力不足乃至后期服役过程中树脂锚固失效后可能诱发的整体支护系统破坏失稳灾害，同时还实现了提高预应力锚固系统耐久性与防止产生预应力损失等目的，确保了整个预应力锚固系统提供的支护力维持在一个相对稳定的状态，使得以其为核心的整个支护系统在隧道全服役期内发挥可靠的支护效应。

2.3.4　快速主动支护体系的合理组成

　　现阶段，交通隧道工程中初支+二衬的"全被动"支护体系仍是软岩大变形隧道的主流支护模式，受此支护模式影响，二次衬砌将不可或缺，长久以来形成的基于被动支护构件（喷射混凝土+钢架）的工艺技术与施工流程，短时间内亦难以彻底改变或摒弃；尤其在高地应力软岩大变形隧道中，拱架等强力被动支护仍将是主要的承载构件之一，故此，"被动支护"构件（系统）作为衬砌结构组成部分将会与"快速主动支护"构件（系统）长期并存，最终形成适用于交通隧道工程的快速主动支护体系。

　　鉴于此，提出适宜的快速主动支护体系应是以"及时（树脂端锚）+永久（水泥浆全长锚固）"结合的预应力锚固系统为核心，并联合常规初期支护（钢架+喷射混凝土+钢筋网）和二次衬砌。

2.4　本 章 小 结

　　本章提出了集快速支护与主动支护于一体的快速主动支护；依托数值计算对软岩隧道中主动支护的有效性、快速支护的必要性进行了研究；通过开展单一锚固形式的锚杆拉拔试验，提出了适宜的主动支护技术；最终，联合现有隧道支护技术，提出了快速主动支护体系的合理组成。本章得到的主要结论如下：

　　（1）完整定义并解析了适用于软岩隧道的快速主动支护理论：①快速（及时）性，即及早施加支护阻力，使围岩松动圈尽快变为承载拱；②主动性，即采用预应力构件进行主动支护，使施锚区尽快形成；③强力性，即在挤压型大变形隧道中需具备高强支护能力。在此基础上，明确提出了在软岩隧道中，若要实现快速主动支护，预应力锚固系统将是核心构件。

　　（2）主动支护的有效性体现在：提升黏聚力 c 值和弹性模量 E 值均能有效控制围岩位移，尤其当 c 较小（岩性差）时，提升其值能取得显著的围岩位移控制效果；c 值上升，塑性区面积减小；E 值上升，塑性区面积小幅增大；当 c 值增大后，E 值对塑性区的影响降低。

(3)快速(主动)支护的必要性体现在：如开挖后不及时进行主动型支护，随围岩应力逐渐释放，围岩位移与塑性区将快速发展。

(4)软岩隧道中涨壳式锚固适用性差；树脂锚固可实现及时(快速)支护，且支护力强，但存在明显的耐久性问题；水泥药卷锚固的及时性与支护力均弱于树脂锚固；水泥浆锚固具备良好的长期效应。由此提出了基于"及时(树脂端锚)+永久(水泥浆全长锚固)"结合的预应力锚固体系，使用"树脂"和"注(水泥)浆"两种锚固型式，先进行"及时"树脂端部锚固，施加预应力(主动)，后进行自由段注浆黏结(被动)。

(5)适宜的快速主动支护体系应是以"及时(树脂端锚)+永久(水泥浆全长锚固)"结合的预应力锚固系统为核心，并联合常规初期支护(钢架+喷射混凝土+钢筋网)和二次衬砌。

第3章 基于协同作用效应的新型高强 预应力快速锚固系统研发

隧道工程中，作为锚固系统的锚杆(索)，除锚杆(索)体自身构造外，仍涉及多种关键性构件与配材，尤其在预应力锚固系统中，如何发挥锚固系统的最佳作用效应，各构件间的协同作用极为关键。预应力锚固系统主要构件一般主要包括垫板、球垫、钢带(应用于软岩隧道)、注浆体等。其中：

(1)垫板作为新型锚固系统中的关键一环，其自身的材料性能、形状、几何尺寸、厚度等，都将直接影响锚固系统的受力特性及支护效果，支护过程中若出现失效将会使整个锚固系统失去应有的支护作用。

(2)球形垫圈，即球垫，能促使杆体与垫板互相垂直，消除(或减轻)因地质与施工等因素造成的杆体与垫板间非垂直受力状态，使锚固系统的受力更趋合理，提升锚固系统稳定性。

(3)注浆除能提高锚固体系承载力和抗拔力外，还起到了良好的隔离防护和防腐蚀作用，是实现新型锚固系统"永久支护"的核心之一。

(4)钢带作为软岩隧道锚固支护系统中的关键协同支护构件，具备提升锚固系统支护能力与可靠性的双重作用。

基于上述，本章将对预应力锚杆(索)系统的各主要构件的协同作用效应进行研究与优化，同时结合软岩隧道快速主动支护的内在要求，提出一种兼具快速与永久支护于一体，且具备高强支护性能的新型锚固系统。

3.1 软岩隧道锚固系统中垫板受力特性及其适配性研究

3.1.1 垫板主要型式及其作用机理[31]

作为锚固系统中的核心组成部分，垫板对锚固系统承载能力和力学特性有着关键性影响。垫板的作用主要有两方面：一是通过螺母(锚具)施加压力，压紧垫板给锚杆(索)提供预紧力，并能使预紧力扩散，扩大锚杆(索)作用范围，如图 3.1-1 所示；二是围岩变形后载荷作用于垫板，通过垫板将载荷传递到杆(索)体，增大锚杆(索)工作阻力，进而控制围岩变形。

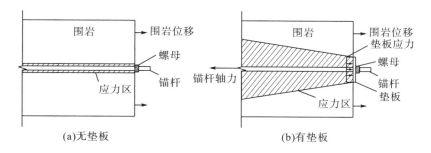

图 3.1-1　垫板作用机理分析

　　得益于垫板的应力扩散效应,锚杆(索)受力时将在杆体端部形成应力扩散区域,如果支护密度足够,各个锚杆(索)的应力扩散区将会彼此叠加、相互交错,使岩土体周围形成一种连续的压缩区,如图 3.1-2 所示。压缩区范围内的物理力学参数(如岩土体的弹性模量 E、黏聚力 c、强度等)将得到一定程度的提高,进而提升围岩的自承载能力,其自身稳定性也得以增强。

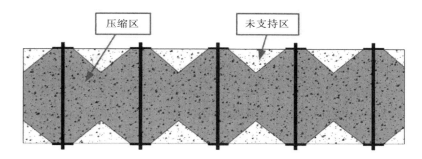

图 3.1-2　压缩带示意图

　　目前,常用垫板(又称托板或托盘)主要有平板形垫板和碗形(又称为蝶形或拱形等)垫板,具体分圆形和正方形两种,如图 3.1-3 所示。一般言,平板形垫板具有制作简单、安装方便的特点,在水电、交通等领域的岩土工程中应用比较普遍;而碗形垫板具有较大的承载力和较好的变形特性,在煤矿巷道支护中应用较多。

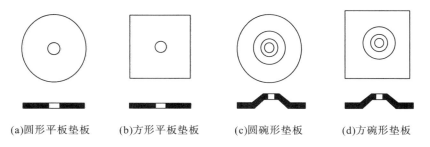

(a)圆形平板垫板　　(b)方形平板垫板　　(c)圆碗形垫板　　(d)方碗形垫板

图 3.1-3　垫板的主要类型

　　锚固系统通过垫板和围岩紧密贴合以实现荷载传递,二者间存在相互协调、相互适应的过程,且在变形上也是彼此影响的,因此岩性对垫板的选取具有重要影响。故有必要针对软弱岩体环境开展垫板的受力特性及适配性研究,以期为后续新型锚固系统中垫板的选取提供依据。

3.1.2　软岩环境下垫板受力特性的现场试验研究

3.1.2.1　试验依托环境

　　鉴于木寨岭公路隧道 2#斜井 K1+730～K1+735 段出现了锚固体系中垫板翘曲的现象(图 3.1-4),因此开展软岩条件下的垫板受力特性及其适配性研究非常有必要,现场试验选在木寨岭公路隧道 2#斜井里程 K1+735～K1+745 段进行。

图 3.1-4　锚固体系失效之垫板弯曲

　　地勘资料显示里程 K1+735～K1+745 区域内围岩主要为炭质板岩,属 V 级围岩。施工过程揭示该段围岩主要为炭质板岩夹砂质板岩,如图 3.1-5 所示,岩层为黑色,薄层状结构,厚度为 1～20cm,倾角为 20°～25°;围岩强度低,岩体破碎,呈裂隙块状结构;开挖后整体稳定性差。

(a)K1+741.8　　　　　　　　　　　　(b)K1+743

图 3.1-5　掌子面围岩岩性

3.1.2.2　试验材料、设备与过程

1. 光纤光栅（FBG）测力垫板[32]

1）光纤光栅（FBG）工作原理

光纤光栅（fiber Bragg grating，FBG）的工作原理如图 3.1-6 所示，光纤主要是由纤芯、包层和涂敷层组成的工作在光波波段的一种介质波导，可将以光的形式出现的电磁波能量利用反射原理约束在纤芯内，并引导光波沿着光纤轴线方向传输。光纤光栅是利用紫外光将特定的波导结构写入光纤中形成的光纤波导器件，其纤芯内形成一个窄带的滤波器或反射镜，当光波通过时，满足光纤光栅波长条件的光波反射回来，反射光的峰值波长称为布拉格波长 λ_B，其满足下列条件：

$$\lambda_B = 2n_{eff}\Lambda \tag{3.1-1}$$

式中，n_{eff} 为光纤纤芯的有效折射率；Λ 为光栅周期，单位 nm。

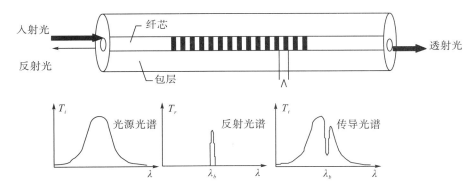

图 3.1-6　光纤光栅工作原理图

任何使上述 2 个参量发生改变的物理过程都将引起反射和透射波长的漂移，应力和温度是最能直接显著改变光纤光栅波长的物理量。轴向应力引起光纤光栅中心波长的漂移量 $\Delta\lambda_B$ 与光栅轴向应变 $\Delta\varepsilon$ 的关系为

$$\frac{\Delta\lambda_B}{\lambda_B} = \left(1 - P_e\right)\Delta\varepsilon \tag{3.1-2}$$

式中，$P_e = -\dfrac{1}{n}\dfrac{\mathrm{d}n}{\mathrm{d}\varepsilon}$，为光纤材料的弹光系数。

由上式可知，光纤光栅波长与应变有很好的线性关系，表明光纤光栅的线性传输特性良好。

2）微型夹持式 FBG 应变传感器

微型夹持式封装技术，采用细径管封装光纤光栅两端，避免使用胶黏剂接触光纤光栅区域，消除了多峰值现象；使用细径管密封保护光纤光栅区域，未直接封装光纤光栅区域，消除了胶黏剂对传感器应变传递的影响。微型夹持式 FBG 应变传感器由毛细钢管、光纤光栅、传输光纤、夹持部件组成（图 3.1-7），可直接粘贴或焊接在结构表面，也可采用预埋件焊接于构件上，或用铆钉铆到结构上，具有布设简单、可拆换、耐久性好、布线方便等优点。

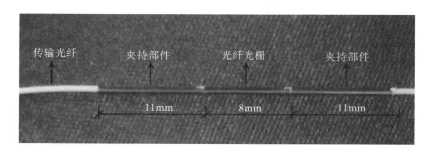

图 3.1-7　微型夹持式 FBG 应变传感器

　　微型夹持式 FBG 应变传感器工作原理如图 3.1-8 所示，夹持部件为钢管，直径为 d_s；夹持部件胶接于基底材料上，两端固定的等效距离为 L，光纤光栅长为 L_f。现假定夹持部件之间的轴向变形为 ΔL，夹持部件变形为 ΔL_s，光纤光栅变形为 ΔL_f，忽略夹持钢管内外胶层和光纤的影响。根据材料力学基本原理得

$$\Delta L_s = \frac{P_s L_s}{E_s A_s} \tag{3.1-3}$$

$$\Delta L_f = \frac{P_f L_f}{E_f A_f} \tag{3.1-4}$$

由式 (3.1-3)、式 (3.1-4) 可得

$$\frac{\Delta L_s}{L_s} \bigg/ \frac{\Delta L_f}{L_f} = \frac{E_f A_f}{E_s A_s} \tag{3.1-5}$$

$$\frac{\varepsilon_s}{\varepsilon_f} = \frac{E_f A_f}{E_s A_s} \tag{3.1-6}$$

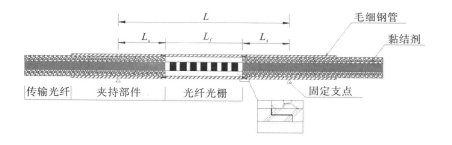

图 3.1-8　微型夹持式 FBG 应变传感器工作原理

传感器各项参数如表 3.1-1 所示。

表 3.1-1　光纤和夹持钢管的材料性质

材料参数	数值
光纤弹性模量(E_f)	7.2×10^{10}Pa
夹持钢管弹性模量(E_s)	210×10^9Pa
夹持钢管直径(d_s)	0.8mm
光纤直径(d_f)	0.125mm

将表 3.1-1 中参数代入式(3.1-6)可得

$$\frac{\varepsilon_s}{\varepsilon_f} = 0.0084 \tag{3.1-7}$$

由式(3.1-7)可知，夹持钢管的应变相对光纤光栅的应变在整个传感结构中可以忽略，即两夹持端之间的变形几乎全部加载在光纤光栅上。得到基底应变 ε 与光纤光栅应变 ε_f 间的理论关系：

$$\varepsilon = \frac{L_f}{L}\varepsilon_f \tag{3.1-8}$$

定义测试灵敏度系数 $K=L/L_f$，代入式(3.1-8)得

$$\varepsilon_f = K\varepsilon \tag{3.1-9}$$

由式(3.1-9)可看出，调节 K 值，可改变传感器的测试灵敏度。当 $K>1$ 时，测试灵敏度上升；当 $K<1$ 时，测试灵敏度降低。

3) 光纤光栅(FBG)测力垫板

本次试验调研了市场上和工程中常用的垫板型式，共选择了 7 种不同的垫板样式，包含了不同形状、不同尺寸与不同厚度的垫板，如表 3.1-2 所示。

表 3.1-2　试验用垫板型式及尺寸

编号	YW-150×150×5	FP-150×150×6	FP-150×150×10	FW-150×150×6	FW-150×150×10	FW-200×200×8	FW-250×250×8
垫板类型	圆碗形	方形平板	方形平板	方碗形	方碗形	方碗形	方碗形
长×宽×厚/(mm×mm×mm)	150×150×5	150×150×6	150×150×10	150×150×6	150×150×10	200×200×8	250×250×8

将每个垫板背面均开 4mm 宽、3mm 深的槽，用于安装光纤光栅传感器，其中碗形垫板开槽位置为球壳根部，平板垫板开槽位置距垫板端 4cm 处（与平面尺寸为 150mm×150mm 的碗形垫板开槽位置一致），在凹槽正中通过黏结剂粘贴 1 个光纤光栅传感器，光纤光栅传感器串联接在 1 根光纤上，并在锚杆尾部引出光纤接头。为保证光纤光栅测力垫板能够满足长期、稳定监测的要求，光纤光栅传感器通过"刻槽→打磨机打磨→酒精清洗→传感器预拉伸→502 胶粘贴→环氧树脂 AB 胶密封保护→通光笔检查"等过程固定于垫板凹槽。封装完成后的垫板如图 3.1-9 所示。

(a)YW-150×150×5　　(b)FP-150×150×6　　(c)FP-150×150×10　　(d)FW-150×150×6

(e)FW-150×150×10　　(f)FW-200×200×8　　(g)FW-250×250×8

图 3.1-9　光纤光栅测力垫板

2. 试验设备

试验过程中需要的主要设备包括：

(1) SW-300 型手动泵和液压千斤顶，最大顶力为 300kN，如图 3.1-10 所示。

(2) Micron Optics 公司的 sm125 型光纤光栅接收仪（图 3.1-11）。该仪器共有 4 个通道，其波长分辨率为 1pm，扫描频率为 2Hz，工作波长范围为 1510～1590nm。最高可测量 60～120 个普通光纤光栅传感器。

图 3.1-10　加载千斤顶　　　　　　　　图 3.1-11　sm125 型光纤光栅接收仪

3. 试验过程

在先期安装并已完全锚固的 $\Phi25$ 锚杆杆体（锚固段 3m）上，依次放置垫板、球垫、千斤顶及螺母，安装完成后使用手动泵匀速缓慢地以 5kN 为间隔，从 0 施加至 80kN，同时记录相应千斤顶位移及光纤光栅测得的量值，图 3.1-12 为现场试验图。

(a)YW-150×150×5　(b)FP-150×150×6　(c)FP-150×150×10　(d)FW-150×150×6

(e)FW-150×150×10　(f)FW-200×200×8　(g)FW-250×250×8

图 3.1-12　不同垫板现场试验图

3.1.2.3　试验结果与分析

1. 垫板变形(破坏)分析

获取试验完成后的垫板如图 3.1-13 所示。

(a)YW-150×150×5　(b)FP-150×150×6　(c)FP-150×150×10　(d)FW-150×150×6

(e)FW-150×150×10　(f)FW-200×200×8　(g)FW-250×250×8

图 3.1-13　加载后垫板变形图

由图 3.1-13 可知:

(1)加载至 80kN 时，YW-150×150×5、FW-150×150×6 两块垫板均出现明显的变形，表现为碗状结构被压扁，且四角翘曲。结合变形过程分析，变形首先出现于碗状结构，后四角逐渐翘曲，表明碗形垫板的屈服先由碗状结构开始，后才逐渐发展到平面部分，故碗状结构的存在起到了增强锚固系统整体稳定性的作用。因此，软岩隧道中的垫板型式建议优选碗形。

(2)加载至 80kN 时，5～6mm 厚度垫板均出现了明显的变形，表现为:碗形垫板碗状结构被压扁，四角翘曲；平板垫板圆孔凹陷，四角翘曲；可知，小于 6mm 厚度（含）的垫板在软岩隧道中不具备适用性。

2. 垫板受力特性分析

针对未出现明显变形的 FP-150×150×10、FW-150×150×10、FW-200×200×8、FW-250×250×8 四块垫板，提取荷载-波长差曲线，如图 3.1-14 所示。

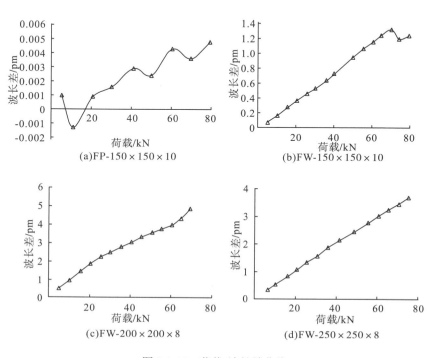

图 3.1-14　荷载-波长差曲线

由图 3.1-14 可知：

(1) 从各曲线形态上分析，垫板受力与外加荷载呈线性正相关，且加载范围内斜率未有明显变化，表明垫板均尚未屈服。

(2) 从 (a) 图可以看出，0～80kN 外加荷载，FBG 波长差的变化区间很小，显示测点位置几无受力，表明平板垫板的 (主要) 受力区间集中，且应是集中于孔口附近，应力扩散效果差。

(3) 对比 (b)、(c) 两图，增加垫板厚度可明显减小应力值；表现为 80kN 外加荷载，200mm×200mm×8mm 垫板测得波长差为 5pm；而 150mm×150mm×10mm 垫板在平面尺寸减小的情况下，测得波长差仅 1.34pm，减小了 3.66pm，减幅超过 70%。

(4) 对比 (c)、(d) 两图，相同厚度 (8mm)、相同外加荷载，垫板尺寸越大，即平面尺寸越大，应力扩散效果越佳，应力集中现象越弱；表现为 80kN 外加荷载，平面尺寸为 200mm×200mm 的垫板测得波长差为 5pm，平面尺寸为 250mm×250mm 的垫板测得波长差为 4pm，减小了 1pm，减幅 20%。

3.1.3　基于数值仿真的软岩隧道锚固体系中垫板力学特性研究

前面通过采用光纤光栅(FBG)传感技术,测试并分析了软岩环境中不同形状、不同尺寸垫板的受力与变形特性;本节将以此为基础,进一步采用数值仿真手段,对垫板形状、厚度、尺寸等开展(扩展)深入研究,以期获取软岩隧道中与锚固系统相匹配协同的垫板型式与参数。

3.1.3.1　数值计算模型与碗形垫板屈服准则

1. 计算模型与参数

采用 FLAC3D 软件建立"围岩+锚杆体+垫板"的三维模型,如图 3.1-15 所示。模型中的围岩、锚杆体、垫板的物理力学参数如表 3.1-3 所示,其中垫板材料为 Q235 钢,据《碳素结构钢》(GB/T 700—2006)标准,其屈服强度下限 235 MPa,极限强度 370~500 MPa。同时,因计算目的是分析垫板的力学行为特性,故不考虑锚杆体的屈服,也不考虑地应力场的影响。

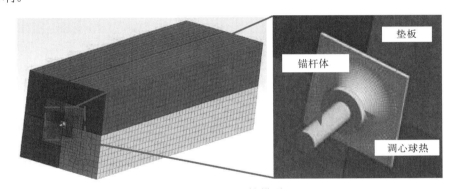

图 3.1-15　计算模型

表 3.1-3　材料的物理力学参数

材料	岩体密度 ρ /(g/cm³)	弹性模量 E/GPa	泊松比 υ	体积模量 K/GPa	切变模量 G/GPa	内摩擦角 φ /(°)	黏聚力 c/MPa
围岩	2720	1.6	0.39	2.424	0.5755	28	0.8
垫板	7200	200	0.3	175	80.76	—	—
杆体	7200	210	0.3	162.5	75	—	—

2. 碗形垫板屈服准则

图 3.1-16 为碗形垫板的受力示意图。实验室加载试验表明,在匹配调心球垫承受递加压载时,碗形垫板首先在孔口 B 处开始屈服,后逐步向拱下部传递,最终在碗口 A 处屈服破坏。由此,碗状结构的存在使碗形垫板的整体屈服失稳临界点发生在碗状结构与平板连接的碗口 A 处。

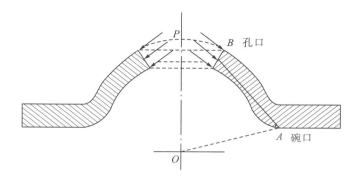

图 3.1-16　碗形垫板受力示意图

为明确垫板各部位的受力，以 150mm×150mm×12mm 方碗形垫板为研究对象，在施加 130kN 荷载作用下，应力云图如图 3.1-17 所示。应力云图中受拉为正，受压为负；S_1 应力为最大主应力，S_3 应力为最小主应力。

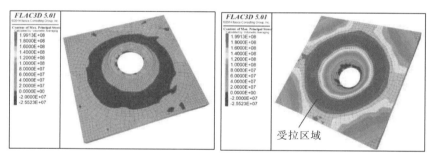

(a)S_1应力云图

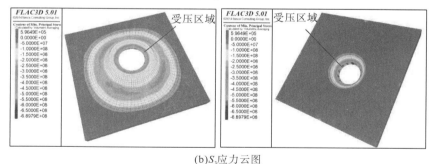

(b)S_3应力云图

图 3.1-17　130kN 荷载时的方碗形垫板应力云图(单位：Pa)

金属材料强度应满足特雷斯卡(Tresca)屈服准则：

$$\tau_s = \frac{S_1 - S_3}{2} = \frac{\sigma_s}{2} \tag{3.1-10}$$

式中，S_1 为最大主应力；S_3 为最小主应力；σ_s 为垫板的屈服强度，235MPa。考虑到碗口处的 S_1 应力远大于 S_3 应力，故分析中可直接通过对比 S_1 应力值和垫板屈服强度(235MPa)

来判断垫板破坏与否。

3.1.3.2　垫板型式研究

垫板的型式(形状)对其力学性能具有显著影响，为此选取 3 种不同型式垫板，即方碗形、方形平板和圆碗形垫板开展进一步研究。依据查阅的文献资料及施工、设计经验，平面尺寸 150mm×150mm，拱高 28mm，具体参数如表 3.1-4 所示。数值计算模型如图 3.1-18 所示。

表 3.1-4　不同形状垫板的几何参数

编号	垫板类型	尺寸/mm 或 mm×mm	厚度/mm	拱高/mm
1	方碗形	150×150	6	28
2	圆碗形	R=150	6	28
3	方形平板	150×150	6	——

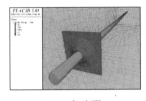  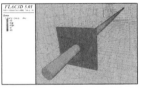

(a)方碗形　　　　　　　(b)圆碗形　　　　　　　(c)方形平板

图 3.1-18　不同型式垫板模型

1. 承载能力分析

计算碗口应力达到屈服应力(235MPa)的加载值，绘制其与垫板型式的关系曲线，如图 3.1-19 所示。

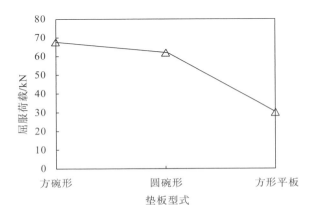

图 3.1-19　不同型式垫板的屈服荷载

由图 3.1-19 可知，方形平板垫板最先达到屈服，对应承载力约 30kN；其后为圆碗形垫板，承载力约 62kN；方碗形垫板的承载力最大，约 68kN。上述分析显示，在尺寸与厚度相同（相近）条件下，方碗形垫板的承载能力最优。

2. 应力扩散效果分析

提取近屈服加载（30kN）时三种垫板的应力云图如图 3.1-20 和图 3.1-21 所示。备注说明的是：应力云图中受拉为正，受压为负；最大主应力为 S_1 应力，最小主应力为 S_3 应力。

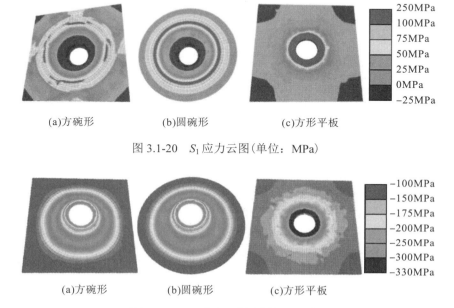

图 3.1-20　S_1 应力云图（单位：MPa）

图 3.1-21　S_3 应力云图（单位：MPa）

由图 3.1-20 和图 3.1-21 可知：

(1)方形平板垫板的受拉区域主要集中在内侧孔口处，应力扩散效果差；方碗形垫板的受拉区域广泛分布于平面结构上，显示其能有效地将孔口的应力扩散到平面区域；而圆碗形垫板的应力分布更加对称，等价位置（距中心距离相等的位置）受到的拉应力比方碗形垫板更大，表明圆碗形垫板的应力扩散效果更佳。

(2)方形平板垫板的受压区域主要集中在内侧孔口处，应力扩散效果差；碗形垫板的受压区主要集中在碗状结构上，且呈现出应力由孔口向碗口均匀扩散的现象。

综上，碗形垫板的应力扩散效果显著优于方形平板垫板，且圆碗形垫板略优于方碗形垫板。

3. 竖向变形分析

提取近屈服加载（碗形 60kN、平板 30kN）时的垫板竖向位移云图，如图 3.1-22 所示；提取近屈服加载时的垫板孔口最大竖向位移和四角最大竖向位移，并记为特征点位移，如图 3.1-23 所示。

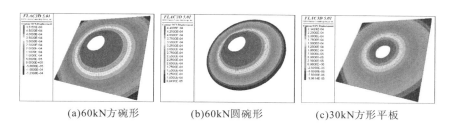

(a)60kN方碗形　　　　　(b)60kN圆碗形　　　　　(c)30kN方形平板

图 3.1-22　竖向位移云图(单位：m)

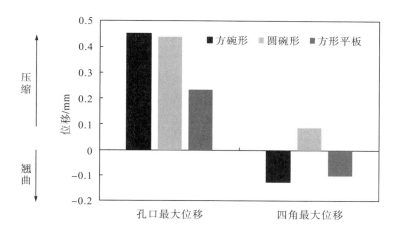

图 3.1-23　不同型式垫板的特征点位移

由图 3.1-22 和图 3.1-23 可知：

(1)不同垫板近屈服时的变形表现不一致：方碗形垫板表现为碗状结构压缩，四角向上翘起；圆碗形垫板表现为孔口压缩，四角未向上翘曲；方形平板垫板表现为孔口压缩，四角向上翘起。

(2)方碗形和圆碗形垫板近屈服加载(60kN)时，主要表现为孔口压缩，特征点位移约0.45mm，四角位移相对较小，显示出碗状结构起到了很好的结构稳定性提升作用，其中圆碗形垫板四角更是未出现翘曲；而方形平板垫板近屈服加载(30kN)时，表现为孔口压缩和四角翘曲，特征点位移分别为 0.23mm 和 0.10mm，故从结构稳定性上分析，平板形结构更易失稳，方碗形次之，圆碗形最优。

综合上述，由不同型式垫板的承载能力、应力扩散效应和竖向变形分析可知，碗形垫板要显著优于平板形垫板，其中方碗形垫板承载能力最优，而圆碗形垫板的结构稳定性最佳。结合加工制作难度，应以方碗形垫板为最优。

3.1.3.3　方碗形垫板厚度研究

垫板厚度过小，承载能力不足，会出现拱部压平，四角翘曲，继而出现结构失稳，导致锚固系统失效。由此，据前一小节的研究成果，选用方碗形垫板作为研究对象，对垫板厚度开展进一步扩展研究。

据查阅的文献资料及施工、设计经验，确定厚度取值如表 3.1-5 所示。建立的(部分)

数值计算模型如图 3.1-24 所示。需要说明的是，厚度超过 15mm 后，碗状结构的加工易出现缺陷，故碗形垫板厚度一般<15mm。

表 3.1-5   5 种不同厚度垫板的几何参数

编号	垫板类型	平面尺寸/(mm×mm)	拱高/mm	厚度/mm
1-1				6
1-2				8
1-3	方碗形	150×150	28	10
1-4				12
1-5				14

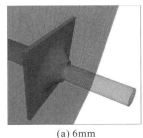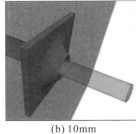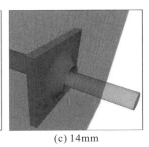

(a) 6mm   (b) 10mm   (c) 14mm

图 3.1-24   不同厚度垫板模型

1. 承载能力分析

计算碗口应力达到屈服应力(235MPa)的加载值，绘制其与垫板厚度的关系曲线，如图 3.1-25 所示。

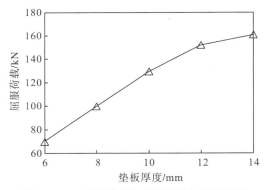

图 3.1-25   不同厚度方碗形垫板的屈服荷载

由图 3.1-25 可知，随垫板厚度增加，屈服荷载逐渐增大，表明增加垫板厚度能够有效提升垫板的承载能力；但屈服荷载的增量逐渐减小，尤其是当垫板厚度大于 12mm 后，增量减小明显，即厚度由 12mm 增至 14mm，屈服荷载仅增加 9kN，作为比较，厚度由 10mm 增至 12mm，屈服荷载增加了 22kN；故考虑到增加垫板厚度对承载能力提升的效用性，厚度不应大于 12mm。

2. 应力扩散效果分析

提取不同厚度方碗形垫板屈服加载（70kN）时的应力云图，如图 3.1-26 和图 3.1-27 所示。

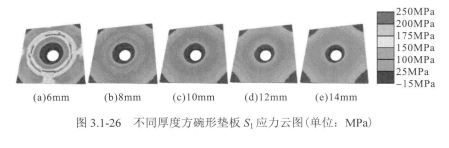

图 3.1-26　不同厚度方碗形垫板 S_1 应力云图（单位：MPa）

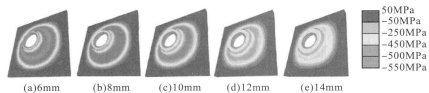

图 3.1-27　不同厚度方碗形垫板 S_3 应力云图（单位：MPa）

由图 3.1-26 和图 3.1-27 可知：

（1）相同荷载下，不同厚度垫板的应力扩散规律基本一致，主要受拉侧（S_1 应力）由圆形扩散逐渐呈现"十"字型扩散，主要受压侧（S_3 应力）呈现圆形扩散，四角的应力值最小。

（2）相同荷载下，随垫板厚度增加，碗口 S_1 应力逐渐减小，但减小量趋缓，表现为小于 10mm 厚度时，随厚度增加，碗口 S_1 应力减小明显，而大于 10mm 厚度后，随厚度增加，碗口 S_1 应力减小不甚明显。

（3）相同荷载下，垫板厚度小于 10mm，孔口 S_3 应力随厚度增加而减小，表明应力扩散效应明显；而垫板厚度大于 10mm，孔口 S_3 应力随厚度增加而增大，表明出现应力集中，增加垫板厚度已不能有效扩散应力。

综合上述，考虑到增加垫板厚度对提升应力扩散的效用性，方碗形垫板厚度宜大于 10mm。

3. 竖向变形分析

提取不同厚度方碗形垫板屈服加载（70kN）时的竖向位移云图，如图 3.1-28 所示，特征点位移如图 3.1-29 所示。

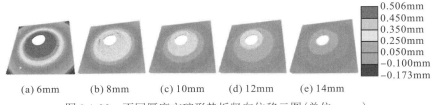

图 3.1-28　不同厚度方碗形垫板竖向位移云图（单位：mm）

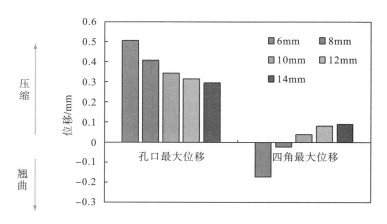

图 3.1-29　不同厚度方碗形垫板的特征点位移

由图 3.1-28 和图 3.1-29 可知:

(1)随垫板厚度增加,方碗形垫板的孔口压缩变形逐渐减少,四角翘曲现象逐渐消失,表明增加垫板厚度可增强垫板的结构稳定性。

(2)当垫板厚度大于 12mm 后,增加垫板厚度对竖向变形的影响明显减弱。

综合上述,由不同厚度方碗形垫板的承载能力、应力扩散效果和竖向变形分析可知,方碗形垫板的厚度宜为 10~12mm。

3.1.3.4　方碗形垫板尺寸研究

垫板尺寸过小,则不能有效地将围岩传递来的应力传递给锚杆;垫板尺寸过大,则又会造成材料加工上的困难和材料的浪费。据前述研究成果,取 10mm 厚方碗形垫板为研究对象,对垫板尺寸开展进一步扩展研究。

据查阅的文献资料及施工、设计经验,确定尺寸取值如表 3.1-6 所示。建立的(部分)数值计算模型如图 3.1-30 所示。

表 3.1-6　5 种不同尺寸垫板的几何参数

编号	垫板类型	厚度/mm	拱高/mm	尺寸/(mm×mm)
2-1				120×120
2-2				150×150
2-3	方碗形	10	28	200×200
2-4				250×250
2-5				300×300

 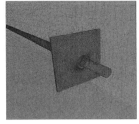 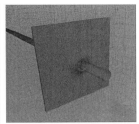

(a) 120mm×120mm×10mm　(b) 200mm×200mm×10mm　(c) 300mm×300mm×10mm

图 3.1-30　不同尺寸垫板模型

1. 承载能力分析

计算碗口应力达到屈服应力(235MPa)的加载值，绘制其与垫板尺寸的关系曲线，如图 3.1-31 所示。

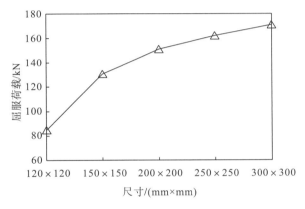

图 3.1-31　不同尺寸方碗形垫板的屈服荷载

由图 3.1-31 可知，随平面尺寸增加，屈服荷载增大；当垫板尺寸小于 150mm×150mm，随尺寸增大，屈服荷载快速增加；当尺寸超过 200mm×200mm，随尺寸增大，屈服荷载增加趋缓；故考虑到增加垫板尺寸对承载能力提升的效用性，方碗形垫板尺寸宜为 150mm×150mm～200mm×200mm。

2. 应力扩散效果分析

以 120mm×120mm 尺寸方碗形垫板屈服荷载(90kN)为加载值，提取不同尺寸下方碗形垫板应力云图，如图 3.1-32 和图 3.1-33 所示。

(a) 120×120　(b) 150×150　(c) 200×200　(d) 250×250　(e) 300×300

图 3.1-32　不同尺寸方碗形垫板 S_1 应力云图(单位：MPa)

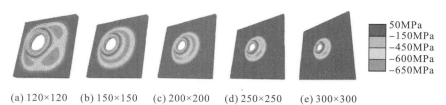

(a) 120×120   (b) 150×150   (c) 200×200   (d) 250×250   (e) 300×300

图 3.1-33   不同尺寸方碗形垫板 S_3 应力云图(单位：MPa)

由图 3.1-32 和图 3.1-33 可知：

(1)相同荷载下，随垫板尺寸增加，碗口 S_1 应力逐渐减小。当垫板尺寸小于 150mm×150mm 时，随垫板尺寸增加，S_1 应力快速减小；当垫板尺寸大于 200mm×200mm 后，随垫板尺寸增加，应力减小趋缓。

(2)相同荷载下，当垫板尺寸小于 150mm×150mm 时，孔口 S_3 应力随垫板尺寸增加呈现减小；当垫板尺寸大于 200mm×200mm 后，孔口 S_3 应力随垫板尺寸增加呈现增大；上述表明当尺寸过大时，孔口 S_3 应力将不能有效地扩散到其他区域。

综合上述，考虑到增加垫板尺寸对提升应力扩散的效用性，方碗形垫板尺寸宜为 150mm×150mm～200mm×200mm。

3. 竖向变形分析

提取 120mm×120mm 尺寸方碗形垫板屈服加载(90kN)时的竖向位移云图，如图 3.1-34 所示，特征点位移如图 3.1-35 所示。

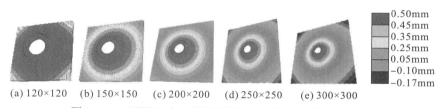

(a) 120×120   (b) 150×150   (c) 200×200   (d) 250×250   (e) 300×300

图 3.1-34   不同尺寸方碗形垫板竖向位移云图(单位：mm)

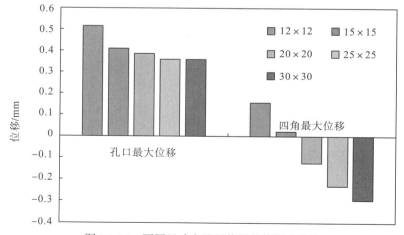

图 3.1-35   不同尺寸方碗形垫板的特征点位移

由图 3.1-34 和图 3.1-35 可知，随平面尺寸增大，孔口处位移逐渐减小，但减幅逐渐趋缓；四角处位移量值表现为"由正至负"，显示增大垫板尺寸后，四角更易出现翘曲状态，出现翘曲现象的临界垫板尺寸为 150mm×150mm～200mm×200mm。

综合上述，由不同尺寸方碗形垫板的承载能力、应力扩散效果和竖向变形分析可知，方碗形垫板尺寸宜为 150mm×150mm～200mm×200mm。

3.1.3.5　方形平板垫板合理参数研究

前述 3.1.3.1～3.1.3.4 节分析了软岩隧道中适宜垫板型式、厚度和尺寸等，得出方碗形垫板型式最优、厚度宜为 10～12mm、尺寸宜为 150mm×150mm～200mm×200mm。但是，考虑碗状结构的加工过程，15mm 厚度以上的碗状结构在加工过程中易出现产品质量问题，因而方碗形垫板厚度一般小于 15mm，多数不超 14mm，如此，方碗形的垫板承载能力将是有限的，一般难以应用于对承载力要求较高的锚索系统中。因此，软岩隧道中仍需进一步研究与锚索系统相匹配的垫板型式及其参数。

考虑到加工制作难度，方形垫板型式仍是锚固系统的首选，因此，锚索系统合理的垫板型式为方形平板。进一步，考虑到在方碗形垫板研究中，当尺寸大于 250mm×250mm 后，应力扩散效果差，且垫板四角上翘量增加明显，故后续分析中选定方形平板垫板的平面尺寸为 250mm×250mm。

在方碗形垫板厚度研究的基础上，拟定方形平板垫板的厚度研究工况，如表 3.1-7 所示。建立的(部分)数值计算模型如图 3.1-36 所示。

表 3.1-7　5 种不同厚度垫板的几何参数

编号	垫板类型	尺寸/(mm×mm)	厚度/mm
3-1			15
3-2			20
3-3	方形平板	250×250	25
3-4			30
3-5			35

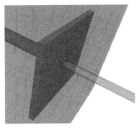 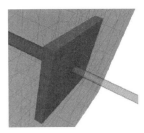 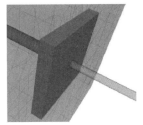

(a) 15mm厚度　　　　(b) 25mm厚度　　　　(c) 35mm厚度

图 3.1-36　不同厚度方形平板垫板

计算孔口应力达到屈服应力(235MPa)的加载值，绘制其与垫板厚度的关系曲线，如图 3.1-37 所示。

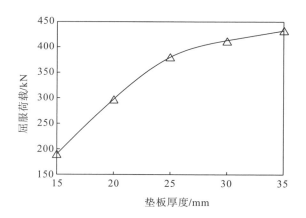

图 3.1-37　不同厚度方形平板垫板屈服荷载

由图 3.1-37 可知：随垫板厚度增加，屈服荷载逐渐增大，表明增加厚度能够有效提升方形平板垫板的承载能力；但屈服荷载的增量逐渐减小，尤其是垫板厚度大于 25mm 后，增量减小显著，即当厚度由 25mm 增至 30mm，屈服荷载仅增加 33kN，作为比较，厚度由 20mm 增至 25mm，屈服荷载增加 83kN。因此，考虑到方形平板垫板厚度的效用性，厚度不应大于 25mm。需要说明的是，上述屈服荷载是在孔口屈服条件下得到加载值，即平板形垫板易出现的四角翘曲(屈服)不作为控制性指标。

工程中采用的预应力锚索直径一般为 $\varPhi21.8$，屈服强度≥513kN，拉断时的极限抗拉强度≥583kN。按照预留一定安全储备的要求，$\varPhi21.8$ 预应力锚索的预紧力一般在 200～300kN，因此，250mm×250mm 尺寸的方形平板垫板的厚度宜为 25mm。

3.1.4　软岩隧道中预应力锚固系统适宜垫板参数分析

(1)垫板型式以方碗形为优，但鉴于厚度>15mm 的碗状结构在压铸过程中易出现内部结构损伤，故方碗形垫板厚度应不大于 15mm，优值为 10～12mm；尺寸优值为 150mm×150mm～200mm×200mm，以 150mm×150mm 为最优。结合锚杆(索)的承载性能可知，方碗形垫板适用的锚固系统主要为锚杆系统。

(2)进一步考虑锚固系统高承载需求，即当垫板厚度>15mm，相应垫板型式优选方形平板。同时，鉴于软岩隧道工程中采用的 $\varPhi21.8$ 预应力锚索预紧力一般在 200～300kN，因此 250mm×250mm×25mm(长×宽×厚)方形平板垫板为最优。

(3)综合(1)、(2)，拟定软岩隧道预应力锚固系统垫板的参数建议如表 3.1-8 所示。

表 3.1-8　软岩隧道中预应力锚固系统垫板的参数设置建议

锚固系统形式	适宜垫板型式	厚度优值/mm	尺寸优值/(mm×mm)	备注
预应力锚杆	方碗形垫板	10～12	150×150 ～200×200	预应力/锚固系统受力<200kN
预应力锚索	方形平板垫板	25	250×250	预应力/锚固系统受力 200～300kN

3.2　预应力锚固系统中球形垫圈作用机理及效用性研究

在实际隧道工程中，锚杆(索)通常是与洞壁成一定角度打入围岩，或由于隧道开挖后围岩壁面不平整，致使垫板与锚杆(索)成一定角度，如图 3.2-1 所示。在此情景下，球形垫圈能够与垫板组成可调心结构，在锚杆(索)承受偏心载荷作用时，调节杆(索)体受力方向与受力状态，对提升锚固系统的稳定性尤为关键。故为分析球垫在锚固系统中的具体效用，本节将开展锚固系统偏心受载下，有球垫和无球垫时的锚固系统拉拔试验。

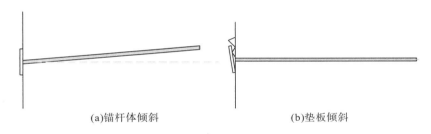

(a)锚杆体倾斜　　　　　　　　　　　　　　(b)垫板倾斜

图 3.2-1　锚杆体与垫板非垂直形态

3.2.1　球形垫圈作用机理

如图 3.2-2 所示，放置于垫板中心孔上的球形垫圈，主要有以下几个作用：

(1)球垫安设于锚杆与垫板间，能够 360°自由旋转，可满足锚杆体任意方向转动不小于 10°的要求，进而能够自动调整锚杆与垫板的相对位置，促使杆体与垫板保持垂直状态，保证将垫板施加的荷载传递给锚杆。

(2)保护被连接件的表面不被螺母擦伤，分散螺母垫片对被连接件的压力。

(3)止退作用。在紧固时其在螺栓轴向有应力存在，加大了螺纹间的摩擦力，被紧固的对象不易松动。

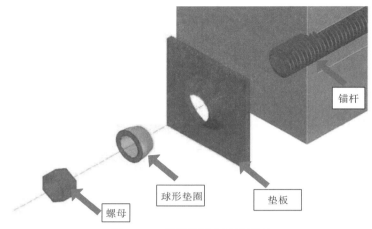

图 3.2-2　球形垫圈安装示意图

3.2.2　球形垫圈效用性试验

3.2.2.1　试验环境、材料与设备

1. 试验环境

采用混凝土墩模拟试验（加载）环境，试验模具如图 3.2-3 所示，外形尺寸为 30cm×30cm×100cm，中间采用 PVC 管预留孔洞，PVC 管外径 75mm，内径 68mm。

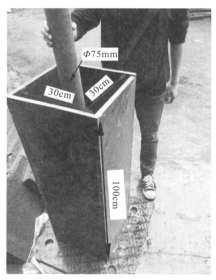

图 3.2-3　试验模具

试验所用每立方米混凝土配比：水-150kg、水泥（P.O42.5）-500kg、砂-648kg、石子-1202kg。混凝土墩在浇筑完成后，按照"标准养护条件"进行养护，待强度达到指定设计值后脱模，脱模后的混凝土墩如图 3.2-4 所示。

(a) 俯视图　　　　　　　　　　　　　　　(b) 侧视图

图 3.2-4　脱模后的混凝土墩

2. 光纤光栅测力垫板

选用 15cm×15cm×1cm 平板形垫板［图 3.2-5(a)］，封装过程同 3.1.2.2 节，制作完成的光纤光栅测力垫板如图 3.2-5(b) 所示。

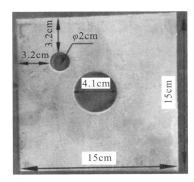
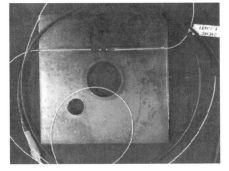

(a) 垫板几何参数　　　　　　　　　　　(b) 封装完成后

图 3.2-5　光纤光栅测力垫板

3. 球形垫圈

选用与 15cm×15cm×1cm 平板形垫板相匹配的球形垫圈，如图 3.2-6 所示。

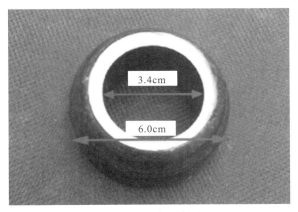

图 3.2-6　球形垫圈

4. 光纤光栅测力锚杆(体)

Q420 普通中空螺纹锚杆，符合《预应力中空锚杆》(TB/T 3356—2014)要求，长度为 2.0m，尺寸为 25mm×15mm×5mm，即锚杆外径 25mm，内径 15mm，壁厚 5mm。沿杆体通常开凹槽，尺寸为 4mm 宽、3mm 深。光纤光栅锚杆的封装同垫板，制作完成的光纤光栅测力锚杆如图 3.2-7 所示。

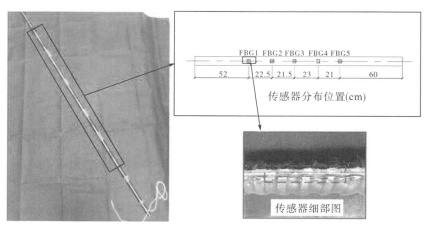

图 3.2-7　光纤光栅测力锚杆

5. 试验设备

试验过程中需要的设备主要为 SW-300 型手动泵和液压千斤顶以及 sm125 型光纤光栅接收仪，参数同 3.1.2.2 节。

3.2.2.2　试验工况与加载模拟及过程

1. 试验工况

根据试验目的，即研究当垫板与锚杆体非垂直时，球形垫圈的效用性，将楔形木块(图 3.2-8)置于垫板下方以使垫板具有一定倾角，来模拟垫板与锚杆体的非垂直情形，如图 3.2-9 所示。通过改变楔形木块的垫起高度即可改变垫板倾角。按照有、无球垫设置以及垫板的倾斜角度划分试验工况，如表 3.2-1 所示。

图 3.2-8　楔形木块

图 3.2-9　楔形木块

表 3.2-1　试验工况

工况编号	有无球垫设置	垫板倾斜角度/(°)
W-5	无	5
W-10	无	10
Y-5	有	5
Y-10	有	10

2. 试验加载(模拟)

试验模拟锚杆的预应力加载过程,将千斤顶和垫板置于同侧进行拉拔。

借鉴施工现场中当锚杆和垫板成一定角度且放置球垫时,一般配合使用铁架进行拉拔(图 3.2-10),本次拉拔试验中,有球垫工况(即工况 Y)在千斤顶和垫板间设置铁架,如图 3.2-11 所示。铁架中间孔径小于球形垫圈直径,铁架与垫板间通过球垫接触,保证了球垫能 360° 自由旋转,从而能够自动调整杆体与垫板的相对位置,促使相互垂直。拉拔试验加载实况如图 3.2-12 所示。

图 3.2-10　施工现场锚杆与垫板倾斜时的预应力加载

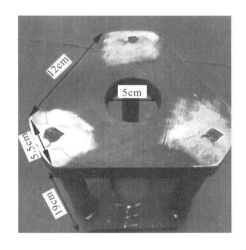

图 3.2-11　铁架详细尺寸

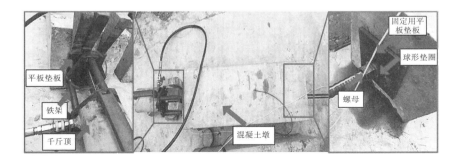

图 3.2-12　拉拔试验

3. 试验过程

每一工况拉拔 3 次。拉拔过程中使用手动泵匀速、缓慢施加荷载，记录加载为 5kN、10kN、20kN、30kN、40kN 时的杆体和垫板受力。

3.2.2.3 试验结果与分析

1. 加卸载现象分析

1）无球形垫圈——工况 W

如图 3.2-13 所示，可清晰地观察到千斤顶上部（会）与垫板接触，故拉拔过程中锚杆体受弯变形，施加的荷载越大，弯矩也越大。

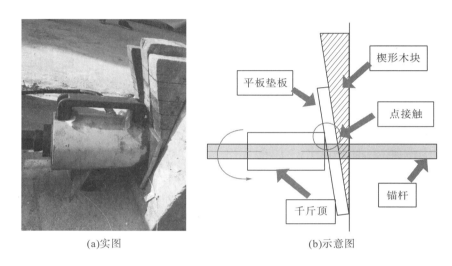

(a)实图   (b)示意图

图 3.2-13 无球形垫圈时的加载

记录无球垫时的卸载过程中锚杆体形态变化，如图 3.2-14 所示。

(a)卸载起始阶段

(b)卸载中间阶段

(c)卸载结束阶段

图 3.2-14　无球形垫圈时的千斤顶卸载过程

由图 3.2-14 可知，卸载起始阶段，即加载完成时，锚杆体已严重弯曲变形；卸载中间阶段锚杆体有回弹发生，倾斜角度减小；卸载结束时，锚杆体仍弯曲，如图 3.2-15 所示，红色圆圈标记处锚杆可见明显弯曲。

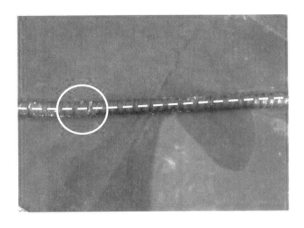

图 3.2-15　无球形垫圈时的卸载后锚杆形态

2）有球形垫圈——工况 Y

如图 3.2-16 所示，通过球形垫圈与垫板相接触，（一定倾斜角度内）可保证锚杆体轴向受力，而不产生弯曲变形。

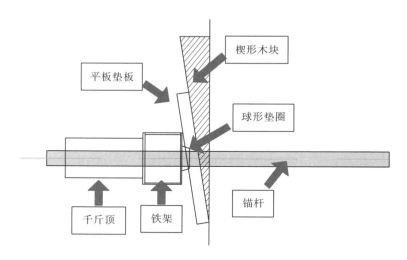

图 3.2-16　有球形垫圈时的加载示意图

由上述现象推及实际工程可知，洞壁的不平整亦或是锚杆与洞壁成一定角度打入围岩，都将会导致垫板与锚杆成一定角度，故球形垫圈是锚杆(索)锚固系统中的重要组成部分。

2. 杆体受力分析

1）有球形垫圈——工况 Y

加球形垫圈倾斜 5°（工况 Y-5）和加球形垫圈倾斜 10°（工况 Y-10），杆体上各传感器测得的锚杆轴力基本相等。

2）无球形垫圈——工况 W

无球形垫圈倾斜 5°（工况 W-5）和无球形垫圈倾斜 10°（工况 W-10），如图 3.2-17 所示，杆体最大轴力显著大于加载值，其中，加载近 40kN 时，无球形垫圈工况中杆体最大轴力达 100kN，究其原因为杆体弯曲导致局部应力增大。值得说明的是，上述轴力数据示意为一点(测点)应力和杆体面积的乘积，非真实轴力。

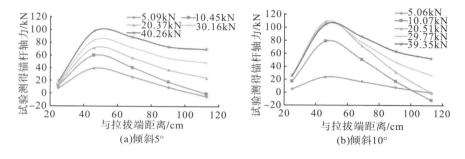

图 3.2-17　无球形垫圈时的杆体受力

3. 垫板受力

图 3.2-18 和图 3.2-19 是有、无球形垫圈情况下倾角为 5°、10°的垫板(测点)应力随施加荷载变化的曲线。

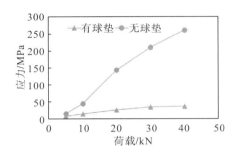

图 3.2-18　5°倾角的垫板受力

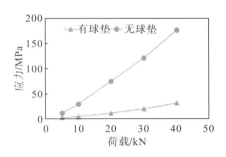

图 3.2-19　10°倾角的垫板受力

由图 3.2-18 和图 3.2-19 可知：无球形垫圈工况中的垫板应力远大于有球形垫圈工况。倾斜角度 5°，无球形垫圈时垫板最大应力为 260MPa，有球形垫圈时为 35MPa，增大了 640%；倾斜角度 10°，无球形垫圈时的垫板最大应力为 176MPa，比有球形垫圈时的 31MPa 增大了 426%。上述，球垫的存在使得垫板受力得到了显著改善。

综合倾斜状态下有、无球垫时杆体和垫板的受力情况，可知球垫的设置，使得锚固系统的受力更安全、且效果显著，杆体和垫板的受力均有明显的减小。

3.3　纯水泥注浆体适宜水灰比及其力学特性研究

对永久支护形式的锚固系统言，均要求进行注浆。所谓注浆就是采用一定压力把液态浆液注入到装有锚杆(索)的地(岩)层钻孔中。注浆形成的黏结段提高了锚固系统的承载力；同时，一定压力的注浆可以使浆液渗入地(岩)层的裂隙和缝隙中，提高锚固系统周围地(岩)层的强度和物理力学性能，从而起到固结地(岩)层、提高地(岩)层承载力的作用；此外，包裹在杆体上的注浆层还对杆体有隔离防护的效果。

目前，锚固系统注浆施工中，采用纯水泥注浆已被国内外大多数应用单位所接受。水泥浆的质量直接影响到锚固性能与耐久性，其中的关键参数(指标)即为水泥浆的水灰比(重量比)。

3.3.1　纯水泥注浆体的适宜水灰比

中国工程建设标准化协会颁布的标准《岩土锚杆(索)技术规程》(CECS 22：2005)中第 8.4.2 中有"宜选用水灰比 0.45～0.50 的纯水泥浆"的叙述，而在一些有关锚固与注浆技术的书刊中多推荐最适宜的水灰比为 0.40～0.45。然而，结合工程实践经验与对相关文献资料的调研分析可知，上述水灰比实际上是偏大的，并不适用于锚固系统的注浆。较大水灰比的纯水泥浆虽有易于充填所钻孔中裂隙的优点，但其弊端更多：

（1）大水灰比纯水泥浆固结后的强度比小水灰比的强度低。美国专家 Hyett 于 1992 年在波特兰进行了大量的纯水泥浆注浆试验，并据试验数据绘出了纯水泥注浆体 28d 单轴压缩强度、变形系数与水灰比的关系，如图 3.3-1 所示，显示随水灰比增大，28d 单轴压缩强度、变形系数均逐渐下降。不同水灰比下莫尔强度包络线如图 3.3-2 所示，显示随水灰比增大，纯水泥注浆体更易破坏。同时，Hyett 在试验中也发现，水灰比低于 0.35 时的试验数据分散性明显增加，其意即是较理想的纯水泥注浆体适宜水灰比应为 0.35～0.40。

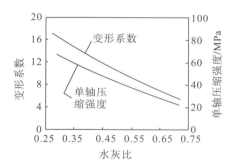 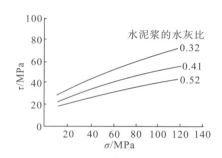

图 3.3-1　水灰比与单轴压缩强度及变形系数关系　　　图 3.3-2　不同水灰比下的莫尔强度包络线

（2）大水灰比纯水泥浆的收缩率大。既有试验表明，纯水泥浆在水灰比为 0.38 时凝固后的收缩率仅为 3.6%，而在 0.50 时的收缩率达 6.4%，因此，采用大水灰比纯水泥浆，注浆体更易出现裂缝，且注浆体与钻孔孔壁间也易于产生缝隙，使得锚固系统的整体可靠性降低。

（3）大水灰比纯水泥浆的黏稠性低。向上安装的锚杆（索）在卸下注浆接头时，所注入的浆液将会从注浆孔和排气孔中漏掉一部分，导致浆液无法充实杆体全长，锚固系统的整体可靠性降低。

（4）大水灰比纯水泥浆易于沉淀析水。大水灰比纯水泥浆注浆作业中如不连续搅拌浆液，很可能在某一时段将稀水注入锚孔，造成锚固失效。

基于上述分析，0.45 以上的大水灰比纯水泥浆除在自进式锚杆中使用外，不应推荐采用；而是应采用更小的水灰比，推荐 0.35～0.40；当钻孔中裂隙较多时，取大值；当钻孔时采用高压水清孔的，取小值。

0.35～0.40 水灰比搅拌出的纯水泥浆注浆体较稠，如用手抓一把，握在手上再松开拳，掌心朝下，注浆液会从手掌向下挂下来不会立即从拳心落下，如图 3.3-3 所示。采用此水灰比时，拆卸掉注浆接头后注入锚杆孔内的注浆液仅从注浆孔（或是排气孔）中流淌出些许，形状像做奶油蛋糕时挤出的奶油，长度为 10cm 左右，就不再往外淌（若继续往外淌，则表示注浆体水灰比过大，浆液偏稀），这样能使注浆饱满，不会产生空穴，注浆体固结后的收缩减小。

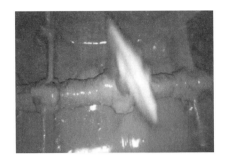

图 3.3-3　0.35～0.40 水灰比纯水泥浆形态

3.3.2　0.4 水灰比纯水泥浆的注浆饱满度室内试验研究

3.3.2.1　概述

一般锚固系统在向上安装时，浆液由杆体外部的注浆管自下往上注入，逐渐充溢钻孔并向上流动，此时中空杆体的空腔成为排气道，如图 3.3-4 所示。而当浆液开始从杆体端口漫出时，浆液就会在重力作用下跌落堵塞排气孔，造成钻孔内的空气排不尽或排不出的现象，进而影响注浆饱满度。

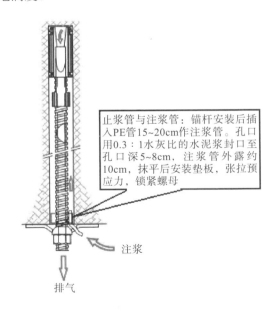

止浆管与注浆管：锚杆安装后插入 PE 管 15~20cm 作注浆管。孔口用 0.3：1 水灰比的水泥浆封口至孔口深 5~8cm，注浆管外露约 10cm，抹平后安装垫板，张拉预应力，锁紧螺母

注浆

排气

图 3.3-4　锚杆向上安装注浆

但是，小水灰比（0.40 以下）的纯水泥浆比较黏稠，当浆液从杆体端口漫出后，其在压力作用下一方面继续向上流动充满上部空间，另一方面会往下流淌，由于注浆液间的黏结力使其向下跌落需要一段时间，此时泵持续泵出的后继的浆液已推着要跌落尚未与后继注浆液分离的注浆液一起向下运动，因此就不太可能产生注浆液堵塞排气孔造成注浆不饱满的现象。

3.3.2.2 试验方案与实施

1. 试验模拟与工况

本次试验的模拟对象选择为拱部锚杆。试验中，采用 $\Phi50$ 钢管模拟钻孔，通过将钢管固定于竹梯上，并将竹梯直立放置，继而实现对隧道拱部锚孔的模拟。据隧道工程实际施工锚孔的普遍深度，本次室内模拟注浆试验选定的锚孔深度为 3m、4m、5m，共计 3 种。

2. 材料与设备

试验用锚杆选用 $\Phi20$ 锚杆；选用 $\Phi34$ 套管组合形成中空结构；水泥浆液选用 0.4 水灰比 P.O42.5 纯水泥浆；注浆机为 DML30-2C 螺杆式注浆机(压力 0～1.2MPa、流量 0～1.2m³/h)。

3. 注浆试验实施

(1)装配后注浆结构(图 3.3-5)。

图 3.3-5 后注浆结构装配实景

(2)模拟竖向钻孔(图 3.3-6)。

图 3.3-6 竖向钻孔模拟实景

（3）水泥浆液配置（图 3.3-7）。

图 3.3-7　水泥浆液配置实景

（4）注浆（图 3.3-8）。

图 3.3-8　注浆实景

（5）静置固化与切割（图 3.3-9）。

图 3.3-9　静置固化与切割实景

3.3.2.3 试验结果与分析

图 3.3-10 为部分横截面注浆情况照片(因注浆体易从胎具中剥出、碎裂,故用胶带纸裹住,局部有碎缺,但不是气泡所致),可见任一截面上(用切割机切出)均无气隙,试验取得了良好的注浆密实度效果。

图 3.3-10 锚杆注浆试验后注浆体断面图

与本次试验类似,南非一家从事地下矿业产品的公司——DSI South Africa 也开展了相近的饱满度实测实验。2007 年年底前,该公司锚杆的技术参数中注浆的水灰比是 0.33～0.50(Mix 0.33 to 0.50 W/C grout),但目前推荐的水灰比数据已变成 0.33～0.35(Mix 0.33 to 0.35 W/C grout)。

3.3.3 0.4 水灰比纯水泥浆在软岩隧道中的锚固性能测试

3.3.3.1 试验依托环境

试验选在木寨岭公路隧道 2#斜井里程 K001+735～K001+745 段,埋深约 510～521m。围岩岩性主要为薄层状炭质板岩,裂隙发育、岩体破碎,受挤压作用较为明显,图 3.3-11 所示为 K001+740 掌子面围岩。

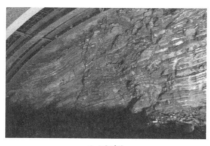

(a)左侧 (b)左侧

图 3.3-11 K001+740 掌子面围岩

在 K001+738～K001+742 段进行的现场点荷载强度测试试验(图 3.3-12)表明该段岩体的单轴抗压强度为 15.2～25.8 MPa,遇水软化后仅为 9.8 MPa,属于典型软岩范畴。

(a)试验加载　　　　　　　　　　　　　(a)试验完成

图 3.3-12　点荷载试验

3.3.3.2　试验方案与实施

依据试验目的，即获取采用优化水灰比后锚杆在软岩环境中的锚固力情况，本次试验采用手动千斤顶进行现场锚杆拉拔试验，绘制不同锚固长度下的荷载-位移(P-S)曲线，分析锚固力变化规律。

1. 试验材料

试验锚杆为 Q420 普通中空螺纹锚杆，其符合《预应力中空锚杆》(TB/T 3356—2014)要求，尺寸为 25mm×15mm×5mm，即锚杆外径 25mm，内径 15mm，壁厚 5mm；注浆材料为 0.4 水灰比的纯水泥(P.O42.5)浆液。

2. 试验加载设备

试验加载设备为 ZY-20 型锚杆拉力计，最大加载预应力为 200kN；试验钻孔设备为 YT28 钻机。

3. 试验工况

综合现场钻孔情况及锚杆长度，选取锚固段长度依次为 1.2m、1.7m、3.0m、3.5m 和 4.0m 共 5 种试验工况，详细信息如表 3.3-1 所示，现场锚杆安装如图 3.3-13 所示。

表 3.3-1　试验工况

工况编号	锚固长度/m	安装部位	试验里程
Gk-1	1.2	边墙	K001+735 (2#斜井)
Gk-2	1.7		
Gk-3	3.0	拱腰	K001+742 (2#斜井)
Gk-4	3.5		
Gk-5	4.0		

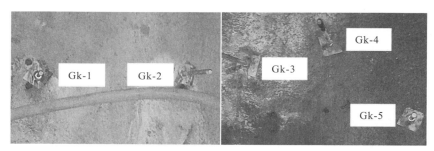

图 3.3-13　锚杆安装现场图

4. 试验过程

注浆完成 24h 后,对各锚杆采用千斤顶进行加载试验。使用手动泵匀速、缓慢地以 5kN 为间隔加载,记录端头位移及最终失效特征(图 3.3-14)。

(a)位移测量　　　　　　　　　　　　(b)完全拉脱

图 3.3-14　现场拉拔试验

加载终止:以锚固体破坏失效为准,一类为锚杆-水泥浆液-围岩间的锚固界面破坏失效,另一类为锚杆的破断失效(如发生)。确定破坏失效的准则为:测力表读数无法上升,加载过程中位移快速增长。

3.3.3.3　试验结果与分析

试验过程中,锚杆均未被拉坏,破坏主要由锚固界面破坏失效引起,获取各工况下荷载-位移(P-S)曲线如图 3.3-15 所示;获取各工况极限锚固力变化如图 3.3-16 所示。

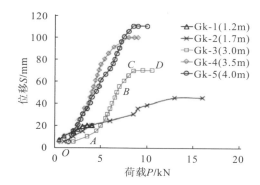
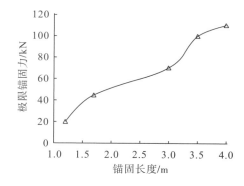

图 3.3-15　荷载-位移(P-S)曲线　　　　　图 3.3-16　锚固长度和极限锚固力关系

如图 3.3-15 所示，不同锚固长度下锚杆的荷载-位移曲线形式基本一致。以 GK-3 工况下曲线为例，拉拔过程中均经历了 4 个阶段：①垫板-围岩压密阶段（*OA* 段）：荷载与位移呈线性增长关系，但曲率较小，位移主要为锚固体的弹性变形与垫板位移之和；②弹性阶段（*AB* 段）：荷载与位移呈线性增长关系，曲率较前一段明显增大，*B* 点荷载即为弹性极限荷载；③屈服强化阶段（*BC* 段）：伴随锚杆端头位移增大（速率明显加大），锚杆拉拔荷载出现持续增长，表现出强化特性，此阶段位移主要为锚固界面的塑性变形；④破坏失效阶段（*CD* 段）：位移持续增大，拉拔力基本不变或出现降低。

如图 3.3-16 所示，锚固长度 1.2m、1.7m、3.0m、3.5m、4.0m，对应的极限拉拔力依次为 20kN、45kN、70kN、101kN、110kN，即 0～4m 锚固长度，每增加 1m，锚固力可增加约 20～60kN，显示出 0.4 水灰比纯水泥浆液在软岩隧道中具备有良好的锚固效能。

3.4　软岩隧道锚固系统中钢带受力特性及结构效应研究

钢带支护是指，在一般锚杆（索）支护的基础上，使用钢带将若干根锚杆（索）联系起来，以形成整体结构，增强对围岩的控制能力，故钢带支护能有效控制锚杆（索）间的岩体，特别适用于软弱破碎围岩地下工程的支护。

3.4.1　钢带的类型及其特点

钢带的主要形式有平钢带、W 形钢带及 M 形钢带[33]，如图 3.4-1 所示。

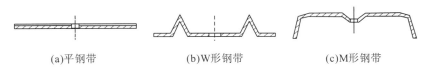

(a)平钢带　　　　　　　　(b)W形钢带　　　　　　　　(c)M形钢带

图 3.4-1　钢带的主要类型

1. 平钢带

平钢带［图 3.4-1(a)］是一种直接轧制的普通钢带，截面形状为矩形，其特点是：①支护表面积较大，质量较小，加工简单；②由于厚度较小，平钢带在压力大时容易撕裂，使其强度大的特点无法发挥出来；③平钢带的截面利用率非常低，支护刚度小。

2. W 形钢带

W 形钢带［图 3.4-1(b)］是目前应用最广的钢带形式，我国于 2000 年制订了《矿用 W 型钢带》(MT/T 861—2000)标准。W 形钢带是将带钢利用多织轧辊连续进行冷弯、滚成型的专用钢产品，断面形状为"W"形，故称为 W 形钢带。带钢在冷弯成型过程中的硬化效应，可使型钢强度提高 10%～15%。W 形钢带的特点：①惯性矩较大，刚度大，抗弯性能较好，截面利用率较高，基本符合锚杆支护对钢带性能的要求；②尽管 W 形钢带的强度比较高，但缺点是其抗撕裂性能差。

3. M 形钢带

M 形钢带［图 3.4-1（c）］的制作形式与 W 形钢带类似，其主要特点是：①钢材利用率高，抗弯截面模量大；②M 形钢带向上与向下的截面模量差别很大(向下截面模量是向上截面模量的 2.75 倍)，所以，当安装钢带，采用单体锚杆钻机向上顶紧的时候，钢带截面模量很小，钢带很容易与顶板围岩密贴；当顶板来压时，钢带向下的抗弯截面模量很大，使锚杆间的松动围岩容易形成一个整体；③高翼缘形断面设计使 M 形钢带抗撕裂性能大幅提升。

3.4.2 钢带的协同支护机理

钢带的协同支护是指将钢带支护与锚杆(索)支护融为一体，主要原理如下[34]。

1. 改变围岩受力状态

锚杆(索)支护间的围岩是支护的薄弱区域，利用钢带高抗拉/弯强度，将锚杆的一部分支护力转化为钢带对围岩的支护力，使岩体表面受到压缩，使锚杆(索)支护力更加合理地分布于开挖围岩面。同时，围岩自身又是承载结构，在经锚杆(索)与钢带支护，并施加预应力之后，表面围岩可由受拉状态向受压状态转化，由二维受力向三维受力转化，提升了自身强度与承载性能。

2. 挤压加固理论

挤压加固理论认为，安装预应力锚杆(索)后，在锚杆(索)预紧力作用下，围岩内形成锥形压缩区。若将锚杆(索)排列适当，锥形压缩区将彼此重叠起来，便在围岩中形成一个有一定厚度的均匀连续压缩带。在锚杆支护的基础上，进一步采用钢带支护，可使锚杆(索)的"点"荷载均布化，扩大锚杆(索)的支护范围，构成一个整体支护结构，增强锚杆(索)整体支护能力。

3. 减挠理论

图 3.4-2 中最大挠度出现在梁的中央，用叠加法求解梁的挠度，计算知，n 层叠合梁的跨中挠度为组合梁的 n^2 倍，呈几何级数增加。同样的多层岩体，经钢带和锚杆组合加固后，其挠度大幅度下降，受张拉强度大大减小，自承载能力得到很大提高。显然，梁中部挠度越小，对控制围岩变形越有利。

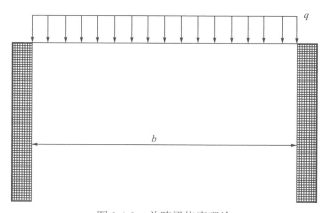

图 3.4-2 单跨梁挠度理论

4. 协调锚杆(索)受力

锚杆(索)的受力往往差别较大,通过钢带使受力过大的锚杆(索)将部分载荷转移给受力较小的锚杆,以增强各锚杆相互间的协同联系,提高支护体系的整体稳定性。

3.4.3　钢带参数对围岩支护效果的影响

3.4.3.1　基于单跨简支梁理论的钢带参数影响研究

钢带对隧道围岩的作用可用单跨简支梁理论进行分析,如图 3.4-3 所示。

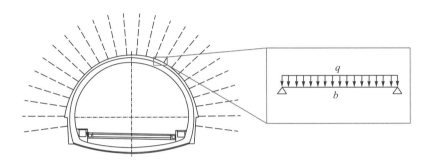

图 3.4-3　钢带的单跨简支梁支护机理

如图 3.4-3 所示,将两根锚杆(索)间的钢带简化为简支梁,设钢带对围岩的支护力为 q,利用简支梁挠度公式,计算得到钢带的中点挠度 f_m 为

$$f_m = \frac{5qb^4}{384EI} \tag{3.4-1}$$

式中,b 为锚杆(索)间距;E 为钢带的弹性模量;I 为钢带的惯性矩。

如式(3.4-1)所示,钢带中点的挠度与锚杆(索)间距的 4 次方和围岩荷载成正比,与钢带的弹性模量及惯性矩成反比。

设钢带的容许应力为$[\sigma]$,抗弯截面系数为 W,计算钢带的最大支护力 q_{max}:

$$q_{max} = \frac{8W}{b^2}[\sigma] \tag{3.4-2}$$

此时,钢带所能承受的最大挠度 f_{max}:

$$f_{max} = \frac{W}{I}\frac{5b^2}{48E}[\sigma] = \frac{5b^2}{48Ey_{max}}[\sigma] \tag{3.4-3}$$

式中,y_{max} 为梁下表面距其中性轴的最大距离。

因此,从对隧道支护有利的角度而言,钢带的抗弯截面系数 W、容许应力$[\sigma]$越大越好。

3.4.3.2　基于数值仿真的钢带参数影响研究

考虑到地下工程对钢带护表能力的需求,以及钢带生产工艺等因素影响,实际应用中的钢带宽度一般为 280mm;同时,结合上一小节分析可知,钢带抗弯截面系数及其强度直接影响支护能力，为此，钢带参数的影响研究将在维持钢带宽度不变的基础上，通过调整厚度的方式开展。

1. 计算模型

（1）鉴于软岩挤压变形隧道多以层状围岩为主，且出现大变形的岩层厚度一般为 1～10cm，故为更好分析软岩大变形隧道中钢带支护特性，数值分析中设定岩层厚度为 5cm。

（2）考虑到隧道工程中锚杆支护的间距普遍在 0.8～1.2m，设定锚杆支护间距为 1.0m，并将其简化为端点竖向位移约束。

（3）模型中钢带采用梁单元进行模拟，宽度 B 固定为 280mm，通过调整高度 H，实现支护刚度（惯性矩）的变化。

（4）模型边界条件，左右边界设置水平位移约束以考虑环向（其余）围岩的限制作用；上边界施加围压，围压量值采用试算的方式，取仅考虑锚杆支护时可达到的最大值。

据上述（1）～（4），建立钢带（梁单元）与岩层（实体单元）相互作用模型，如图 3.4-4 所示。

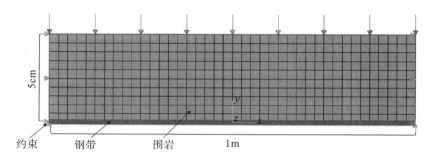

图 3.4-4　计算模型图

2. 计算参数

计算中设定围岩尺寸（5cm×100cm）较小，按 IV 级围岩参数进行取值；钢带材料为 Q235 钢；围岩与钢带具体的力学参数如表 3.4-1 所示。

表 3.4-1　计算参数

材料	弹性模量 E/GPa	泊松比 υ	内摩擦角 φ/(°)	黏聚力 c/kPa
围岩	4	0.26	35	600
钢带	210	0.30	—	—

3. 计算工况

计算中将模拟不同厚度（刚度）钢带对岩体的支护效果，以实现对钢带的优化选型。据常用钢带惯性矩、厚度等，并进行适当扩展，拟定计算工况如表 3.4-2 所示。

表 3.4-2 　计算工况

工况编号	厚度/mm	钢带惯性矩/cm^4
Gk-1	0	0
Gk-2	1	2.33E-03
Gk-3	3	6.30E-02
Gk-4	5	2.92E-01
Gk-5	10	2.33E+00
Gk-6	15	7.88E+00
Gk-7	20	1.87E+01
Gk-8	25	3.65E+01
Gk-9	30	6.30E+01
Gk-10	35	1.00E+02
Gk-11	40	1.49E+02
Gk-12	50	2.92E+02
Gk-13	60	5.04E+02
Gk-14	80	1.19E+03
Gk-15	100	2.33E+03
Gk-16	150	7.88E+03

4. 计算结果与分析

1）钢带

计算不同工况下的跨中挠度，绘制其与钢带厚度、惯性矩的关系曲线，如图 3.4-5 和图 3.4-6 所示。

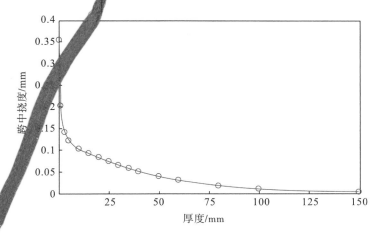

图 3.4-5 　跨中挠度与厚度关系曲线

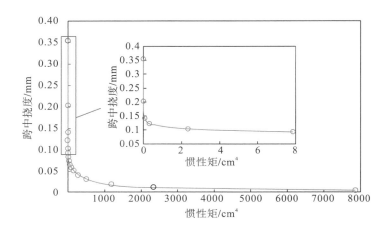

图 3.4-6　跨中挠度与惯性矩关系曲线

由图 3.4-5 和图 3.4-6 可知：①无钢带支护时，围岩下表面中间的位移（对应钢带跨中位置）达到 0.35mm，而施加钢带支护（1mm 厚度）后，跨中位移即降至 0.2mm，减小了 0.15mm，减幅 43%，显示钢带对锚杆间围岩具有很好的支护作用；②随钢带厚度（惯性矩）增加，跨中位移逐渐减小，规律上表现为"先急后缓再平"，即当钢带厚度（惯性矩）较小时，增加其值，可显著提升对围岩的支护作用，而当钢带厚度（惯性矩）大于一定量值后，提升效果将不甚明显；具体而言，可划分为 3 个阶段：厚度 1～5mm（惯性矩 2.33E-03～2.92E-01cm⁴）为快速阶段，提升钢带参数可取得显著的支护效果；厚度 5～50mm（惯性矩 2.92E-01～2.92E+02cm⁴）为缓和阶段，提升钢带参数有较好的支护效果；厚度>50mm（惯性矩>2.92E+02cm⁴）为平稳阶段，提升钢带参数对支护效果的影响有限。

由上述分析可看出，软岩隧道锚杆支护系统中叠加钢带支护是能取得良好的支护效果的，且钢带厚度参数存在优选区间，即认为厚度值应不小于 5mm；同时，鉴于钢带在支护中是承弯构件，且考虑到现场施工便捷性等需求，在保证其结构安全（受力小于材料强度）的前提下，为维持其惯性矩（抗弯能力）不变，应通过改变其截面形式，以实现钢带厚度的减小及用材的减少，上述即是采用 W 形钢带替代平钢带的主要原因之一。为此，建议在选择 W 形钢带时，其惯性矩应大于 2.92E-01cm⁴。

2）围岩

不同工况的围岩应力云图如图 3.4-7 和图 3.4-8 所示。

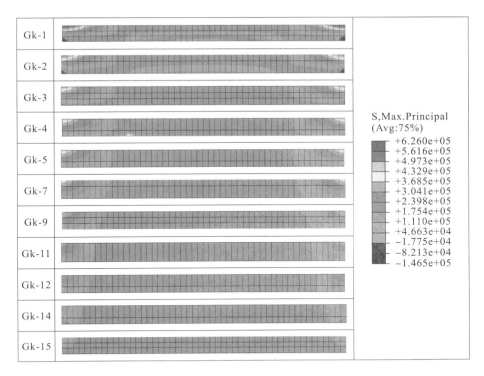

图 3.4-7　不同工况围岩 S_1 应力(最大主应力)云图(单位：Pa)

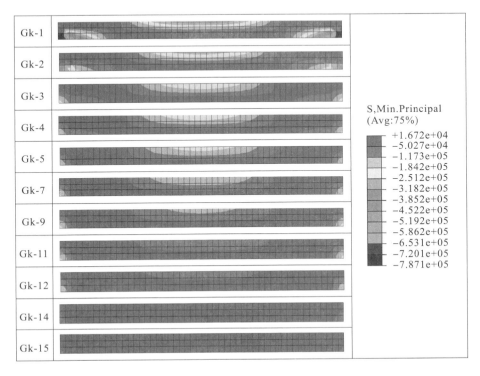

图 3.4-8　不同工况围岩 S_3 应力(最小主应力)云图(单位：Pa)

由图 3.4-7 和图 3.4-8 可知:①无钢带支护时,S_1 应力(最大主应力)和 S_3 应力(最小主应力)云图显示,围岩中间下部区域出现了明显的拉应力区,最大量值 0.38MPa;同时,两端上部的围岩亦有明显的受拉区域,最大量值达 0.63MPa。上述表明,仅锚杆支护(无钢带),软岩条件下,岩体内部将存在有明显的拉应力区,且考虑到最大拉应力量值已达到 0.63MPa,围岩稳定性欠佳。②与无钢带支护(Gk-1)相比较,施加钢带支护(Gk-2、厚度 1mm)后,受拉区域范围和量值均出现了明显减小;具体而言,中间下部区域和两端的围岩最大拉应力值分别降至 0.15MPa 和 0.53MPa,减小了 0.23MPa 和 0.10MPa,减幅为 61% 和 16%;可看出,软岩环境下,钢带对锚杆支护中间区域的围岩具有明显的支护效用,能显著提升围岩稳定性。进一步,S_3 应力云图也显示了围岩的受压区域更趋均衡,应力集中现象减弱,即云图的色差出现了减小。③随钢带厚度的增大,受拉区域范围和量值均进一步减小;其中,Gk-4 工况的中间下部区域围岩已基本不受拉,而 Gk-5 工况的两端上部围岩的拉应力值降至 0.41MPa,较无钢带支护时,减小了 0.22MPa,减幅超 35%。为详细分析钢带参数对围岩拉应力的影响,绘制 S_1 应力极值随钢带厚度及惯性矩变化的曲线,如图 3.4-9 和图 3.4-10 所示。

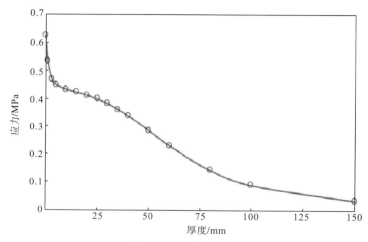

图 3.4-9　围岩 S_1 应力极值与钢带厚度关系

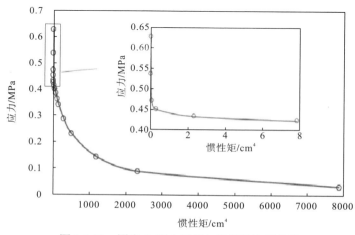

图 3.4-10　围岩 S_1 应力极值与钢带惯性矩关系

如图 3.4-9 和图 3.4-10 所示，与图 3.4-5 及图 3.4-6 中所示的跨中挠度变化规律基本一致，S_1 应力极值也表现出了"先急后缓再平"的规律，显示钢带厚度不宜小于 5mm，即以惯性矩为控制指标时，惯性矩应大于 2.92e-01cm^4。

3.4.3.3　软岩隧道预应力锚固系统中钢带支护效用研究

如前述，钢带在软岩隧道中的作用可主要概括为两方面：其一是协同锚杆(索)系统共同支护围岩；其二是使锚杆(索)系统相互耦合成为一个"整体"，并协调各自内部受力，充分发挥出锚固系统的支护效用。但长期以来，钢带仅是在煤矿巷道中被用作锚杆(索)的协同支护构件，而对于断面更大的交通隧道则未见应用(特指用于锚固系统)。为此，本节将建立隧道围岩锚固模型，针对钢带协同作用下预应力锚杆支护和普通预应力锚杆支护的杆体受力特征以及围岩应力状态和变形特征等进行比对分析，以此来评测软岩隧道预应力锚固系统中钢带的支护效用。

1. 计算模型

分析将重点围绕钢带协同作用下的预应力锚杆支护(简记为"预应力锚带支护")和普通预应力锚杆支护在软岩隧道中的支护效果开展，即分两种工况开展本次计算分析。

为使计算结果更清晰简洁，拟定采用二维平面模型，并不考虑喷射混凝土、钢架等支护措施。模型开挖断面以两车道隧道断面开挖面为基准，采用等效面积法建立圆形开挖断面；同时，模拟中为分析钢带协调不同部位锚杆受力的功能，初始应力场将采用自重应力场，即竖向应力与水平应力不相等，并通过在上边界施加荷载以模拟埋深。建立的最终计算模型如图 3.4-11 所示，其特点：①二维平面模型(纵向长度 1m)，隧道开挖断面为圆形，半径 R=6m；②考虑边界效应影响，模型尺寸为 80m×80m，开挖断面位于正中；③初始地应力为自重应力场。

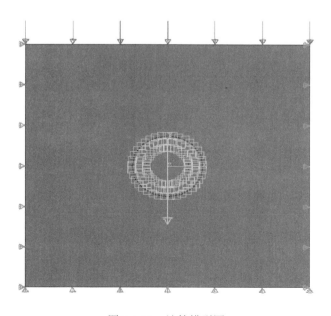

图 3.4-11　计算模型图

2. 计算参数

鉴于大变形一般发生在高应力 V 级围岩隧道中，据《公路隧道设计规范》[26]等相关规范中针对不同级别围岩的力学参数取值建议，并在调研多座软岩大变形隧道岩体特性的基础上，拟定本次计算的围岩参数如表 3.4-3 所示。同时，据《公路工程地质勘察规范》(JTG C20—2011)($R_c / \sigma_{max} < 4$ 为极高应力，$4 \leqslant R_c / \sigma_{max} < 7$ 为高应力)，上覆加载 1.8MPa，对应隧道开挖处最大主应力为 2.8MPa，计算得到 $R_c / \sigma_{max} = 5.35$，可知为高应力场。

据相关文献对预应力提升围岩参数的研究成果和三峡永久船闸锚杆加固效果试验研究成果[35,36]，设定采用预应力锚杆加固(主动支护)区域内围岩力学参数弹性模量 E、黏聚力 c 提升为 400MPa 和 250kPa，如表 3.4-3 所示。

表 3.4-3 计算围岩参数

围岩类型	饱和单轴抗压强度 /Mpa	弹性模量 E/GPa	泊松比 υ	黏聚力 c/MPa	内摩擦角 φ/(°)
锚杆外围岩	15	2.2	0.35	0.25	25
锚杆区围岩		2.6		0.50	

针对预应力锚固系统的支护参数取值，借鉴一般软岩隧道设计取值经验，拟定如表 3.4-4 所示。其中，锚带支护中的钢带据上一小节研究，并结合钢带在实际工程中的应用情况，选定采用 BHW-280-3.00 型 W 钢带，其参数如表 3.4-5 所示。

表 3.4-4 锚杆计算参数

锚杆类型	锚杆参数				支护参数		
	尺寸 /(mm×mm)	横截面面积 /mm²	弹性模量 /GPa	屈服强度/MPa	支护间距(环×纵)/(cm×cm)	锚杆长度/m	预应力/kN
预应力锚杆	32×6	314.2	200	420	100×100	4	90

表 3.4-5 钢带计算参数

钢带类型	型号	宽度/mm	厚度/mm	截面积/mm²	惯性矩/cm⁴	破断力/kN
W 型	BHW-280-3.00	280	3	810	10	≥315

3. 仿真模拟关键点

钢带模拟。模拟中钢带采用梁单元，截面形状设定为矩形，维持宽度 b=280mm 不变，采用等效惯性矩方式换算高度 h=10mm。

锚杆预应力采用降温法进行模拟，即通过改变锚杆的温度，使其回缩，继而对围岩体施加压力；设定锚杆线膨胀系数为 1×10^{-3}/℃。

4. 计算结果与分析

1)围岩位移

计算预应力锚杆支护和预应力锚带支护下的围岩(锚固区)位移，如图 3.4-12 和图 3.4-13 所示。

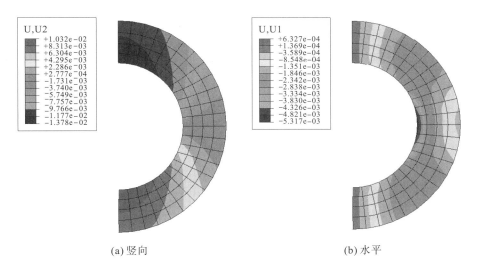

(a) 竖向　　　　　　　　　　　　　　　(b) 水平

图 3.4-12　预应力锚杆支护下的围岩位移云图(单位：m)

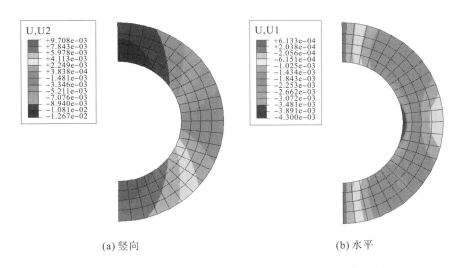

(a) 竖向　　　　　　　　　　　　　　　(b) 水平

图 3.4-13　预应力锚带支护下的围岩位移云图(单位：m)

由图 3.4-12 和图 3.4-13 可知，预应力锚杆支护和预应力锚带支护的围岩变形规律一致，均表现出拱顶沉降、拱底隆起、边墙收敛，符合一般隧道围岩变形规律；从量值上分析，锚杆支护的拱顶沉降、拱底隆起和边墙收敛为 13.8mm、10.3mm 和 5.3mm，对应锚带支护为 12.7mm、9.7mm 和 4.3mm，减小量 1.1mm、0.6mm 和 1.0mm，相应减幅 8.0%、5.8%和 18.9%。上述量值表明，软岩隧道中钢带协同作用下的预应力锚杆支护能够取得更佳的位移控制效果，较单一预应力锚杆支护，位移控制效果可提升 5.8%～18.9%。

2) 围岩应力

计算预应力锚杆支护和预应力锚带支护的围岩(锚固区)应力，如图 3.4-14 和图 3.4-15 所示。

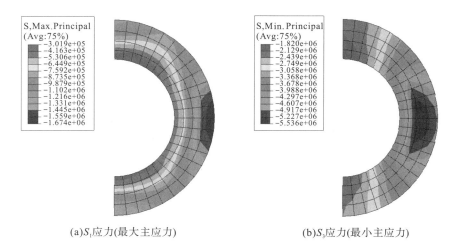

(a)S_1应力(最大主应力)   (b)S_3应力(最小主应力)

图 3.4-14　预应力锚杆支护下的围岩应力云图(单位：Pa)

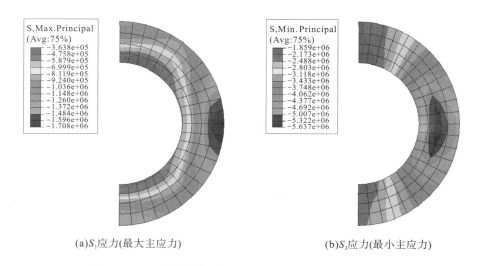

(a)S_1应力(最大主应力)   (b)S_3应力(最小主应力)

图 3.4-15　预应力锚带支护下的围岩应力云图(单位：Pa)

由图 3.4-14 和图 3.4-15 可知，预应力锚杆支护和预应力锚带支护的围岩应力变化规律一致，围岩整体均承压，表明这两种支护均取得了较好的支护效果，且表现出开挖洞壁应力最小，围岩内部一定深度出现应力集中的现象；从 S_1 应力云图分析，与单一锚杆支护相比较，锚带支护的 S_1 应力最小值出现增大，即最小值由 301.9kPa 增至 363.4kPa，增加了 61.5kPa，增幅 20.3%，支护效果明显；结合软岩在不同围压下的力学特性，可知上述量值的增大对围岩承载力及稳定性均具有很好的提升效果，故与单一锚杆支护相比，钢带协同作用下的锚杆支护具备更佳的围岩提升作用。

3) 锚杆受力

计算预应力锚杆支护和预应力锚带支护的锚杆应力云图，如图 3.4-16 所示。

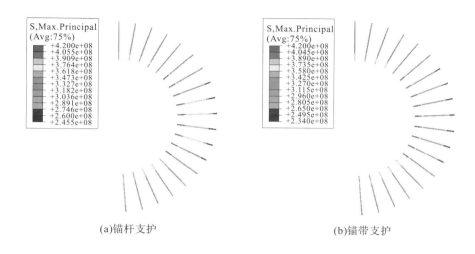

(a)锚杆支护　　　　　　　　　　　　(b)锚带支护

图 3.4-16　锚杆应力云图(单位：Pa)

由图 3.4-16 可知：①锚杆均受拉，应力最小值分别为 245.5MPa(锚杆支护)和 234MPa(锚带支护)，均大于初始预应力加载值(90kN、183MPa)，表明隧道开挖后锚杆对围岩进行了有效支护。②锚杆应力最大值出现在近锚固端(围岩面)，且边墙部位已达杆体材料 Q420 钢的屈服强度(420MPa)，而最小值出现在锚杆远锚固端。究其原因，数值计算中的锚杆锚固端是采用节点耦合方式进行模拟的，这必然会使得端部的应力状态与实际出现差异。同时，锚杆中段的云图颜色是基本一致、变化极小的，表明本次数值模拟较好地实现了预应力锚杆"二力杆"的受力模式，且后续分析中应以锚杆中段的应力为基础。③锚杆中段应力主要分布在 300~400kN，小于杆体屈服强度；同时，图中可见，不同工况中边墙部位锚杆的"中段颜色"存在有明显差异，究其原因，主要是受到钢带的影响。故为进一步分析钢带在预应力锚杆系统中的协同支护效应，提取锚杆中点的应力值(表 3.4-6)，并绘制不同位置的锚杆应力图如图 3.4-17 所示，可知：①与单一锚杆支护相比较，采用钢带协同锚杆支护，杆体受力出现了降低，单根锚杆应力减小 5.4~52.3MPa，减幅 1.6%~13.2%；37 根锚杆平均减小 19.5MPa，平均减幅 5.5%；②与单一锚杆支护相比较，采用钢带协同锚杆支护，各杆体间的受力更趋均匀，37 根锚杆应力的标准差由 17.9MPa 降至 11.7MPa，表明在预应力锚固系统中，钢带具备协同支护作用，能够提高锚固系统的整体稳定性。

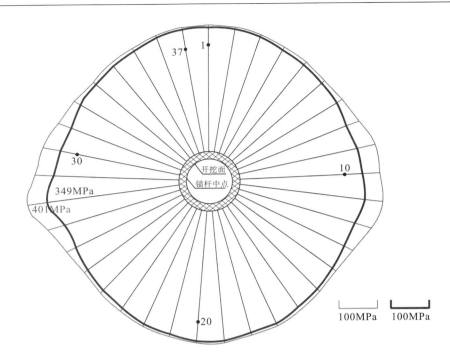

蓝线为预应力锚杆支护中的锚杆中点应力；红线为锚带支护中的锚杆中点应力

图 3.4-17　锚杆中点应力分布图

表 3.4-6　锚杆和锚带中点应力　　　　　　　　　（单位：MPa）

编号	锚杆	锚带	编号	锚杆	锚带	编号	锚杆	锚带	编号	锚杆	锚带
1	335.9	330.4	11	377.3	329.5	21	349.0	342.8	31	342.8	307.4
2	336.5	331.1	12	363.0	317.0	22	346.9	339.9	32	331.2	313.6
3	333.6	326.8	13	337.1	311.9	23	338.6	328.8	33	322.8	313.1
4	327.6	318.9	14	329.2	318.4	24	333.5	324.1	34	326.3	317.2
5	326.2	317.0	15	333.4	324.0	25	326.7	316.6	35	327.2	318.7
6	321.7	312.0	16	339.7	329.8	26	337.9	311.9	36	333.5	326.7
7	330.3	313.0	17	345.4	338.4	27	361.7	316.4	37	336.5	331.1
8	342.7	306.6	18	344.5	338.2	28	401.0	348.7			
9	365.4	317.0	19	354.5	349.0	29	376.9	328.7			
10	366.5	320.4	20	354.4	348.9	30	365.3	317.8			

注：锚杆编号见图 3.4-17。

4）钢带受力

计算预应力锚带支护下的钢带轴力与弯矩，如图 3.4-18 和图 3.4-19 所示。

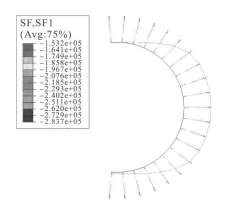

图 3.4-18　钢带轴力分布(单位：N)

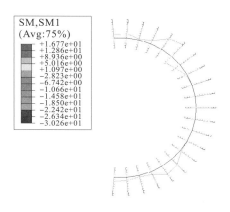

图 3.4-19　钢带弯矩分布(单位：m·N)

由图 3.4-18 和图 3.4-19 可知，钢带轴力分布以边墙处最大，拱顶和拱底最小；弯矩分布以拱腰和拱脚处最大，拱顶和拱底次之，边墙最小。结合钢带的轴力与弯矩分析，以边墙处受力最不利，对应钢带轴力为 283.7kN，小于规范中要求的 315kN 破断力，钢带仍处稳定承载状态。

3.5　软岩隧道中快速预应力锚固系统的研发

软岩隧道，尤其是高应力软岩隧道中的锚杆(索)长度普遍在 6m 以上，国内著名软岩隧道，包括家竹箐隧道、跃龙门隧道、木寨岭铁路隧道等，均在大变形地段采用了 8m 及以上的长锚杆；国外著名软岩挤压型大变形隧道，如日本惠那山 2 号公路隧道、瑞士圣歌达铁路隧道和奥地利阿尔贝格公路隧道等，也主要以采用"长锚杆(索)"作为主要的支护措施，故从施工上言，考虑到长锚杆(索)安装的便捷性，软岩隧道中快速预应力锚固系统优选锚索型式；同时，在软岩地下工程领域中，鉴于锚杆的预应力加载值普遍在 90～120kN，其更多地是应用于煤矿巷道等小断面(开挖面积<30m²)，且当遇到的地质环境比较复杂严峻时，巷道工程中采用的也是以小孔径高强预应力锚索为核心的支护。综上，软岩隧道中快速预应力锚固系统的基础型式应为锚索。

3.5.1　矿业领域小孔径预应力锚索系统技术特点浅析

我国自 20 世纪 60 年代将锚索锚固技术引入煤矿井巷工程领域，特别是 1996 年成功研制小孔径树脂锚固预应力锚索后，锚索在煤矿巷道中得到了普遍推广，显著扩大了锚杆支护应用范围，提高了锚梁网支护巷道的安全性和可靠性。历经几十年的快速发展，矿用锚索在直径、索体结构、破断力等方面均发生了很大改变，从引进之初的 15.24 mm、1×7

结构、破断力为 240kN 逐渐发展为 22mm、1×19 结构、破断力达 600kN 的新型锚索[37]，同时索体延伸率也获得较大增长，在高地应力巷道、大断面巷道及受采动影响巷道等困难条件下得到了广泛应用。

小孔径预应力树脂锚索除了具有一般锚索的锚固深度大、承载能力高、可施加较大的预紧力等特点外，其最大特点是：采用树脂药卷锚固，通过专用搅拌驱动装置可以像安装普通树脂锚杆那样用锚索搅拌树脂药卷对锚索锚固端进行加长锚固，以达到承载及时的目的。因其安装孔径非常小(如仅为 28mm)，故用普通单体锚杆钻机即可完成打孔、安装。与既往水泥浆锚固技术相比，其在矿业领域应用有以下突出特点[38]：

(1)省去了浆液制备、封孔、注浆以及注后设备清洗等工序，直接用锚索搅拌树脂药卷，安装工序大为简化，加之采用小孔径，因而施工速度大幅度提高。

(2)无需深孔钻机、搅拌机、注浆泵等大而重的设备，不仅设备投资少，而且也显著降低了工人搬移设备时的劳动强度。

(3)树脂锚固剂固化速度快，因而锚索能及时主动承载，同时，锚固力大。

(4)采用树脂药卷锚固不存在跑浆、漏浆、排气管堵塞、注浆管爆裂等问题，锚索安装成功率得到了根本保证。

3.5.2 软岩隧道中快速预应力锚固系统的建立

现有地下工程中应用的具备快速锚固能力的预应力锚索系统主要为小孔径预应力(端锚)树脂锚索系统，多为临时支护措施，且锚孔孔径为 28～32mm，无法满足注浆段保护层厚度(>16 mm)的要求[26]。基于上述，本次研究研发了一种适用于隧道工程的新型鸟笼后注浆预应力锚索系统(后续简称为"鸟笼锚索系统")，实现了在具备高强快速预应力支护的同时，又能满足交通隧道工程永久支护的需求，如图 3.5-1 所示。

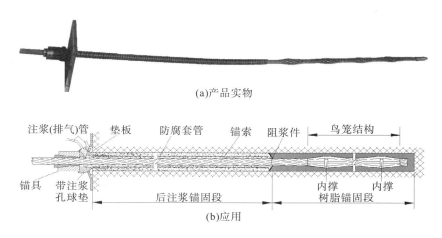

(a)产品实物

(b)应用

图 3.5-1　鸟笼锚索系统及其应用

图 3.5-1 为研发的鸟笼锚索系统，主要由鸟笼锚索体、树脂锚固剂、加载锁定系统和注浆系统组成。其中，加载锁定系统由垫板和锚具组成，垫板采用本书研究的大尺寸与大厚度，同时与钢带形成叠合效应；注浆系统由注浆球垫、防腐套管和 0.4 水灰比纯水泥浆液组成。

3.5.2.1　鸟笼锚索体的结构

鸟笼锚索体由两部分构成，即鸟笼段和常规段，其中鸟笼段(图 3.5-2)是在原有常规锚索体上加工多个"鸟笼形"膨胀节，膨胀节的外径小于锚孔，但大于索体原本体。

图 3.5-2　鸟笼段结构

"鸟笼形"膨胀节的作用，一方面体现在"分散型结构"可使得树脂锚固剂的搅拌更加充分，且可使锚索的居中度提升，实现锚固力的增加；另一方面该结构使得研发的锚索系统既能满足隧道工程相关规范对锚杆(索)保护层厚度(>8mm)的要求，又能满足树脂锚固施工工艺中的三径［钻孔直径、锚固剂直径和锚杆(索)直径］匹配性要求[22]。

鸟笼锚索的原索体一般采用 1×19S 钢绞线，其可视为常规 1×7 钢绞线的改良版，具有更好的承载能力与延伸率[39]。该结构共分为 3 层，由内向外为 1+9+9 股钢丝。为满足隧道工程主动支护要求，原索体一般选用 1×19S-21.8 mm-1860 MPa。

3.5.2.2　加载锁定系统的结构

鸟笼锚索系统作为一种主动支护系统，其核心支护参数为预应力，故要求(预应力)加载锁定系统，即锚具和垫板，应尽可能的安全、可靠与高效，同时也要求其应能较好地扩散预应力。在预应力锁定中(后)，锚具和垫板主要起到两方面作用：一是通过锚具压紧垫板给索体施加(锁定)预紧力，二是围岩变形通过垫板和锚具传递至索体。

锚具一般采用 OVM 系列自锁单孔锚具，优选三夹片形式，锚具尺寸须与索体直径相匹配，锚固锁紧性能符合《预应力筋用锚具、夹具和连接器》[40]中一类锚具要求。垫板则要求采用大尺寸厚垫板，优选平板垫板或组合拱型垫板，垫板尺寸宜为 25cm×25cm×25mm(长×宽×厚)，材料强度须高于 Q235。

3.5.2.3　注浆系统的结构

在树脂锚固完成后，鸟笼锚索系统未锚固段需进行注浆黏结，以实现交通隧道工程对锚索支护的耐久性要求。鸟笼锚索一般采用及时注浆，如图 3.5-3 所示，即在锚索预应力加载完成后，即可进行，以进一步增强锚索系统的支护刚度与强度，提升对围岩变形的控制能力。

图 3.5-3　鸟笼锚索及时注浆

　　注浆系统由注浆球垫、防腐套管、索体、0.4 水灰比纯水泥浆组成，其利用防腐套管和索体间的直径差形成一个注浆通道(图 3.5-4)，实现浆液"自底向上"的"中空注浆"能力，以保证注浆的可靠性和浆液密实度。图 3.5-5 为注浆球垫与防腐套管实物。

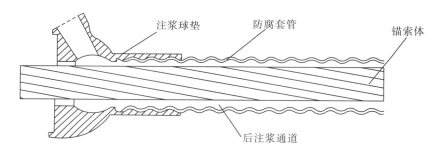

图 3.5-4　后注浆结构型式

(a)注浆球垫　　　　　　　　　　　　　　(b)防腐套管

图 3.5-5　注浆球垫与防腐套管

依托注浆球垫和防腐套管形成的注浆结构，在浆液固结后形成了"双层"保护层体系，内保护层为索体与防腐套管的灌浆体，外保护层为防腐套管与锚孔壁中的灌浆体，且内、外保护层不相互连通，如此，意味着侵蚀性物质必须要"绕过"防腐套管，方能到达锚索，由此便提升了锚索锚固系统的防腐能力，尤其是当锚固系统处于高应力状态下，该结构的作用将大为凸显。

3.5.2.4　鸟笼锚索的快速永久支护机理分析

鸟笼锚索系统支护可分为 2 个阶段：快速预应力加载阶段和及时注浆永久支护阶段。

（1）快速预应力加载阶段，即鸟笼锚索拉拔施荷阶段［图 3.5-6（a）］。鸟笼锚索的鸟笼段通过锚固剂(一般采用树脂锚固剂)快速锚固于岩体内，锚索端部通过垫板和锚具固定于隧道岩壁上。使用千斤顶对鸟笼锚索系统施加荷载，实现快速主动支护，要求该阶段能快速地施加高预应力。值得注意的是，施加的预应力值应在锚固系统弹性受力范围内。

（2）及时注浆永久支护阶段［图 3.5-6（b）］。待预应力加载完成后及时进行注浆，锚索系统锚固形式由端锚式的临时支护形式转变为全长黏结式的永久支护形式，避免了树脂锚固力不足乃至后期树脂锚固失效后可能诱发的支护系统失稳破坏风险，保证了锚固系统长期耐久、防止预应力损失，使得鸟笼锚索锚固系统在隧道全服役期内均能发挥可靠的支护效应。

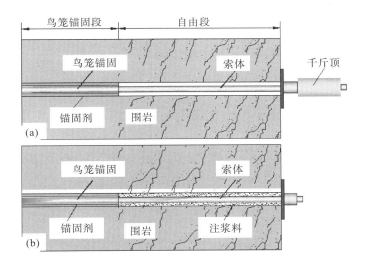

图 3.5-6　鸟笼锚索快速主动永久支护机理

3.5.3　软岩条件下新型鸟笼锚索快速锚固性能试验研究

实现快速加载高预应力是主动支护的关键所在，而能否实现则主要取决于锚索体的强度和锚索-锚固剂-围岩间的锚固力。为此，首先选择在典型围岩段落开展不同锚索长度和锚固长度下的拉拔力测试，以检验鸟笼锚索的快速锚固性能；而后在此基础上，从锚固界面力学传递过程对锚固力开展进一步研究，以探究适宜的锚固长度与预应力设计参数（界限）。

3.5.3.1　试验方案与实施

1. 围岩特性

拉拔试验在木寨岭公路隧道里程 YK218+030～YK218+020 段上、中台阶开展，该段拱顶累计下沉约 120～210mm、拱腰收敛达 400～520mm。区段内岩性主要为薄层状炭质板岩（夹砂质板岩），层厚 1～20cm，如图 3.5-7(a) 所示，岩块的点荷载换算强度 23.3～33.4MPa（3 组）〔图 3.5-7(b)〕。

(a)岩性　　　　　　　　　　　　　(b)点荷载试验

图 3.5-7　典型掌子面围岩及点荷载试验

2. 试验材料

试验用鸟笼锚索鸟笼段长度 1.2 m，含 4 节"鸟笼形"膨胀节，最大直径 34 mm；常规段为 1×19 s-21.80 mm-1860 MPa 锚索，整体屈服强度≥513 kN。

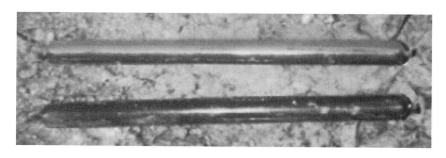

图 3.5-8　试验用快速锚固剂

锚固剂选择 CKb3540 树脂锚固剂，如图 3.5-8 所示，产品参数如表 3.5-1 所示，符合《树脂锚杆　第 1 部分：锚固剂》（MT 146.1—2011）[41]要求。

表 3.5-1　树脂锚固剂参数

名称	类型	直径/mm	长度/cm	凝胶时间/s	等待安装时间/s	弹性模量/GPa	抗压强度/MPa
CKb3540	超快	35	40	26～40	30～60	12～20	60～80

3. 试验设备

试验设备主要包括：钻孔设备、搅拌设备和张拉设备。其中钻孔设备为"气动锚杆钻机+小、大组合 PDC 钻"，如图 3.5-9(a)所示；搅拌设备为 ZQS-50/2.3S 型气动手持式钻机，如图 3.5-9(b)所示；张拉设备为 45 t 手动油压穿心千斤顶(MQ22-450/60)，如图 3.5-9(c)所示。

(a)钻孔设备　　　　　(b)搅拌设备　　　　　(c)张拉设备

图 3.5-9　试验设备

4. 试验工况设计

根据研究目的，即测试快速性和锚固性能，试验拟定了不同锚索长度、不同锚固长度下共 3 组试验(每组 2～3 根)，具体试验信息如表 3.5-2 所示。

表 3.5-2　现场锚固张拉试验工况

试验组号	锚索类型	锚孔深度/m	锚固长度/m
A		5.0	0.68(2 节锚固剂)
B	鸟笼锚索	5.0	1.02(3 节锚固剂)
C		10.0	1.02(3 节锚固剂)

5. 试验过程

1)锚固过程

以锚索外露 250mm 控制钻孔深度，待钻孔完成后，采用 PE 管将树脂锚固剂沿钻孔壁缓慢、逐节推入至孔底 [图 3.5-10(a)]；完成后，人工推入鸟笼锚索抵至最外节锚固剂 [图 3.5-10(b)]，后采用锚索搅拌器 [图 3.5-10(c)] 将锚索与手持式锚杆钻机相连；启动手持式锚杆钻机，边旋转边匀速推至孔底，时间控制在 5s 左右，至孔底后再继续搅拌 10s 左右，完成搅拌 [图 3.5-10(c)]，卸下锚索搅拌器，再等待 15min，即完成了搅拌锚固过程。

(a)送锚固剂   (b)送锚索   (c)搅拌

图 3.5-10　关键锚固过程

2)张拉过程

锚固完成后，在锚索上依次装载上防腐套管、垫板、球垫、锁具、穿心千斤顶［图 3.5-11(a)］；后使用手动油压泵进行人工加载拉拔［图 3.5-11(b)］，过程中每加载 25 kN，记录 1 次端部位移数据［图 3.5-11(c)］；设定锚固失效准则为测力表读数难以上升或出现下降，且端部位移快速增长。

(a)装载设备   (b)油压泵加载   (c)位移测量

图 3.5-11　关键张拉过程

3.5.3.2　试验结果与分析

1. 施工工效分析

表 3.5-3 给出了共 9 根锚索的具体施工耗时。

表 3.5-3　鸟笼锚索拉拔试验过程(耗时)记录

试验编号		钻孔耗时/min	锚固剂、锚索塞入与搅拌总耗时/min	静置时间/min	安装套管、垫板等耗时/min	总耗时/min	备注
A	1	24					
	2	21	约2	15	约1	39~43	
	3	25					

续表

试验编号		钻孔耗时/min	锚固剂、锚索塞入与搅拌总耗时/min	静置时间/min	安装套管、垫板等耗时/min	总耗时/min	备注
B	1	30					
	2	23	2～3	15	约1	38～48	
	3	19					
C	1	62	4				
	2	50	2	15	约1	68～92	
	3	68	8				孔内掉渣、清孔

注：预应力加载工序耗时未统计；根据后期木寨岭隧道现场施工情况，采用气动锚索张拉机具完成一次张拉的时间为 2～3min。

由表 3.5-3 可以看出：

（1）5m 鸟笼锚索从钻孔至张拉预应力耗时仅为 38～48min，具备极佳的快速支护能力；而 10m 鸟笼锚索从钻孔至张拉预应力耗时仅为 68～92min，相比水泥药卷锚固的凝结等待时间普遍在 2h 以上，以及水泥浆锚固多数要求 1d 以上，仍具明显的快速支护能力。

（2）从各工序的具体耗时分析，钻孔耗时占比 50%，故提升钻孔工效可显著提升鸟笼锚索的施工工效；同时，在 C3 组中装载锚固剂和锚索的时间因孔内掉渣较为严重而大幅上升，故提升成孔效果将可进一步提升鸟笼锚索的施工工效。

2. 锚固性能分析

通过现场拉拔试验获取不同锚固长度下锚索的荷载-位移（P-S）曲线，如图 3.5-12 所示（数据取每组 2～3 根的平均值）。

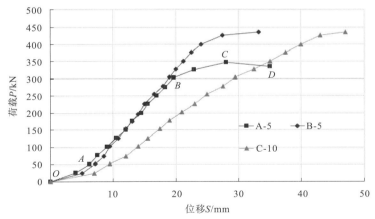

图 3.5-12　不同锚固长度下鸟笼锚索的荷载-位移曲线

由图 3.5-12 可以看出：

（1）鸟笼锚索的拉拔过程基本相似，主要包含 4 个阶段，以荷载-位移（P-S）曲线 A 为例进行说明，如下：①初始压密阶段（OA）：P-S 曲线的斜率逐渐增大，此时的位移主要来自于锚固界面的弹性变形、垫板与围岩面的压缩位移、鸟笼锚索的拉伸；②中期弹性阶段（AB）：P-S 曲线的斜率基本不变，位移主要来自于锚固界面的弹性变形、鸟笼锚索的拉伸，

B 点荷载即为(弹性)锚固力 P_e；③屈服强化阶段(BC)：$P\text{-}S$ 曲线的斜率降低，荷载随位移继续增长，表现出(一定)强化特性，位移主要来自锚固界面的塑性变形(扩展)，C 点为加载极限值；④破坏失效阶段(CD)：$P\text{-}S$ 曲线斜率继续降低，荷载随位移增长基本不变或降低。

(2) A-5-0.68、B-5-0.68、C-10-1.02 弹性阶段的锚固力为 300 kN、400 kN、425 kN，表明 0.5 m 树脂锚固长度的锚固力可达 300 kN，1.0 m 锚固长度的锚固力达到 400 kN，显示出鸟笼树脂锚固在木寨岭公路隧道中具有极佳的主动支护能力。

3.6　本　章　小　结

本章首先基于协同效应对预应力锚固系统的关键构件开展了系统研究，包括垫板、球形垫圈、纯水泥浆适宜水灰比和应用于软岩隧道的钢带等；其后，在此基础上，据软岩隧道快速主动支护理论，开发了新型预应力鸟笼锚索系统，并通过现场试验对其快速锚固性能进行了检验。本章得到的主要结论如下：

(1) 软岩隧道环境中，与平板形垫板相比较，碗形垫板在承载能力与预应力扩散等方面均有明显优势，但碗形结构受加工制约，一般仅用于锚杆支护系统；增加垫板的厚度与平面尺寸均能提升其承载能力，应优先考虑增加厚度值；结合预应力扩散效应，厚度与平面尺寸均有优选值。提出了软岩隧道预应力锚固系统垫板的参数建议(表 3.1-8)。

(2) 预应力锚固系统中球形垫圈能够显著改善锚固系统的受力状态，具体表现为锚固系统倾斜加载下，球形垫圈具维持杆体轴向受力状态，且能够显著减小垫板受力的突出作用，进而使得预应力锚固系统可靠性提升。

(3) 揭示了规范等推荐的高水灰比(0.45～0.55)纯水泥浆存在的向上注浆饱满度差、收缩率大、易沉淀析水和固结后强度低等情况，提出纯水泥浆液适宜水灰比应为 0.35～0.40。针对工程中普遍存在的向上注浆饱满度差等问题，开展室内向上注浆饱满度试验，揭示出 0.40 水灰比纯水泥浆液具有良好的饱满度，能实现向上稳定、高效注浆；依托木寨岭公路隧道，开展了优选 0.40 水灰比纯水泥浆的锚固特性研究，揭示了 0.40 水灰比纯水泥浆在软岩环境下具有良好的锚固特性与承载性能。

(4) 提出了软岩隧道中钢带的适宜型式为 W 形钢带，惯性矩应大于 2.92E-01cm^4；在此基础上，通过建立锚带与围岩相互作用模型，探明了钢带协同作用下的预应力锚固系统具有更佳的围岩位移控制和性能提升效果；并揭示了钢带协同支护效应原理，即钢带协同支护时，锚杆受力减小，且相互间更趋均匀。

(5) 在解析矿业领域小孔径预应力锚索系统技术特点的基础上，研制了具备"及时(树脂端锚)+永久(水泥浆全长锚固)"支护特点的新型鸟笼后注浆预应力锚索系统，其主要由鸟笼锚索体、树脂锚固剂、加载锁定系统和注浆系统组成，其中索体一般选用 1×19S-21.8 mm-1860MPa，垫板宜采用 250mm×250mm×25mm(长×宽×厚)方形平板垫板，注浆体为 0.40 水灰比纯水泥浆。进一步，开展的鸟笼锚索现场快速锚固性能试验检验了其在软岩隧道中具备有快速安装与高效锚固的特性。

第4章 快速主动支护效应下本构
模型的开发及其应用

本构模型作为描述岩土材料应力-应变关系的基本模型，与数值仿真结果的正确与否直接相关，是数值仿真分析时准确反映快速主动支护效应的基础。研究表明，围岩压力对软弱岩体力学特性，包含强度参数和变形参数等，均具有显著影响。若数值仿真过程中，不考虑主动支护引起围压变化而导致的岩体力学特性改变，其计算结果往往与实际存在较大差异，鉴于此，本章将在分析围岩压力对软岩力学特性影响的基础上，基于 FLAC3D 平台研发可实现主动支护效应的二次本构模型并对比验证其有效性，以期为主动支护数值仿真分析提供理论支撑。

4.1 围压效应下的软岩力学特性演化规律研究

4.1.1 围压对软岩力学特性的影响分析

Hoek 等根据大量不同类型岩石的试验数据，基于岩石峰后应力-应变曲线的不同表现形式，将岩石的应力-应变曲线划分为 3 个类型（图 4.1-1）：弹塑性模型、弹脆塑性模型和应变软化性模型[42]。对于软岩，其应力在达到峰值强度后，将逐渐降至一个较低水平，应力-应变曲线大多呈现典型的"应变软化"形式。

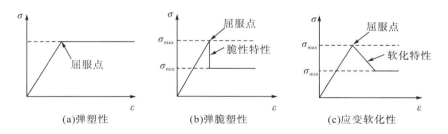

图 4.1-1　岩石的应力-应变曲线类型

软岩的三轴压缩试验表明：软岩在发生塑性屈服后可细分为 3 个阶段，即应变硬化阶段、应变软化阶段和残余阶段，其中应变硬化阶段一般视为弹性段的外延。软岩的力学特性主要由后两个阶段决定。当围压小于临界围压时，软岩的应变软化阶段和残余阶段对围压有极强的敏感性，且围压越小，相同围压增量产生的影响越大。

4.1.1.1　围压对软岩变形参数的影响

弹性模量 E 代表着岩石的变形性质。早期的研究过程中，学者们认为岩石弹性模量 E 是一个不变值。但随着试验技术以及装备的发展，逐步地发现岩石弹性模量 E 不是一成不变的，大部分岩石的弹性模量 E 随围压增加而变大，且当围压超过某一量值后，弹性模量 E 将趋于定值。目前的研究表明，围压对弹性模量 E 的影响主要有下述两个方面[43,44]。

1. 围压对裂隙的压密闭合作用

一般在围压增大过程中，应力增大将导致岩石结构变密实。究其原因，岩石具有非均质性，内部存在凹凸不平的接触面，继而存在裂隙，当围压增大，凹凸不平的接触面开始逐渐闭合，直至裂隙完全闭合或者是形成坚固的结构形状不再改变，表象上，即为围压达到压密点强度，弹性模量 E 趋于定值。

2. 围压对裂隙间摩擦力的影响

正常状态下，裂隙间接触面在外界应力作用下会产生滑移，导致弹性模量 E 量值较小。当围压增加，带来的约束效应增大，其内部垂直围压方向的裂隙间摩擦力在应力增大作用下变大，使得相同的应力增量带来的应变增量减小，即弹性模量 E 变大。但摩擦力的大小与裂隙息息相关，当围压增大到一定程度，内部裂隙闭合，摩擦力也就增大到了极限值，即弹性模量 E 趋于定值。

围压与弹性模量 E 间的关系一般可采用数理统计的方式获得，如文献《围压对横观各向同性砂岩弹性参数的影响》[44]给出了煤弹性模量 E 与围压 σ_3 的关系，如式(4.1-1)所示：

$$E = b_2\sigma_3^2 + b_1\sigma_3 + b_0 \tag{4.1-1}$$

式中，b_2、b_1、b_0 为系数，可通过不同围压下的岩块压缩试验数据回归获得。

4.1.1.2　围压对软岩强度参数的影响

岩石强度表示岩石抵抗破坏的能力。强度参数作为表征岩石强度的参量，与所选择的强度准则相关。Mohr-Coulomb 强度准则是目前岩土工程领域应用最广的强度准则之一，当采用主应力表示屈服函数 f 时，

$$f = \sigma_1 - \frac{1+\sin\varphi}{1-\sin\varphi}\sigma_3 + 2c\sqrt{\frac{1+\sin\varphi}{1-\sin\varphi}} \tag{4.1-2}$$

式中，σ_1 为最大主应力；σ_3 为最小主应力；c、φ 分别为岩石的黏聚力和内摩擦角。如式(4.1-2)所示，直线型 Mohr-Coulomb 强度准则的强度参数即为黏聚力 c 和内摩擦角 φ。

1. 后继屈服面模型

根据岩土体的塑性理论可知，随塑性变形增加，强度参数将发生变化，使得在残余状态和峰值状态的岩石屈服面出现差异(图 4.1-2)，即后继屈服面一般不同于初始屈服面，表现为岩石的后继屈服面是和应力状态及塑性加载历史相关的。

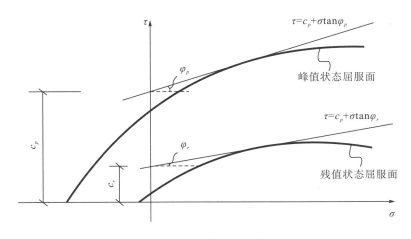

图 4.1-2　不同阶段的屈服面

采用第一塑性主应变 ε_1^p 作为记录岩石材料塑性加载历史的参数，则峰后岩石的后继屈服面：

$$f(\sigma_1,\sigma_2,\sigma_3,\varepsilon_1^p)=0 \qquad\qquad (4.1\text{-}3)$$

式 (4.1-3) 表明岩石峰后不同软化状态（以 ε_1^p 来描述该状态）的屈服面是不相同的。当岩石处于峰值状态，即 $\varepsilon_1^p=0$，式 (4.1-3) 表示的后继屈服面可以用式 (4.1-2) 来表示；当岩石处于峰后应变软化阶段的任一状态（$\varepsilon_1^p \neq 0$）时，此处，引入广义黏聚力 $\bar{c}$ 和广义内摩擦角 $\bar{\varphi}$ 概念，即假设岩石在峰后屈服阶段任一应力-应变曲线上的任一点都为破坏的临界状态，且满足 Mohr-Coulomb 破坏准则，则岩石后继屈服面仍可以用式 (4.1-2) 表示，但是用于描述该状态的特征变量（即黏聚力和内摩擦角）将发生变化，即采用的将是广义黏聚力 $\bar{c}$ 和广义内摩擦角 $\bar{\varphi}$。

广义黏聚力 $\bar{c}$ 和广义内摩擦角 $\bar{\varphi}$ 都受到塑性应变和围压的影响，是 σ_3 和 ε_1^p 的函数，即 $\bar{c}(\sigma_3,\varepsilon_1^p)$、$\bar{\varphi}(\sigma_3,\varepsilon_1^p)$，将其代入式 (4.1-2) 即可得到峰后岩石后继屈服面的表达式：

$$f=\sigma_1-\frac{1+\sin\bar{\varphi}(\sigma_3,\varepsilon_1^p)}{1-\sin\bar{\varphi}(\sigma_3,\varepsilon_1^p)}\sigma_3+2\bar{c}(\sigma_3,\varepsilon_1^p)\sqrt{\frac{1+\sin\bar{\varphi}(\sigma_3,\varepsilon_1^p)}{1-\sin\bar{\varphi}(\sigma_3,\varepsilon_1^p)}} \qquad (4.1\text{-}4)$$

2. 广义黏聚力 $\bar{c}$ 和广义内摩擦角 $\bar{\varphi}$ 变化规律

探究广义黏聚力 $\bar{c}$ 和广义内摩擦角 $\bar{\varphi}$ 变化规律，即求解函数 $\bar{c}(\sigma_3,\varepsilon_1^p)$、$\bar{\varphi}(\sigma_3,\varepsilon_1^p)$。设定弹性卸载及峰后阶段任意一点皆满足 Mohr-Coulomb 破坏准则，则其卸载路径 L 将与峰值应力点割线 P 平行，如图 4.1-3 所示。不同围压、相同卸载路径，第一塑性主应变 ε_1^p 相同，对应的应力状态为 (σ_1',σ_3')、(σ_1'',σ_3'')、$(\sigma_1''',\sigma_3''')$…。

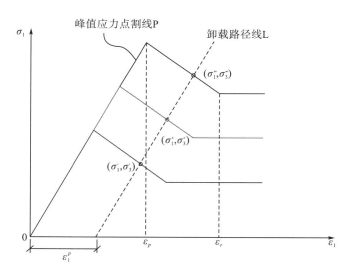

图 4.1-3　应变软化简化模型及同一卸载路径下的应力状态

提取相同第一塑性主应变 ε_1^p 下，不同围压工况中的应力数据，并绘制莫尔应力圆，即得到了第一塑性主应变 ε_1^p 下的莫尔强度包络线，如图 4.1-4 所示。在莫尔圆和包络线交点处绘制（包络线的）外切线，该外切线与 σ 轴的夹角即为 $\overline{\varphi}$，在 τ 轴的截距即为 $\overline{c}$。

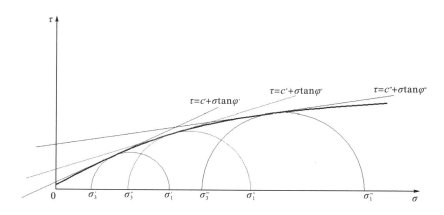

图 4.1-4　塑性主应变相同时的莫尔强度包络线

图 4.1-4 的实际应用中，莫尔强度包络线可以通过"切线法"获得[28]，即首先确定每两个莫尔应力圆之间的公切线及切点，求出所有切点坐标后再利用最小二乘拟合法对包络线方程进行拟合。获取包络线方程后即可采用求导运算得到 $\overline{\varphi}$ 和 $\overline{c}$。而后，在获取不同第一塑性主应变 ε_1^p、不同围压下 $\overline{\varphi}$ 和 $\overline{c}$ 的取值后，可利用 Matlab 对 $\overline{c}(\sigma_3, \varepsilon_1^p)$、$\overline{\varphi}(\sigma_3, \varepsilon_1^p)$ 函数进行最小二乘曲面拟合，即可得到相应函数表达式。

4.1.2　不同围压下炭质板岩的力学特性试验

为了研究主动支护在木寨岭公路隧道中的支护效应,研究不同围压下木寨岭公路隧道中以炭质板岩为代表的岩体的力学特性变化规律极为必要。

4.1.2.1　试验设备与岩样

炭质板岩岩样取于木寨岭公路隧道典型围岩大变形段落(ZK218+440～ZK218+445,地下水较发育)。试验设备为 MTS815 电液伺服岩石力学测试系统(图 4.1-5),由轴压系统、围压系统和数据采集系统组成,最大轴压可达 3000kN,精确度 1%;最大围压可达 100 MPa,精确度 1%;轴向变形采用引伸计测定。

　　　　　图 4.1-5　试验加载设备

　　　图 4.1-6　部分加工完成的岩样

岩样的制备过程如下:因现场钻芯法难以获取适宜的岩心,选择对炭质板岩岩块进行切割的方式制作岩样;制作的岩样尺寸为 $\Phi 50\ mm \times 100\ mm$,加工过程严格参照 ISRM 国际岩石力学学会要求执行;共计制作 30 块炭质板岩岩样,分成 6 组,每组 5 块;先放置静水中吸水 24 h,后依次进行围压为 0、5 MPa、10 MPa、15 MPa、20 MPa 和 30 MPa 的三轴压缩试验,图 4.1-6 为部分加工完成的岩样。试验加载如下:施加至预设围压,后以 $\varepsilon = 1.6 \times 10^{-5}\ s^{-1}$ 等应变速率的方式进行加载,直至岩体发生破坏,过程中应力、应变数据等由数据记录系统自动采集和处理。

4.1.2.2　试验结果与分析

1. 围压对岩石破坏模式的影响

单轴试验($\sigma_3 = 0$)或围压较小($\sigma_3 = 5\ MPa$)时,炭质板岩的应变软化现象并不明显,破坏较为迅速,破坏形式表现为单斜剪切滑移破坏,破坏时发出较低且清脆的声响,典型破坏状态如图 4.1-7(a)所示;当围压较大($\sigma_3 \geqslant 10\ MPa$)时,炭质板岩的应变软化现象明显,表现出裂隙随应力增大而逐渐扩展,破坏过程有一定的延时,破坏形式总体上呈现中间部位 X 共轭剪切破坏,典型破坏状态如图 4.1-7(b)所示。

(a)低围压/单轴   (b)高围压

图 4.1-7   岩样的最终破坏典型形式

2. 应力-应变曲线(图 4.1-8)

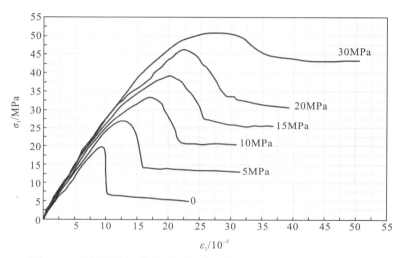

图 4.1-8   不同围压下饱和炭质板岩三轴压缩试验全应力-应变曲线

由图 4.1-8 可知:

(1)在应力-应变曲线到达峰值前,炭质板岩处于弹塑性状态,表现出应变硬化,后续分析中将应变硬化视为弹性阶段的外延,则从图中可看出,弹性参数-变形模量具有较一定的围压增大效应,但增幅很小。

(2)围压较小(含单轴)($\sigma_1 \leqslant 20$ MPa)情况下,本次试验的炭质板岩在达到峰值强度后,强度呈现出随变形增加而减小的现象,且当变形达到一定界限后,炭质板岩将达到残余强度,并保持相对稳定。从图中亦可看出,炭质板岩软化阶段和残余阶段的强度围压间存在强关联性,表现为围压越大,软化与残余阶段的强度越高。

(3)当围压增至一定值($\sigma_1 = 30$ MPa)后,炭质板岩的应变软化特性基本消失,即炭质板岩达到峰值强度后将基本维持不变/下降有限,应力-应变曲线表现出趋近理想弹塑性的特征。

3. 围压对弹性模量 E 的影响

参照《水利水电工程岩石试验规程》[45]，弹性模量 E 按应力-应变曲线上近似直线段斜率计，则得到不同围压下的炭质板岩的弹性模量 E 如表 4.1-1 所示。

表 4.1-1　不同围压条件下的弹性模量结果

岩样	1	2	3	4	5	6
围压 σ_3/MPa	0	5	10	15	20	30
弹性模量 E/GPa	2.2	2.58	2.69	2.75	2.81	2.84

根据表 4.1-1 中数据，采用二次多项式拟合得到 E-σ_3 变化规律，如图 4.1-9 所示。

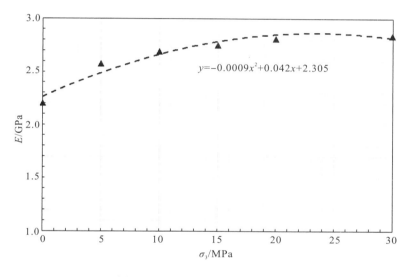

$$y=-0.0009x^2+0.042x+2.305$$

图 4.1-9　弹性模量-围压拟合曲线

得到 E-σ_3 函数关系式如下：

$$E(\sigma_3) = -0.009\sigma_3^2 + 0.042\sigma_3 + 2.305 \tag{4.1-5}$$

获得 R^2=0.9533，显示上述函数式可较好体现试验得到的围压与弹性模量间关系。

4. 广义黏聚力 $\bar{c}$ 和广义内摩擦角 $\bar{\varphi}$ 的变化规律

据 4.1.1.2 节"围压对软岩强度参数的影响"，对获取的应力-应变曲线进行一定简化后如图 4.1-10 所示；然后求解不同围压下的炭质板岩在峰后不同软化状态时的莫尔强度包络线，如图 4.1-11 所示，给出了岩石处于峰值状态（ε_1^p =0）和残余状态（ε_1^p =17.5）时的拟合曲线；最后基于该线即可得出不同第一塑性主应变 ε_1^p、不同围压 σ_3 下的 $\bar{c}$ 和 $\bar{\varphi}$ 值。表 4.1-2 和表 4.1-3 给出了试验炭质板岩峰值状态（ε_1^p =0）和残余状态（ε_1^p =17.5）的 7 组 $\bar{c}$ 和 $\bar{\varphi}$ 值。

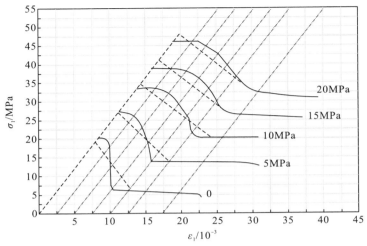

图 4.1-10 应力-应变曲线简化

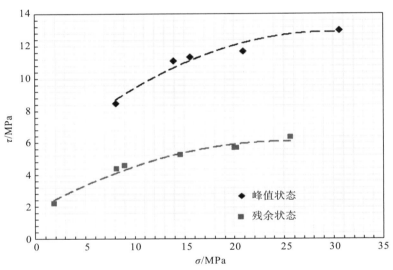

图 4.1-11 强度包络线拟合

表 4.1-2 不同第一塑性主应变和不同围压下的 $\bar{c}$ 值

$\varepsilon_1^p / 10^{-3}$	$\bar{c}$ /MPa				
	σ_3 =0MPa	σ_3 =5MPa	σ_3 =10MPa	σ_3 =15MPa	σ_3 =20MPa
0	5.5	6.5	8.1	9.2	11.0
2.5	5.2	5.8	7.2	8.4	9.7
5.0	4.0	4.6	6.5	8.2	9.5
7.5	2.3	3.1	4.8	7.1	8.6
10.0	2.4	2.9	3.9	5.6	7.7
12.5	2.0	2.7	3.7	4.6	6.2
17.5	1.8	2.2	3.1	4.5	6.0

表 4.1-3　不同第一塑性主应变和不同围压下的 $\bar{\varphi}$ 值

$\varepsilon_1^p / 10^{-3}$	$\bar{\varphi}$ /(°)				
	$\sigma_3 = 0$	$\sigma_3 = 5$MPa	$\sigma_3 = 10$MPa	$\sigma_3 = 15$MPa	$\sigma_3 = 20$MPa
0	26	22	22	18	10
2.5	24	21	22	16	9
5.0	22	22	18	15	8
7.5	23	26	19	14	8
10.0	25	23	20	17	11
12.5	23	24	22	17	12
17.5	20	18	19	13	9

如表 4.1-2 所示，广义黏聚力 $\bar{c}$ 随围压 σ_3 增加逐渐增大，当处于峰值状态（$\varepsilon_1^p = 0$），σ_3 由 0 增至 20 MPa 时，相应 $\bar{c}$ 值将由 5.5 MPa 增至 11.0 MPa，增量 5.5 MPa，增幅 100%；而当处于残余状态（$\varepsilon_1^p = 17.5 \times 10^{-3}$）时，$\bar{c}$ 值将由 1.8 MPa 增至 6.0 MPa，增量 4.2 MPa，增幅 233%。由上述分析可看出，σ_3 围压对 $\bar{c}$ 具有显著影响，尤其是在岩体破坏后，影响更甚。此外，$\bar{c}$ 值受到 ε_1^p 的影响，ε_1^p 越大，$\bar{c}$ 值越低，从峰值状态（$\varepsilon_1^p = 0$）到残余状态（$\varepsilon_1^p = 17.5 \times 10^{-3}$），$\bar{c}$ 值平均降幅 58%。

如表 4.1-3 所示，广义内摩擦角 $\bar{\varphi}$ 随围压 σ_3 增加逐渐减小，其中，σ_3 由 15 MPa 增至 20 MPa 时，下降较为明显，而 0 至 10 MPa 的下降有限，最大降值小于 5°。鉴于木寨岭公路隧道全线 σ_3 分布在 10~15MPa，为便于后续计算分析，后续分析中将不考虑内摩擦角随围压的变化。此外，$\bar{\varphi}$ 值受 ε_1^p 影响很小，即其在岩石进入塑性状态后的变化小，且未有明显的变化规律。

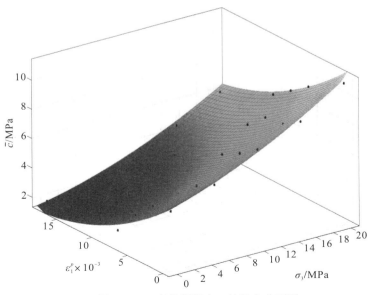

图 4.1-12　广义黏聚力 $\bar{c}$ 的拟合曲面图

以表 4.1-2 中数据为基础，采用 Matlab 进行最小二乘法拟合，经多次试算得到较好的曲面拟合效果（图 4.1-12），得到广义黏聚力 $\bar{c}$ 与第一塑性主应变 ε_1^p 及围压 σ_3 间的函数式如下：

$$c\left(\sigma_3, \varepsilon_1^p\right) = c_{00} + c_{10}\sigma_3 + c_{01}\varepsilon_1^p + c_{20}\sigma_3^2 + c_{11}\sigma_3\varepsilon_1^p + c_{02}\left(\varepsilon_1^p\right)^2 \tag{4.1-6}$$

式中，c_{ii} 为函数的无量纲参数；其中，$c_{00} = 5.695$、$c_{10} = 0.1741$、$c_{01} = -450.7$、$c_{20} = 0.005633$、$c_{11} = -3.482$、$c_{02} = 1178$。

4.2　基于 Fish 的主动支护效应本构模型开发

主动支护即是施加预应力，使岩体所受围压发生变化，继而改变施锚区内岩体的力学性能，由此，主动支护的参数设计将需引入围压对岩体物理力学参数的影响，故本节将在前述炭质板岩围压试验基础上，开发一种可实现主动支护效应的围岩本构模型，并检验其合理性。

4.2.1　FLAC3D 常用内置本构模型简介[46]

有限差分软件 FLAC3D 是目前岩土工程领域应用最为普遍的软件，用户可采用 Fish 语言嵌入功能函数，进而实现材料本构模型的改进，以契合研究需要。FLAC3D 软件中内置有多种岩土体本构模型，隧道工程施工仿真过程中常用模型主要有零模型、弹性本构模型和基于 Mohr-Coulomb 屈服准则的弹塑性模型和应变软化模型等。

4.2.1.1　弹性本构模型

弹性本构模型具有受力变形可恢复的特性，其应力-应变关系满足胡克定律，是线性关系，是一种最简单的材料特性，该模型可适用于岩土工程中仅发生弹性变化的均质连续性材料，比如初支、二衬等隧道中常用的支护形式。

应变增量的表达式如下：

$$\left.\begin{array}{l} \Delta\sigma_{11} = \alpha_1\Delta e_{11} + \alpha_2\Delta e_{22} \\ \Delta\sigma_{22} = \alpha_2\Delta e_{11} + \alpha_1\Delta e_{22} \\ \Delta\sigma_{12} = 2G\Delta e_{12}\left(\Delta e_{12} = \Delta e_{21}\right) \\ \Delta\sigma_{33} = \alpha_2\left(\Delta e_{11} + \Delta e_{22}\right) \end{array}\right\} \tag{4.2-1}$$

式中，$\alpha_1 = K + \dfrac{4}{3}G$，$\alpha_2 = K - \dfrac{2}{3}G$，$K = \dfrac{E}{3(1-\upsilon)}$，$G = \dfrac{E}{2(1+\upsilon)}$；$K$ 为体积模量；G 为剪切模量；E 为弹性模量；υ 为材料的泊松比。

$$\Delta e_{ij} = \frac{1}{2}\left[\frac{\partial u_i}{\partial x_j} + \frac{\partial u_j}{\partial x_i}\right]\Delta t \tag{4.2-2}$$

式中，Δe_{ij} 为应变张量增量；u 为位移速率；Δt 为时步。

在平面应力下，式(4.2-1)简化为

$$\left.\begin{array}{l} \Delta\sigma_{11}=\beta_1\Delta e_{11}+\beta_2\Delta e_{22} \\ \Delta\sigma_{22}=\beta_2\Delta e_{11}+\beta_1\Delta e_{22} \\ \Delta\sigma_{12}=2G\Delta e_{12}\left(\Delta\sigma_{12}=\Delta\sigma_{21}\right) \\ \Delta\sigma_{33}=0 \end{array}\right\} \tag{4.2-3}$$

式中，$\beta_1=\alpha_1-\dfrac{\alpha_2^2}{\alpha_1}$；$\beta_2=\alpha_2-\dfrac{\alpha_2^2}{\alpha_1}$。

对于轴对称几何体，则有

$$\left.\begin{array}{l} \Delta\sigma_{11}=\alpha_1\Delta e_{11}+\alpha_2\left(\Delta e_{22}+\Delta e_{33}\right) \\ \Delta\sigma_{22}=\alpha_1\Delta e_{22}+\alpha_2\left(\Delta e_{11}+\Delta e_{33}\right) \\ \Delta\sigma_{12}=2G\Delta e_{12}\left(\Delta\sigma_{12}=\Delta\sigma_{21}\right) \\ \Delta\sigma_{33}=\alpha_1\Delta e_{33}+\alpha_2\left(\Delta e_{11}+\Delta e_{22}\right) \end{array}\right\} \tag{4.2-4}$$

由于缺乏塑性特征描述，该模型一般无法用于模拟隧道开挖后围岩岩体的相关变形及力学特性。

4.2.1.2　弹塑性本构模型

基于 Mohr-Coulomb 屈服准则的弹塑性模型，简称 M-C 模型，其应力-应变曲线属于理想弹塑性曲线，即后继屈服面不会发生变化，强度参数量值在屈服前后始终保持不变。若材料发生屈服，后续的变形既有弹性变形又包含塑性变形，弹性变形部分依然具有卸载可恢复特性，而塑性变形则属于不可恢复的变形。因此，对于一般岩土工程中的模拟来说，需要防止出现大量围岩单元屈服。

FLAC3D 实现提供了三个主应力 $\sigma_1,\sigma_2,\sigma_3$ 以及平面外应力 σ_{zz}，上述应力在模型中均以拉应力为正方向，压应力为负方向。三个主应力之间的大小关系为 $\sigma_1<\sigma_2<\sigma_3$。莫尔-库仑的内部运算是一种增量法则，每次运算增加的应变增量可分为弹性和塑性两部分：

$$\Delta e_i=\Delta e_i^e+\Delta e_i^p \qquad (i\text{=}1,2,3) \tag{4.2-5}$$

当模型未出现塑性屈服时，Δe_i^p 为零。应变增量与应力增量满足胡克定律下的应力-应变关系：

$$\left.\begin{array}{l} \Delta\sigma_1=\alpha_1\Delta e_1^e+\alpha_2\left(\Delta e_2^e+\Delta e_3^e\right) \\ \Delta\sigma_2=\alpha_1\Delta e_2^e+\alpha_2\left(\Delta e_1^e+\Delta e_3^e\right) \\ \Delta\sigma_3=\alpha_1\Delta e_3^e+\alpha_2\left(\Delta e_1^e+\Delta e_2^e\right) \end{array}\right\} \tag{4.2-6}$$

式中，α_1 和 α_2 的计算同式(4.2-1)。

当模型出现塑性屈服时，Δe_i^p 不为零，应力-应变关系不再满足胡克定律，需要对式(4.2-6)进行应力-应变修正。

模型中存在两种塑性破坏，一种是拉应力破坏，另一种是剪切破坏。首先考虑剪切破坏，剪切势函数表达如下：

$$g^s = \sigma_1 - \sigma_3 \frac{1 + \sin\varphi}{1 - \sin\varphi} \tag{4.2-7}$$

剪切塑性破坏下的塑性增量表达如下：

$$\Delta e_i^p = \lambda^s \frac{\partial g^s}{\partial \sigma_i} \qquad (i=1,2,3) \tag{4.2-8}$$

式中，λ^s 表示待定的参数。将式 (4.2-7) 中的 g^s 代入式 (4.2-8) 中进行微分运算，得到塑性应变增量表达式：

$$\left. \begin{array}{l} \Delta e_1^p = \lambda^s \\[2mm] \Delta e_2^p = 0 \\[2mm] \Delta e_3^p = -\lambda^s \dfrac{1 + \sin\varphi}{1 - \sin\varphi} \end{array} \right\} \tag{4.2-9}$$

再将式 (4.2-6) 中的弹性应变增量表示为总变量减去式 (4.2-9) 得到的塑性应变增量：

$$\left. \begin{array}{l} \Delta\sigma_1 = \alpha_1\Delta e_1 + \alpha_2\left(\Delta e_2 + \Delta e_3\right) - \lambda^s\left(\alpha_1 - \alpha_2\dfrac{1 + \sin\varphi}{1 - \sin\varphi}\right) \\[3mm] \Delta\sigma_2 = \alpha_1\Delta e_2 + \alpha_2\left(\Delta e_1 + \Delta e_3\right) - \lambda^s\alpha_2\left(1 - \dfrac{1 + \sin\varphi}{1 - \sin\varphi}\right) \\[3mm] \Delta\sigma_3 = \alpha_1\Delta e_3 + \alpha_2\left(\Delta e_1 + \Delta e_2\right) - \lambda^s\left(-\alpha_1\dfrac{1 + \sin\varphi}{1 - \sin\varphi} + \alpha_2\right) \end{array} \right\} \tag{4.2-10}$$

当考虑拉应力破坏时，势函数表达如下：

$$g^t = -\sigma_3 \tag{4.2-11}$$

拉应力破坏下的塑性增量表达如下：

$$\Delta e_i^p = \lambda^t \frac{\partial g^t}{\partial \sigma_i} \qquad (i=1,2,3) \tag{4.2-12}$$

式中，λ^t 表示待定的参数。进行微分运算后得到的塑性应变增量表达式：

$$\left. \begin{array}{l} \Delta e_1^p = 0 \\[2mm] \Delta e_2^p = 0 \\[2mm] \Delta e_3^p = -\lambda^t \end{array} \right\} \tag{4.2-13}$$

重复上面的方式：

$$\left. \begin{array}{l} \sigma_1^N = \sigma_1^I + \lambda^t\alpha_2 \\[2mm] \sigma_2^N = \sigma_2^I + \lambda^t\alpha_2 \\[2mm] \sigma_3^N = \sigma_3^I + \lambda^t\alpha_1 \end{array} \right\} \tag{4.2-14}$$

即得应力修正后的应力状态。

4.2.1.3 应变软化模型

应变软化模型是基于莫尔-库仑模型的拉应力破坏法则和剪切破坏法则建立的关联模型，其内部的应力-应变增量运算同上节中的莫尔-库仑模型。与莫尔-库仑模型不同之处在于，应变软化模型塑性屈服后，其黏聚力、内摩擦角以及抗拉强度值会发生变化，并且使用者可以自定义黏聚力、内摩擦角等值为软化参数的分段线性函数。这种模型通过在每个时步增加软化参数以计算总的塑性剪切应变和拉应变，并以此促成材料性质同用户定义的函数保持一致。但其软化参数是无法用户自定义的，作为软化参数量测的塑性剪切应变公式如下：

$$\Delta e^{ps} = \left[\frac{1}{2} \left(\Delta e_1^{ps} - \Delta e_m^{ps} \right)^2 + \frac{1}{2} \left(\Delta e_3^{ps} - \Delta e_m^{ps} \right)^2 + \frac{1}{2} \left(\Delta e_m^{ps} \right)^2 \right]^{\frac{1}{2}} \quad (4.2\text{-}15)$$

式中，Δe^{ps} 表示每时步增加的塑性剪切应变增量；Δe_i^{ps} 表示塑性主应变增量。

4.2.1.4 三种本构模型对比

(1) 弹性模型下的应力-应变关系仅满足胡克定律，不具备描述塑性屈服的能力，一般不作为岩土材料的模型本构。

(2) 莫尔-库仑模型虽包含了弹性和塑性法则，但其塑性法则中的应力-应变关系曲线为理想塑性曲线，即视材料屈服后的黏聚力和内摩擦角等值保持不变。基于此，该模型用于"小变形"隧道，因实际开挖引起的位移与围岩塑性范围较小，其最终的计算结果仍是被认可的。但是，当将其作为软岩大变形隧道的计算本构模型时，结果往往与实际有巨大出入，计算量值明显偏小，析之原因，莫尔-库仑模型难以描述围岩大变形对材料强度与变形参数的影响，即忽视了变形因素对诸如黏聚力、内摩擦角和变形模量等值的"软化"，致使最终计算结果小、失真。

(3) 应变软化模型因具备描述变形对岩土物理参数影响的能力，可认为是莫尔-库仑模型的一个修正模型。但其无法描述应力场变化对岩土物理参数的影响，故对高应力下的软岩隧道变形计算，其计算结果也存有部分失真，更不具备模拟主动（预应力产生的应力场）支护对围岩参数提高的能力，致使该模型无法模拟预应力在围岩支护中的作用。

4.2.2 新型本构模型开发关键要点

应变软化模型实现了后继屈服面随塑性变形增加而变化的功能，即黏聚力和内摩擦角在塑性变形过程中均会改变；但该模型中，未嵌入围压对岩石强度参数和变形参数的影响，无法实现对主动支护效应的仿真模拟。基于此，依托应变软化模型，嵌入弹性模量和黏聚力的变化，即可实现新模型的研制。其关键要点如下。

1. 弹性模量 E 变化的实现

以剪切破坏为例，Mohr-Coulomb 模型的应力-应变增量法则：

$$\Delta\sigma_1 = \alpha_1\Delta e_1 + \alpha_2(\Delta e_2 + \Delta e_3) - \lambda^s\left(\alpha_1 - \alpha_2\frac{1+\sin\varphi}{1-\sin\varphi}\right)$$

$$\Delta\sigma_2 = \alpha_1\Delta e_2 + \alpha_2(\Delta e_1 + \Delta e_3) - \lambda^s\alpha_2\left(1 - \frac{1+\sin\varphi}{1-\sin\varphi}\right)$$

$$\Delta\sigma_3 = \alpha_1\Delta e_3 + \alpha_2(\Delta e_1 + \Delta e_2) - \lambda^s\left(-\alpha_1\frac{1+\sin\varphi}{1-\sin\varphi} + \alpha_2\right)$$

$$\Delta e_{ij} = \frac{1}{2}\left[\frac{\partial u_i}{\partial x_j} + \frac{\partial u_j}{\partial x_i}\right]\Delta t$$

(4.2-16)

弹性模量 E 的变化将导致增量法则中 α_1、α_2 发生变化，对应应力-应变增量法则修正如下：

$$\Delta\sigma_1 = \alpha_1(E)\Delta e_1 + \alpha_2(E)(\Delta e_2 + \Delta e_3) - \lambda^s\left[\alpha_1(E) - \alpha_2(E)\frac{1+\sin\varphi}{1-\sin\varphi}\right]$$

$$\Delta\sigma_2 = \alpha_1(E)\Delta e_2 + \alpha_2(E)(\Delta e_1 + \Delta e_3) - \lambda^s\alpha_2(E)\left(1 - \frac{1+\sin\varphi}{1-\sin\varphi}\right)$$

$$\Delta\sigma_3 = \alpha_1(E)\Delta e_3 + \alpha_2(E)(\Delta e_1 + \Delta e_2) - \lambda^s\left[-\alpha_1(E)\frac{1+\sin\varphi}{1-\sin\varphi} + \alpha_2(E)\right]$$

(4.2-17)

2. 黏聚力 c 变化的实现

基于广义黏聚力的假定，弹性部分的主应变 ε_1^e 计算如下：

$$\varepsilon_1^e = \frac{\sigma_1}{E}$$

(4.2-18)

式中，σ_1 为最大主应力。

当采用第一塑性主应变 ε_1^p 作为软化参数，其可由总主应变 ε_1 减去弹性部分的主应变 ε_1^e 计算：

$$\varepsilon_1^p = \varepsilon_1 - \varepsilon_1^e$$

(4.2-19)

基于式(4.2-17)、式(4.2-18)、式(4.2-19)，对 FLAC3D 应变软化模型进行修正，嵌入弹性模量 E 随围压 σ_3 变化的函数式和黏聚力 c 随围压 σ_3 及第一塑性主应变 ε_1^p 变化的函数式，即得到了具有围压效应的应变软化模型，本书将其记作"主动支护效应模型"。表 4.2-1 给出了其与应变软化模型和理想弹塑性模型的异同点。

表 4.2-1　本构模型异同点

模型名称	同点	异点
主动支护效应模型	均基于莫尔-库仑强度准则的剪切破坏法则，以及拉应力破坏法则	E 随围压变化；c 随软化参数及围压变化
应变软化模型		E 不变；c 随软化参数变化
弹塑性模型		E、c、φ 不变

4.2.3　软岩隧道中基于主动支护效应本构模型的合理性检验

基于同一圆形隧道(R=5 m)，对比主动支护模型与应变软化模型下隧道开挖引起的岩体力学参数变化和围岩位移及塑性区分布等差异，检验新模型（主动支护模型）的合理性。

1. 计算模型

为清晰呈现计算结果，使其更具对比性，计算采用二维平面模型，设定隧道开挖半径 $R=5$ m，考虑到边界效应影响，模型开挖轮廓距边界取 5 倍隧道直径，建立的模型尺寸为 110 m×110 m（图 4.2-1），并设置均一围压（$\sigma_1=\sigma_3=10\text{MPa}$）及单一地层。

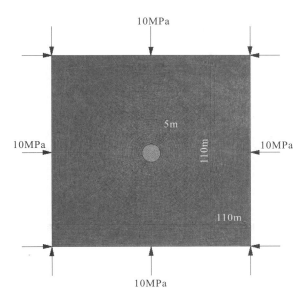

图 4.2-1　数值计算模型

2. 计算参数

工程实践中，围岩的力学参数值应是岩体的力学参数值，即考虑岩块（石）和结构面相互作用的综合参数值，要明显弱于岩块试验值。结合木寨岭公路隧道的地勘资料和公路隧道设计规范中 V 级围岩参数的建议值，本次模拟中的主动支护效应模型的 E、c 在保持变化规律同 4.1.2 节中一致的基础上，E 取 1/2，c 取 1/10，相应函数如式（4.2-20）、式（4.2-21）所示；应变软化模型中 E 值取 $\sigma_3=0$ 时的量值，c 值取 $\sigma_3=0$ 时的峰值强度和残余强度，详细计算参数如表 4.2-2 所示。

表 4.2-2　不同模型的计算参数取值

模型名称	弹性模量 E/GPa	黏聚力 c/MPa		内摩擦角 φ/(°)	泊松比 υ	容重 γ/(kN·m^{-3})
		峰值	残余			
主动支护效应模型（考虑围压）	≥1.1 式（4.2-20）	≥0.18 式（4.2-21）		26	0.35	27
应变软化模型	1.1	0.55	0.18			

$$E(\sigma_3) = -0.0005\sigma_3^2 + 0.0257\sigma_3 + 1.13 \qquad (4.2\text{-}20)$$

$$c\left(\sigma_3, \varepsilon_1^p\right) = 0.5695 + 0.01741\sigma_3 - 45.07\varepsilon_1^p + 0.0005633\sigma_3^2 + 0.3482\sigma_3\varepsilon_1^p + 117.8\left(\varepsilon_1^p\right)^2$$

$$(4.2\text{-}21)$$

式中，σ_3 为围压；ε_1^p 为第一塑性主应变。

3. 计算结果与分析

1）弹性模量 E 与黏聚力 c

由图 4.2-2 和图 4.2-3 可以看出：应变软化模型中弹性模量 E 保持不变，黏聚力 c 以开挖轮廓处最小（0.28 MPa），远离开挖轮廓 c 值逐渐增大至峰值强度（0.55 MPa）；而主动支护模型中 E、c 均变化，以开挖轮廓处最小（1.19 GPa & 0.50 MPa），远离开挖轮廓 E、c 先增至峰值强度（1.39 GPa & 0.90 MPa）后逐渐减小至初始应力场对应的量值（1.33 GPa & 0.81 MPa）。上述量值变化显示出主动支护模型能很好地模拟出围压对 E、c 的影响，两者的量值均呈现出了"先升后降再稳定"的规律，这与隧道开挖引起的围岩应力变化规律是一致的。

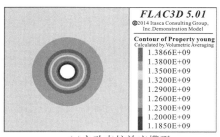
(a)主动支护效应模型

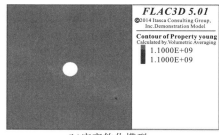
(b)应变软化模型

图 4.2-2　弹性模量 E 云图（单位：Pa）

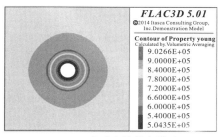
(a)主动支护效应模型

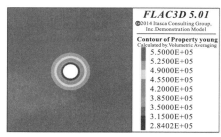
(b)应变软化模型

图 4.2-3　黏聚力 c 云图（单位：Pa）

2）围岩位移与塑性区

由图 4.2-4 和图 4.2-5 可以看出：应变软化模型下，开挖引起的最大径向位移为 31.4 cm，塑性区扩展深度（以开挖轮廓面为基准）为 12.2 m；对应主动支护模型中为 20.0 cm、8 m，差值高达 11.4 cm、4.2 m。由此可以预计到，高应力软岩隧道中若仅考虑变形对围岩力学参数的弱化影响，而不考虑围压的改善/增强作用，计算得到的位移量将明显偏大，且与现场实际会存在较大差异。

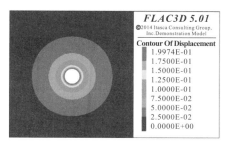

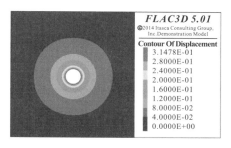

(a)主动支护效应模型　　　　　　　　　　　　(b)应变软化模型

图 4.2-4　围岩径向位移云图(单位：m)

(a)主动支护效应模型　　　　　　　　　　　　(b)应变软化模型

图 4.2-5　围岩塑性区

4.3　软岩隧道中主动支护的作用机制研究

对主动支护的模拟，基本采用的是 M-C 模型(基于莫尔-库仑屈服准则的理想弹塑性模型)，但其无法模拟主动支护对围岩力学特性的影响，故其计算结果的可靠性及与实际情况的差异难以评述。基于此，本节拟定开展基于 M-C 模型和主动支护模型的支护效应数值仿真分析，其一为探究主动支护的有效性，其二为研究主动支护下的岩体力学行为特性演化规律。

4.3.1　计算模型、参数与工况

主动支护效应本构模型参数同 4.2 节，数值仿真模型将初始应力调增至 15MPa，以充分体现主动支护效应本构模型在高应力软岩隧道中的合理性。考虑到目前对 M-C 模型参数的取值一般均来自于岩体单轴压缩试验，故本次计算中 M-C 模型的弹性模量 E 值取 $\sigma_3=0$ 时的量值，黏聚力 c、内摩擦角 φ 取 $\sigma_3=0$ 时的峰值强度，详细如表 4.3-1 所示。

表 4.3-1   M-C 模型的计算参数取值

模型名称	弹性模量 E /GPa	黏聚力 c /MPa	内摩擦角 φ /(°)	泊松比 υ	容重 γ /(kN·m⁻³)
M-C 模型	1.1	0.55	26	0.35	27

采用在开挖洞壁上施加等效面力的方式对主动支护进行模拟计算。设定锚杆(索)支护间距为 1.0m×1.0m，综合目前隧道工程中锚杆(索)预应力的设计现状，即以 100～500kN为主，本次计算在此基础上进行适当扩展，拟定主动支护力范围为 0.1～1.0MPa，具体计算工况如表 4.3-2 所示。

表 4.3-2   模拟计算工况

工况编号	计算模型	预应力/MPa
Z-0～Z-1.0	主动支护效应模型	0～1.0
M-0～M-1.0	M-C 模型	

4.3.2   计算结果与分析

4.3.2.1   主动支护的围岩力学特性提升效果

主动支护的核心是提升围岩力学特性，故探究有无预应力及不同预应力下的围岩力学参数变化，将可探明主动支护的作用机理。提取不同预应力工况下弹性模量 E 和黏聚力 c 的(部分)云图，如图 4.3-1 和图 4.3-2 所示。

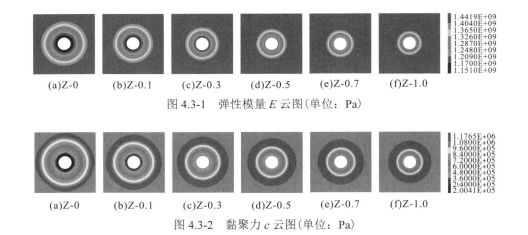

(a)Z-0   (b)Z-0.1   (c)Z-0.3   (d)Z-0.5   (e)Z-0.7   (f)Z-1.0

图 4.3-1   弹性模量 E 云图(单位：Pa)

(a)Z-0   (b)Z-0.1   (c)Z-0.3   (d)Z-0.5   (e)Z-0.7   (f)Z-1.0

图 4.3-2   黏聚力 c 云图(单位：Pa)

如图 4.3-1 和图 4.3-2 所示，初始应力场环境下，围岩的弹性模量 E 值、黏聚力 c 值约为 1.4GPa(云图红色区域)、1.0 MPa(云图橙色区域)；开挖后，开挖轮廓面上的 E、c 值出现下降，后随与洞壁距离的增加，c 值逐渐增大(恢复)，且预应力的施加与否以及施加量值对 E、c 值均有影响。

为进一步分析主动支护对弹性模量 E、黏聚力 c 的具体影响,沿开挖洞壁径向每隔 0.5 m 提取 E、c 值,并绘制其与距洞壁径向距离的关系,如图 4.3-3 所示。需要说明的是,根据图中曲线变化,后续分析中,取 13～15m 的 E、c 平均值为初始应力场(未扰动状态)下的 E、c 值,即 1.42GPa 和 1.08MPa(图中红色虚线)。而定义围岩 E、c 小于上述量值的范围为开挖扰动(减小)区域。

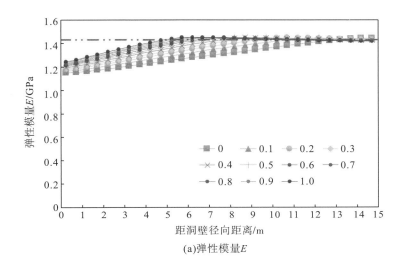

(a)弹性模量 E

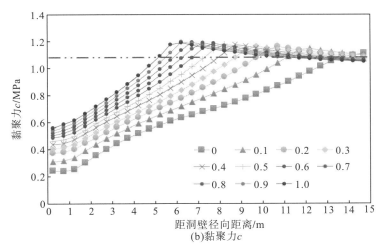

(b)黏聚力 c

图 4.3-3　不同预应力下 E、c 与距洞壁径向距离的关系

由图 4.3-3 可以看出:

(1)无支护工况(Z-0),开挖对围岩弹性模量 E、黏聚力 c 的影响范围集中在距洞壁径向 12.7m、13.2m 范围内;其中,c 在洞壁径向 1.2m 范围内小于 0.25MPa,接近残余强度值(0.18 MPa),表明此区域内围岩几近破坏。

(2)施加预应力后(Z-0.1),弹性模量 E、黏聚力 c 扰动范围均出现减小,分别降至 10.7m、11.2m;且与无支护工况(Z-0)相比,扰动区域内的 E、c 均上升,其中 E 的增量为 0.014～0.050 GPa，均值为 0.037 GPa，增幅为 1.2%～3.8 %，均值为 2.9%；c 的增量为 0.07～0.18 MPa，均值为 0.10 MPa，增幅为 14%～29%，均值为 20%。上述可看出，与无支护工况(Z-0)相比，预应力对围岩力学特性的提升作用主要体现在增大围岩强度参数 c，以及减小对其的扰动，从而有效避免了围岩"进入"(单轴)峰后残余强度；而对 E 的提升幅度较小，这与围压试验所呈现的结论一致，主要是减小了开挖对 E 的扰动。

（3）后续，随预应力增加，弹性模量 E、黏聚力 c 的扰动范围进一步减小，且扰动区域内的 E、c 值持续上升，但增量逐步趋缓。以黏聚力 c(表4.3-3)为例进行说明，预应力从0.1MPa增至 0.2MPa，黏聚力 c 的扰动范围由 11.2m 减至 9.7m，减小 1.5m；扰动区域内的黏聚力 c 值增量为 0.05～0.13MPa，均值为 0.07MPa，增幅达到 8.0%～20.0%，均值为 11.0%。预应力从 0.2MPa 增至 0.3MPa，黏聚力 c 的扰动范围由 9.7m 减至 8.7m，减小 1.0m；扰动区域内的黏聚力 c 值增量为 0.03～0.10MPa，均值为 0.05MPa，增幅为 6.7%～10.3%，均值为 8.2%。预应力从 0.9MPa 增至 1.0MPa，黏聚力 c 的扰动范围由 5.4m 减至 5.2m，减小 0.2m；扰动区域内的黏聚力 c 值增量为 0.02～0.05MPa，增幅仅为 3.5%～4.9%，均值为 3.9%。

表 4.3-3　预应力变化时黏聚力 c 的变化情况

预应力变化范围/MPa	扰动范围减小/m		扰动区域内 c 的增加				备注
	区间	减小量	增量范围/MPa	增量均值/MPa	增幅范围/%	增幅均值/%	
0.1～0.2	11.2～9.7	1.5	0.05～0.13	0.07	8.0～20.0	11.0	9.7m 范围内
0.2～0.3	9.7～8.7	1.0	0.03～0.10	0.05	6.7～10.3	8.2	8.7m 范围内
0.9～1.0	5.4～5.2	0.2	0.02～0.05	0.03	3.5～4.9	3.9	5.2m 范围内

上述可看出，预应力对围岩力学性能的提升效果随其量值的增加呈现出逐步减弱的趋势，这也恰恰说明了在软岩隧道中采用快速主动支护的优越性，即快速"一定量"的预应力加载支护将能取得极好的效果，而这正是传统强力支护所不具备的。

4.3.2.2　洞壁径向位移特征

图 4.3-4 为主动支护效应模型和 M-C 模型下的洞壁径向位移及其差值与加载预应力的关系曲线。

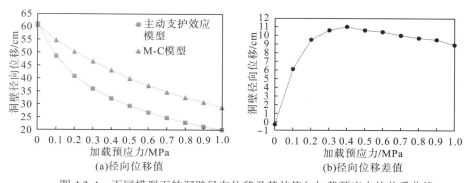

（a）径向位移值　　　　　　　（b）径向位移差值

图 4.3-4　不同模型下的洞壁径向位移及其差值与加载预应力的关系曲线

由图 4.3-4 可以看出：

（1）无支护工况（Z-0&B-0），采用主动支护效应模型和 M-C 模型计算得到的洞壁径向位移基本相等；后续，随预应力加载，二者量值上出现差值，表现为主动支护效应模型下的洞壁径向位移小于 M-C 模型，且差值呈现出先快速增大后基本恒定（小幅下降）的特征。

（2）分析加载预应力后径向位移差的来源，实际即是剖析主动支护效应中的"主动效应"对围岩力学特性的调动、提升作用；具体而言，M-C 模型仅模拟了主动支护的"支护效应"，故可将其作为分析基准；以 0.1MPa 加载预应力为例，其对围岩位移的控制效果（定义为与无支护工况的差值）为 5.9cm，对应主动支护效应模型的控制效果达到了 12.3cm，差值为 6.4cm；故在洞壁径向位移控制方面，0.1MPa 加载预应力时，"主动效应"是"支护效应"的 1.1 倍（=6.4/5.9）。

（3）同样的，随加载预应力的增加，主动支护中的"主动效应"占比也在逐步下降，0.2～1.0MPa 加载预应力的"主动效应"分别为"支护效应"的 0.95 倍（工况 Z-0.2）、0.77 倍（工况 Z-0.3）、0.65 倍（工况 Z-0.4）、0.53 倍（工况 Z-0.5）、0.46 倍（工况 Z-0.6）、0.40 倍（工况 Z-0.7）、0.36 倍（工况 Z-0.8）、0.33 倍（工况 Z-0.9）、0.29 倍（工况 Z-1.0）。

上述可看出，主动支护中"主动效应"对洞壁径向位移具有显著的控制效果，尤其考虑到目前的加载预应力多数在 0.1～0.3MPa 时，"主动效应"的支护效果将可达到"支护效应"的 0.77～1.08 倍。因此可预计到，若计算中仅考虑"支护效应"，即采用 M-C 模型等不具备"主动效应"的围岩本构模型，获取的主动支护参数必将是偏于保守的。

4.3.2.3　塑性区分布特征

图 4.3-5 为主动支护效应模型与 M-C 模型下的塑性区径向扩展深度及其差值与加载预应力的关系曲线。

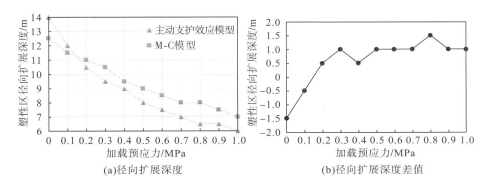

图 4.3-5　不同模型下的塑性区径向扩展深度及其差值与加载预应力的关系曲线

由图 4.3-5 可以看出：

（1）无支护工况（Z-0&B-0），采用主动支护效应模型计算得到的塑性区径向扩展深度要大于 M-C 模型，为 14m，与开挖对黏聚力 c 的扰动范围基本一致；后续，伴随预应力加载，二者的塑性区径向扩展深度均逐渐减小；其中，预应力为 0～0.3MPa 时，主动支护效应模型的塑性区径向扩展深度的减小速率达 11.7m/MPa，远超 M-C 模型的 6.7m/MPa；

预应力为 0.3～1.0MPa 时，二者塑性区径向扩展深度的减小速率相等，为 5.0m/MPa；总体上，塑性区径向扩展深度的变化特征与洞壁径向位移的变化特征基本相似。

（2）M-C 模型下塑性区扩展深度随预应力的增加呈现出（基本）匀速减小的规律，而主动支护效应模型中则呈现出"先快速后平稳"减小的规律；究其原因，预应力为 0～0.3MPa 时，"主动效应"明显，而"支护效应"和"主动效应"的相互叠加使得塑性区扩展深度随预应力值增大而快速减小，故软岩隧道中采用主动支护将可显著提升岩体的自稳能力。

4.4 本 章 小 结

本章开展了炭质板岩的三轴压缩试验，在此基础上，基于 Fish 开发了主动支护效应本构模型，分析了该模型的合理性，并基于该模型与 M-C 模型的对比，分析了主动支护在软岩隧道中的作用机理。本章得到的主要结论如下：

（1）炭质板岩的三轴压缩试验现象与全应力-应变曲线变化表明：低围压下炭质板岩的应变软化现象并不明显，破坏较迅速，破坏形式表现为单斜剪切滑移破坏；而当围压较大时，炭质板岩的应变软化现象明显，破坏过程有一定的延时，破坏形式呈现中间部位 X 共轭剪切破坏；炭质板岩弹性阶段的变形参数具有围压效应，表现为随围压增加而增大，但增幅趋缓；炭质板岩在软化阶段和残余阶段的强度与围压间的关系，表现为围压越大，软化与残余阶段的强度越高。

（2）根据不同围压下的炭质板岩全应力-应变曲线（近似）的直线段斜率，得到了围压影响下的弹性模量 E 的拟合方程；在设定后继屈服面模型满足 M-C 强度准则前提下，得到广义黏聚力 $\bar{c}$ 受围压 σ_3 与第一塑性主应变 ε_1^p 双重影响，表现为当 σ_3 增加或 ε_1^p 减小时，$\bar{c}$ 变大；广义内摩擦角 $\bar{\varphi}$ 主要受围压 σ_3 影响，表现为当 σ_3 增加，$\bar{\varphi}$ 小幅减小，而与第一塑性主应变 ε_1^p 相关性较小。

（3）基于所取炭质板岩的应力场环境，明确了围压 σ_3 和第一塑性主应变 ε_1^p 主要影响广义黏聚力 $\bar{c}$，对广义内摩擦角 $\bar{\varphi}$ 的影响较小；利用最小二乘曲面拟合法得到了第一塑性主应变 ε_1^p 与围压 σ_3 影响下的广义黏聚力 $\bar{c}$ 的拟合方程。

（4）基于弹性模量 E 和广义黏聚力 $\bar{c}$ 的拟合方程，利用 Fish 语言编程，修正既有应变软化模型，形成了具备描述主动支护效应的围岩本构模型；基于主动支护效应本构模型，开展静水压力下圆形隧道无支护开挖计算，通过分析 E、c 变化规律，及对比主动支护效应本构模型与应变软化模型在围岩位移和塑性区计算结果上的差异，检验了主动支护效应本构模型的合理性。

（5）依托主动支护效应本构模型，研究了主动支护的作用机理：①主动支护对围岩力学特性的提升作用主要体现在增大围岩强度参数黏聚力 c 和减小对其的扰动，避免大变形围岩"进入"（单轴）峰后残余强度；而对弹性模量 E 的提升幅度较小，主要是减小开挖对 E 的扰动；②主动支护对围岩力学性能的提升效果随预应力量值的增加呈现出逐步减弱的趋势；③主动支护中"主动效应"对洞壁径向位移具有显著的控制效果，尤其考虑到目前的加载预应力多数在 0.1～0.3MPa，"主动效应"的支护效果将可达到"支护效应"的 0.77～1.08 倍。

第5章 基于位移差的预应力锚固体系设计方法

实现主动支护的核心是预应力锚固系统，因此，科学合理设计预应力锚固系统的参数将是主动支护的关键所在。截至目前，对于锚固系统参数的设计主要依赖于经验类比来确定，如何科学定量地确定锚固系统关键性参数一直是工程界面临的难题。为此，本章以提出的可实现主动支护效应的围岩本构模型为基础，通过研究预应力锚固系统支护下围岩位移场及锚固系统受力、位移等的演化规律，分析锚索预应力、长度、间距与组合方式等与应力、位移等定量指标间的相互关系，进而提出基于位移差/梯度的锚固系统参数设计方法，使锚固参数设计由定性化走向定量化。

5.1 基于位移差的预应力锚固体系设计原理与分析流程

5.1.1 预应力锚固系统中位移差概念的提出

5.1.1.1 预应力锚固系统作用效应与围岩位移间的关系分析

预应力锚固系统主要设计参数有长度、预应力、间排距等。目前锚杆(索)适宜长度的设计争议最大，历来对于锚杆(索)长度的设计都来源于规范中的参考值，而相关规范中关于锚杆(索)长度的取值大多依据工程经验，尚无明确的试验方法或是计算公式，这导致锚杆(索)长度设计确定缺乏有效的理论指导，仍旧停留在对隧道开挖后洞周围岩松动圈(破

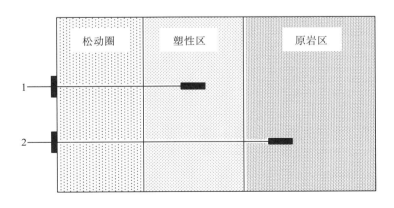

图 5.1-1 传统锚固设计理论 [1、2——锚杆(索)]

碎区)、塑性区和原岩区(弹性区)三个区域的认知上,进而出现预应力锚杆(索)应当穿过松动圈,将破碎的岩体锚固于塑性区范围中[如图 5.1-1 中锚杆(索)1]的认知;同时亦有预应力锚杆(索)不仅应当穿过松动圈,还应穿过塑性区,将岩体锚固于稳定的原岩区[如图 5.1-1 中锚杆(索)2]的认知。

上述对于锚杆(索)长度的设计单纯地考虑打设到某个围岩区,此类观点应是较为片面的,属极为宽泛的概念,并无事实依据亦或是定量分析的支撑,而实际上最直观反映锚杆(索)支护效果的是其对围岩位移的控制效果。故为更加合理地确定预应力锚杆(索)的长度,应当摒弃当前传统的按围岩分区的设计理论,而应从隧道开挖后的位移场角度入手,建立起基于位移场的锚杆(索)长度设计理论,如图 5.1-2 所示。

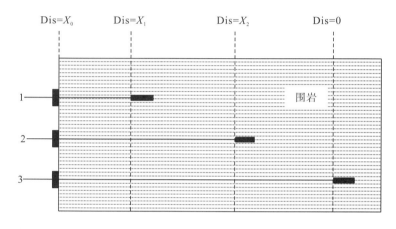

图 5.1-2　基于位移场分析设计锚固系统示意图[1、2、3——锚杆(索)]

由图 5.1-2 可以看出:

(1)若要使所设计锚固系统最大限度地控制围岩变形,应当将锚杆(索)内锚固端置于围岩绝对位移为 0 的稳定岩层中[如图中锚杆(索)3]。但在诸如木寨岭公路隧道此类高地应力软岩隧道中,隧道开挖后软弱围岩在高地应力下诱发了大变形,将导致原岩位移为 0 的地方已深入围岩过多,若按照上述理论来设计锚杆(索)长度,锚杆(索)长度将会达到很高的值,这显然既不经济,也不现实。

(2)又如图中锚杆(索)1,打入围岩内部距离较短,在此范围内围岩洞壁外锚固端位移 X_0 与内锚固端位移 X_1 较为接近,内外锚固端变形量差值 X_0-X_1 较小,锚固系统受力较小或基本不受力,没起到应有的支护作用,难以起到调动或提高围岩承载能力,进而控制围岩尤其是软岩隧道发生变形的效用。

(3)如图中锚杆(索)2,打入围岩内部一定(适宜)距离,锚固系统的内锚固端(X_2)与外锚固端(X_0)变形量存在一定的差值,当 X_0-X_2 为一个适宜的量值时,锚固系统也可对围岩起到足够的加固支护作用,有效控制围岩变形;同时,锚杆(索)的材料性能亦会得到充分发挥,其受力及延伸率均符合安全控制要求。

综上,科学合理的锚固系统参数设计应是允许锚固系统中的内锚固端发生一定位移的,尤其是在高应力软岩隧道中,系统分析并制定适宜的位移差极为关键,其重点应是努力寻求适宜位移差下杆(索)体延伸带来的自身应力(变形)增长和锚固系统对围岩变形有效控制的平衡。

5.1.1.2　预应力锚固体系中位移差概念的提出与定义

由上节分析可知,预应力锚固系统的设计没有必要将内锚固端置于原岩位移为 0 处,而只需使锚固系统两端的位移产生一定的差值即可,为定量分析这个差值,本书提出位移差概念,如图 5.1-3、图 5.1-4 所示。

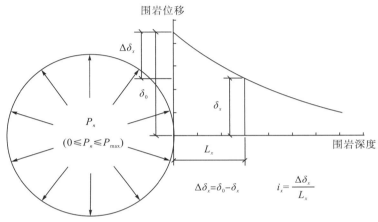

图 5.1-3　围岩位移差概念

围岩位移差($\Delta\delta_x$),即地下工程开挖后,洞周点位移(δ_0)与同一径向上围岩深度任意一点位移(δ_x)的绝对差值:

$$\Delta\delta_x = \delta_0 - \delta_x \tag{5.1-1}$$

利用围岩位移差作为指标,反映隧道开挖后径向任意深度相对于洞壁变形的差异状况,以及锚固系统对隧道开挖后围岩变形的控制效果。

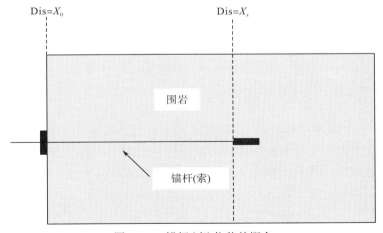

图 5.1-4　锚杆(索)位移差概念

锚杆(索)位移差(ΔX_x)，即外锚固端的轴向位移(X_0)与内锚固端的轴向位移(X_x)的差值：

$$\Delta X_x = X_0 - X_x \tag{5.1-2}$$

利用锚杆(索)位移差(ΔX_x)反映锚杆(索)的伸长状况，进而可评价材料性能利用的程度。

5.1.1.3 预应力锚固系统常用杆体材料的延伸率与力学特性浅析

现今的主动支护实现形式，主要涉及三种形式的预应力锚固系统：中空预应力锚固系统、树脂锚固系统和小孔径预应力树脂锚固系统。第一种锚固系统采用的杆体材料为预应力中空锚杆，第二种锚固系统为普通实心预应力锚杆，第三种锚固系统为若干根混凝土用高强钢绞线组合而成。材料不同决定了锚杆的力学性能也不尽相同，由于中空锚杆与实心锚杆材料相同，都为高强度螺纹钢筋制成，故其力学特性相同。将上述三种锚固系统杆体材料分成锚杆、锚索两类分析各自力学特性。

1. 预应力中空锚杆与普通实心锚杆

根据《预应力中空锚杆》(TB/T 3356—2014)规范，预应力中空锚杆包括涨壳式预应力中空锚杆、分段式预应力中空锚杆、套管式预应力中空锚杆共三种，普通实心预应力锚杆与三种预应力中空锚杆的杆体材料都为 Q420 低合金高强度结构钢，属于抗拉强度较高的低碳钢，其力学特性曲线如图 5.1-5 所示。

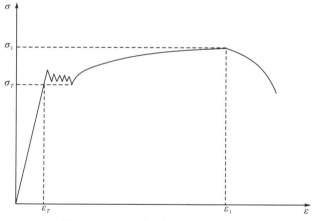

图 5.1-5　Q420 低碳钢应力-应变曲线

图 5.1-5 中 σ_1 为抗拉强度，σ_T 为下屈服强度，ε_1 为抗拉强度对应的极限应变，ε_T 为下屈服强度对应的弹性应变；如图中所示，Q420 低碳钢应力-应变曲线分为四个阶段：①弹性阶段；②屈服阶段；③强化阶段；④颈缩和断裂阶段。

参照规范中取值：要求预应力中空锚杆断后延伸率>18%；要求普通实心预应力锚杆断后延伸率>16%。

2. 预应力锚索

预应力锚索的杆体材料为高强钢绞线，属硬钢，其力学特性曲线如图 5.1-6 所示。

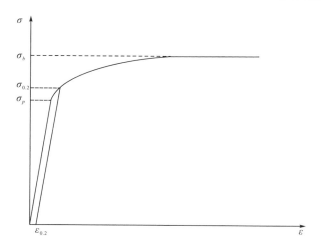

图 5.1-6　钢绞线应力-应变曲线

如图 5.1-6 所示，钢绞线拉伸超过比例极限 σ_p(残余应变为 0.01%时的应力)后，应力-应变曲线开始呈现非线性变化，无明显屈服点；钢绞线应力超过 $\sigma_{0.2}$(残余应变为 0.2%)后，应变 ε 增加变快；当钢绞线应力达到抗拉应力 σ_b 时，应变 ε 发展迅速，而应力几乎不变，在曲线上为一水平段，然后钢绞线断裂。根据《预应力混凝土用钢绞线》(GB/T 5224 —2014)规范：要求各种规格钢绞线最大力延伸率>3.5%。

5.1.1.4　基于材料延伸、受力及施工工效的锚杆(索)参数设计"三控"准则

从上述对预应力锚固系统中常用杆体材料的力学特性分析可知，无论是预应力锚杆还是预应力锚索，其应力-应变曲线都存在屈服应力，且在材料屈服后应变增加较快，尤其是延伸率较高的预应力锚杆。在这种屈服应力状态下无法保证预应力锚固系统的支护能力，故对于预应力锚固系统的设计，应当保证杆体材料处于弹性状态内工作，并保有一定安全度。至此，确定基于位移差的预应力锚固系统设计的定量评估准则[47]：

(1)锚杆(索)位移差作为预应力锚杆(索)伸长量，与对应杆体材料延伸率对比，应确保不超过规范规定延伸率，并具有一定安全度。

(2)锚杆(索)体材料基本处于弹性状态下工作。可采用应力-应变关系曲线计算增加的锚索轴力 F_z：

$$F_z = EA \cdot \varepsilon \tag{5.1-3}$$

式中，E 为弹性模量；A 为截面积；ε 为应变，即锚杆(索)自由段伸长率。

计算对应伸长率下锚杆(索)轴力，并确保锚杆(索)最终轴力不超过对应规格材料的屈服力，留有一定安全度。此处，需要重点说明，地下工程中预应力锚杆(索)在支护初期受整个锚固系统内部协同受力调整、围岩开挖扰动以及爆破施工等因素影响，锚下应力将出现快速调整(下降)，根据隧道工程中大量锚索受力监测数据分析可知，锚固系统的锚下预应力在较软或破碎岩体隧道中最高下降幅度可达施加预应力初值的 50%左右，由此，在后续锚索最终受力计算中，保守起见，最终施加的预应力按初始预应力值的 50%进行折减。

（3）隧道工程尤其是软岩隧道中锚杆合理长度的确定还需考虑现场施工工效的问题，锚杆长度的增加带来的是锚孔深度的增加，锚孔越深，无论是人工还是机械，其工效越低。因此，在隧道工程中从工效角度而言，存在最佳的锚杆长度设计范围，故此，能将锚杆长度控制在最佳值范围内，且达到变形控制要求是最为理想的。

需要指出的是，上述"三控"准则中，施工工效是作为辅助性准则来考虑的。

5.1.2　基于位移差的预应力锚固系统设计方法/流程

5.1.1 节提出了利用位移差设计预应力锚固系统关键性参数的基本思路，并确定了以材料延伸率及应力为判别标准的"三控"准则，为锚固系统核心参数的定量设计提供了科学途径。由此，形成基于位移差设计预应力锚固系统关键参数的基本流程，如图 5.1-7 所示，图中"最优满足"为锚杆（索）长度最小、间距最大、预应力适宜，且充分发挥材料性能。

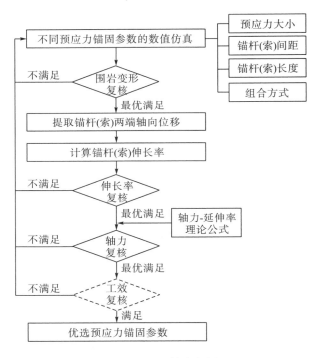

图 5.1-7　计算流程图

如图 5.1-7 所示，主要思想如下：

（1）基于数值仿真手段系统剖析隧道开挖后不同预应力锚固参数下隧道位移场演变特征。

（2）根据锚杆（索）轴向位移云图，提取锚杆（索）两端轴向位移，计算出轴向位移差；再根据前述理论公式进一步计算得到锚杆（索）轴力，以尽可能采用最短的锚杆（索）长度、最大的间距、适宜的预应力，同时充分发挥材料性能且可保持隧道稳定为设计原则，利用基于材料延伸率及轴力的锚杆（索）长度"三控"准则来进行预应力锚固系统参数选择。

　　（3）依据洞周围岩变形控制值以及"三控"准则综合考虑并甄选设计预应力锚固系统的最优参数。

5.2　基于数值仿真进行锚固参数设计时关键问题的处理

5.2.1　主动支护体系的适应性浅析

　　以修建完成的木寨岭铁路隧道围岩位移为依据，考虑到公路隧道建设过程中强力被动支护在围岩变形 30cm 左右出现损坏、在围岩变形 50cm 左右出现失效，故选择变形量 30～50cm 对应的公路隧道区段作为主动支护试验段落，如图 5.2-1 所示。依据上述原则，试验段初步确定在 K218+741 后开展，根据隧道开挖后的现场实际状况，试验段最终选定在 YK218+800～YK218+820 段，该段原设计为 SVc 型支护体系。

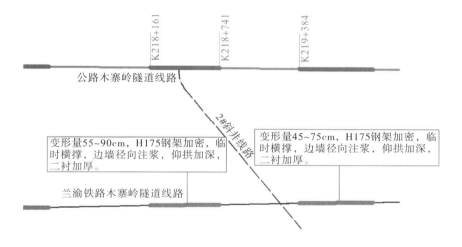

图 5.2-1　木寨岭铁路、公路隧道大变形对照图

图 5.2-2　YK218+800～YK218+820 段典型围岩

据地质勘察资料，YK218+800～YK218+820 段围岩(图 5.2-2)主要为中风化炭质板岩和砂岩的不等厚互层，灰黑色，薄层状构造，节理裂隙发育，岩体较完整，柱状结构。根据本次勘察结果，该段围岩中存在高地应力，主应力方向为北北东向，与线路夹角小于26°。岩体纵波速 V_p＝2940～4100m/s，岩石单轴饱和抗压强度 R_c＝28.0MPa，岩体完整性系数 K_v＝0.49～0.95，岩体基本质量指标 BQ＝296.5～411.5。地下水影响修正系数 K_1＝0.2，主要软弱结构面产状影响修正系数 K_2＝0.2，初始应力状态影响修正系数 K_3＝1.0，岩体修正质量指标[BQ]＝156.5～271.5。围岩稳定性差，初期支护不及时易产生大变形及大坍塌。地下水主要为基岩裂隙水；施工时可能出现点滴状出水，局部可能出现线状出水。

5.2.2 计算模型及关键问题处理

5.2.2.1 计算模型与参数

计算采用三维模型，建立的模型尺寸为 110 m×110 m×3 m，开挖轮廓为 SVc 型开挖断面。根据实测地应力数据推算，模拟计算取水平应力为 17 MPa，竖向应力为 14 MPa，如图 5.2-3 所示。

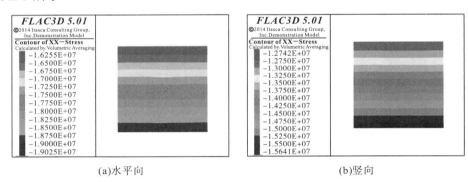

(a)水平向   (b)竖向

图 5.2-3　初始应力(单位：Pa)

围岩地层参数同 4.2.3 节，如表 4.2-2 所示。

锚杆(索)物理力学参数设置如下：①弹性模量 200 GPa；②锚固段黏结刚度为 0.2 GN/m、黏结强度为 350 kN/m，且当锚索长度≤5m，设定锚固段长度为 1m；当锚索长度＞5m，设定锚固段长度为 1.5m；③自由段浆体参数赋予极小值，满足计算收敛要求即可；④垫板的模拟采用修改外锚头 0～0.5m 处锚杆(索)结构单元锚固剂参数的方式进行；考虑到围岩为软弱岩体，在围岩变形过程中垫板将不可避免地向围岩压进，故本次计算中设定外锚头(0～0.5m)处的锚固剂参数同锚固段，以体现软岩环境下，锚索支护过程中垫板向围岩压进的现象。

5.2.2.2 锚杆(索)预应力的模拟

锚杆(索)预应力的模拟(图 5.2-4)：锚索采用 cable 单元模拟，采用一对作用在锚端的集中力和均布力来模拟预应力锚索对围岩的加固效果；对应，内锚固端压缩效果以集中力

F 的方式实现，其大小等于施加的预应力值，计算如式(5.2-1)所示；外锚固端考虑垫板等辅助构件的预应力扩散效应，将其简化为作用在围岩表面的均布力 σ_r，计算如式(5.2-2)所示，环向作用范围等同锚杆(索)布设范围。

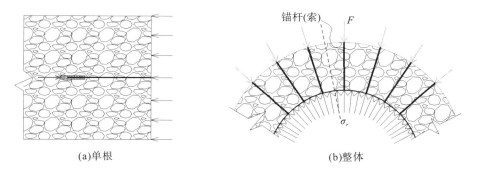

(a)单根　　　　　　　　　(b)整体

图 5.2-4　模拟方法示意图

$$F = P_r \tag{5.2-1}$$

$$\sigma_r = \frac{P_r}{a \cdot b} + \frac{P_w}{a \cdot b} \tag{5.2-2}$$

式中，σ_r 为施加于洞壁上的平均径向(换算)压应力；P_r 为锚杆(索)的预应力；P_w 为锚杆(索)的工作荷载，计算中可取为设计承载力；a、b 为锚杆(索)的间距和排距。

5.3　软岩隧道中基于位移差的预应力锚固系统参数设计

5.3.1　变形管理等级制定

一般言，大变形隧道中喷射混凝土变形超 35cm 将极易出现结构性损坏，故设定围岩变形控制目标为 35cm(内)。如此，结合既有大变形隧道工程实践，以及木寨岭公路隧道先期施工情况，拟定变形管理等级如表 5.3-1 所示。

表 5.3-1　大变形管理等级标准

管理等级	预警级别	管理位移/mm	处理措施
IV	绿色	$U<U_0/3$	正常连续施工
III	黄色	$U_0/3 \leqslant U<2U_0/3$	正常施工，加强监测，准备预案
II	橙色	$2U_0/3 \leqslant U<U_0$	预警，加大预留变形量/调整支护方案
I	红色	$U>U_0$	审查评估，拆换，必要时停工

注：U 为实测位移值，U_0 为预留变形量。

据表 5.3-1 中管理等级，设定本次支护设计宜将围岩位移控制在管理等级 III 内，即将 $<2U_0/3$ 作为一般位移控制值。如此，当 U_0 为最大值 35cm 时，建议控制围岩最大位移小于 23.3cm 为优，不得超过 35cm。

5.3.2 预应力值设计

5.3.2.1 计算工况拟定

预应力的设计主要取决于锚杆(索)体的强度和"锚索-锚固剂-围岩"间的锚固力。据 3.5.3 节木寨岭公路隧道现场鸟笼锚索拉拔试验结果，确定适宜预应力范围为 0～500 kN。采用单一变量寻优法，即设定预应力值为单一变量，设定锚杆(索)长度为 4m、间距为 100cm×120cm，拟定计算工况如表 5.3-2 所示，其中工况 1-0 为裸洞开挖。

表 5.3-2　预应力值计算工况

工况编号	1-0	1-1	1-2	1-3	1-4	1-5
锚索预紧力/kN	0	100	200	300	400	500
内锚固端集中力/kN	0	100	200	300	400	500
外锚固端均布力/kPa	0	175	350	525	700	875
锚索长度/m			4			
锚索间距(环×纵)/(cm×cm)			100×120			

5.3.2.2 围岩位移分析

计算得到竖向和水平位移云图(部分)，如图 5.3-1 和图 5.3-2 所示。

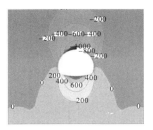 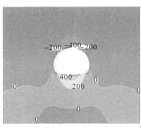 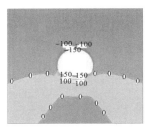

(a)工况 1-0(0kN)　　　　　(b)工况 1-1(100kN)　　　　　(c)工况 1-5(500kN)

图 5.3-1　竖向位移云图(单位：mm)

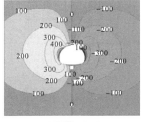 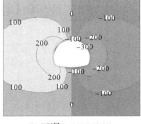 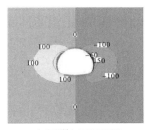

(a)工况 1-0(0kN)　　　　　(b)工况 1-1(100kN)　　　　　(c)工况 1-5(500kN)

图 5.3-2　水平位移云图(单位：mm)

　　由图 5.3-1 和图 5.3-2 可以看出：无支护工况（工况 1-0），竖向和水平的最大位移分别出现在拱顶和边墙区域，显示上半断面应作为锚杆（索）的重点支护对象；施加预应力工况（工况 1-1、1-5），围岩的竖向与水平位移分布规律并未出现明显变化，上半断面仍是重点支护对象。结合上述分析可看出，本次数值模拟中的锚杆（索）环向布置形式（重点支护上半断面）是较为合理的。

　　绘制拱顶区域最大沉降、边墙区域最大水平位移随加载预应力变化的曲线，如图 5.3-3 所示。

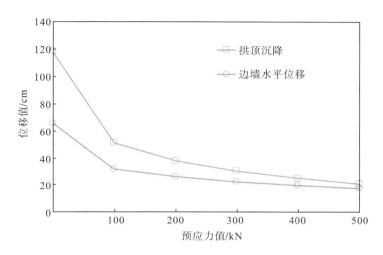

图 5.3-3　测点最大位移随加载预应力变化曲线

　　由图 5.3-3 可以看出：

　　(1)对比无预应力工况（0kN），施加预应力（100 kN）使得拱顶、边墙最大位移大幅减小，分别由 118.0cm、65.5 cm 减至 51.1 cm、31.5 cm，显示软岩大变形隧道中，主动支护具有显著的位移控制效果。

　　(2)随预应力增加，各测点位移也逐渐减小，但减小幅度逐渐降低。表现为预应力由 100 kN 增至 200 kN，拱顶、边墙的位移分别减小 13.2 cm、5.9 cm；由 400 kN 增至 500 kN，则分别仅减小 4.1 cm、2.1 cm。

　　上述，综合预应力-位移曲线变化规律和围岩位移控制要求，预应力应>240 kN。如此，据隧道等地下工程对预应力锚杆（索）的应用经验及相关规范，木寨岭公路隧道的主动加固系统选择为预应力锚索系统。

　　进一步，分析不同参数钢绞线的力学性能，以及现场施工便捷性，确定预应力锚索型式为 1×19S-21.8 mm-1860 MPa 鸟笼型锚索，图 5.3-4 为其实验室检测的力学性能指标。由此，确定本次计算中锚索最大力 600kN，屈服力 550kN，最大伸长率 5%；并考虑 1.5～2 倍加载安全系数，确定 1×19S-21.8 mm-1860 MPa 鸟笼型锚索的预应力 P_r=300 kN。

序号	检验项目	技术要求	检验结果			结论
1	样品编号	—	078-01	078-02	078-03	合格
	0.2%屈服力 $F_{p0.2}$/kN	≥513	564	560	563	
2	样品编号	—	078-01	078-02	078-03	合格
	整根钢绞线最大力 F_m/kN	583～645	607	604	607	
3	样品编号	—	078-01	078-02	078-03	合格
	最大力总伸长率 A_{gt}/%	≥3.5	5.6	5.9	6.1	

图 5.3-4　锚索质量检验报告

绘制上述拱顶、边墙 2 个测点位移平均值与标准误差随预应力值变化的曲线，如图 5.3-5 所示。

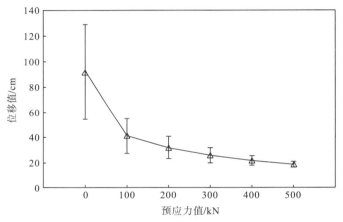

图 5.3-5　2 个测点平均位移（含标准误差）随加载预应力变化曲线

由图 5.3-5 可以看出：伴随预应力的施加及增大，断面变形更趋"均匀"，表现为标准误差的递减。无预应力工况（0 kN），标准误差达到 37.1cm，而施加预应力（100 kN）后大幅减小至 13.9 cm，后续随着预应力的增加，标准误差继续减小，但减小幅度逐渐降低，显示出软岩大变形中，施加主动支护可使断面变形更均匀，进而增强了支护结构体系的整体稳定性。

5.3.2.3　基于位移差的预应力锚索延伸率分析

提取预应力 300kN、锚索长度 4m、间距 100cm×120cm（环×纵）时的锚索位移云图，如图 5.3-6 所示。需要说明的是，考虑到锚固端的存在，锚索在围岩的内部点位是取自由段和锚固端交界的位置，定义为"内交界点"；外部点位则取的是锚索与开挖洞壁交界的位置，定义为"外交界点"；如此，图中锚索长度为 3.0m。

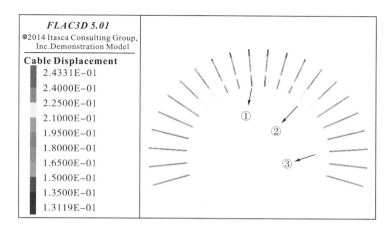

图 5.3-6　锚索位移云图（单位：m）

①-拱顶锚索；②-拱腰锚索；③-边墙锚索

由图 5.3-6 可以看出，锚索轴向位移与围岩变形呈正相关，最大位移 24.3cm，出现在拱顶区域的外交界点处；内交界点的位移明显小于外交界点位移，最小值 13.1cm。

为具体分析不同锚索长度的伸长率，提取拱顶、拱腰、边墙位置锚索的内、外交界点位移，如表 5.3-3 所示，并计算伸长率、安全度。

表 5.3-3　锚索伸长率、安全度计算表

参数	锚索位置		
	拱顶锚索①	拱腰锚索②	边墙锚索③
锚索长度/cm	—	400	—
自由段长度/cm	—	300	—
内交界点位移/cm	13.1	16.4	19.1
外交界点位移/cm	24.3	21.1	17.2
伸长量/cm	11.2	4.7	1.9
伸长率/%	3.70	1.60	0.63
安全度	1.35	2.10	5.50

注：安全度=5.0%/伸长率，并设定安全度应≥1.5。

由表 5.3-3 可以看出，拱顶锚索①的伸长率最大，为 3.70%，其次为拱腰锚索②的 1.60%，以及边墙锚索③的 0.63%；相应拱顶锚索①的安全度已不足 1.50，结构安全性难以保证，而拱腰锚索②和边墙锚索③的安全度则均大于 2.00，安全性较高。上述，从锚索安全度或伸长率沿断面环向变化言，拱顶锚索需重点关注，而从最低安全度角度言，锚索长度 4m（自由段长度 3m）已不能符合延伸率控制准则要求，故下一步将需研究适宜的锚索长度。

5.3.3 预应力锚索长度设计

5.3.3.1 计算工况拟定

前述锚索长度 4m、预应力 300 kN、间距 100 cm×100 cm(环×纵)工况,成功将最大围岩位移控制在了 35cm 内,但却未能符合锚索延伸率控制准则的要求,故本节将基于位移差/梯度理论开展适宜锚索长度研究。

实际上,锚索长度与加固范围及工作荷载(深部承载能力优于浅部)均相关。长度短时,加固范围与工作荷载均小,常难以形成足够厚度的加固体以维持开挖稳定,尤其是对于大断面隧道而言;而长度过长,将会极大地增加工程成本与施工难度。

结合前期针对木寨岭公路隧道开展的钻孔试验:"钻孔深度 5m 内钻进速率高,平均耗时 20min 左右;5~7m 或 8m,钻进速率仍较为平稳,平均耗时 20min 左右;7m 或 8~10m,钻材消耗大幅上升,且钻进效率明显下降,平均耗时 20~30min",本次计算暂设定锚索长度上限值为 8m,拟定工况如表 5.3-4 所示。部分工况计算模型如图 5.3-7 所示。

表 5.3-4　锚索长度计算工况

工况编号	2-1	2-2	2-3	2-4	2-5	2-6	2-7	2-8	2-9
锚索长度/m	4.0	4.5	5.0	5.5	6.0	6.5	7.0	7.5	8.0
锚索预紧力/kN					300				
内锚固端集中力/kN					300				
外锚固端均布力/kPa					525				
锚索间距(环×纵)/(cm×cm)					100×120				

注:工况 2-1 与工况 1-3 为同一工况。

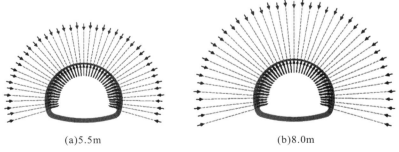

(a)5.5m　　　　　　　　　　(b)8.0m

图 5.3-7　锚索长度计算工况模型(部分)

5.3.3.2 围岩位移分析

计算得到工况 2-1~工况 2-11 的竖向和水平位移云图(部分),如图 5.3-8 和图 5.3-9 所示。

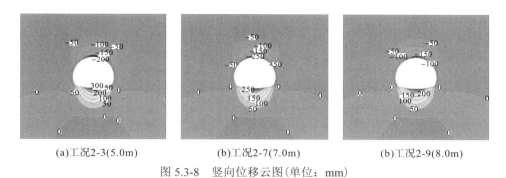

(a)工况2-3(5.0m)　　　　　　(b)工况2-7(7.0m)　　　　　　(b)工况2-9(8.0m)

图 5.3-8　竖向位移云图(单位：mm)

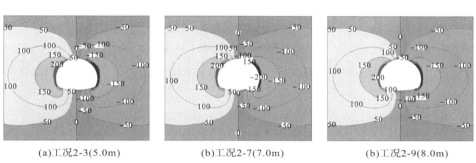

(a)工况2-3(5.0m)　　　　　　(b)工况2-7(7.0m)　　　　　　(b)工况2-9(8.0m)

图 5.3-9　水平位移云图(单位：mm)

由图 5.3-8 和图 5.3-9 可以看出：不同锚索长度工况，围岩变形规律基本一致，竖向和水平的最大位移仍是出现在拱顶和边墙区域。从不同工况位移量值变化分析，围岩位移随锚索长度增加总体有所减小，但减小量值并不大。

绘制拱顶区域最大沉降、边墙区域最大水平位移随锚索长度变化的曲线，如图 5.3-10 所示。

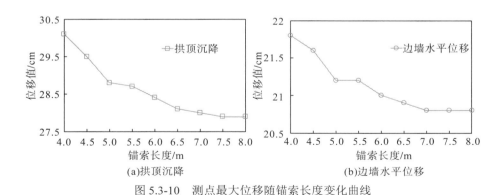

(a)拱顶沉降　　　　　　　　　　　　(b)边墙水平位移

图 5.3-10　测点最大位移随锚索长度变化曲线

由图 5.3-10 可以看出：

(1)随锚索长度增加，拱顶、边墙位移总体呈下降趋势，且对拱顶沉降的影响大于对边墙水平位移的影响，即当锚索长度由 4.0m 增至 8.0m，拱顶沉降减小 2.2cm，对应水平位移的减小量值为 1.0cm，究其原因为，预应力锚索布设于拱脚上部至拱顶区域。

(2)锚索长度 4.0～5.0m，随锚索长度增加，位移降低均较为明显；锚索长度 5.0～5.5m，位移曲线出现了较为明显的"平台"，究其原因，锚索长度 5.5m、5.0m 的锚固长度为 1.5m、1.0m，二者的自由段长度是相等的，为 4.0m，故可看出，对围岩位移产生影响的主要为自由段长度，而非锚索长度；锚索长度 5.5～7.5m，拱顶沉降持续减小，但逐渐趋向收敛，当锚索长度由 7.0m 增至 7.5m 时，位移仅减小 0.1cm；同时，边墙水平位移变化规律与拱顶沉降基本相似，不同处在于，锚索长度由 7.0m 增至 7.5m 时，位移已收敛，即变化值为 0。

综合长度-位移曲线的整体变化规律，从围岩变形控制角度言，锚索长度应≥5.0m，但不建议＞8.0 m。

5.3.3.3　基于位移差的锚索延伸率分析

提取部分计算工况的锚索位移云图，如图 5.3-11 所示。

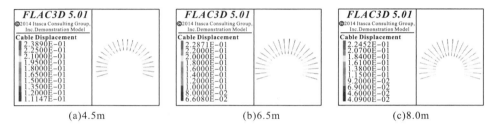

图 5.3-11　不同长度锚索的位移云图(单位：m)

由图 5.3-11 可以看出，不同长度锚索的轴向位移变化规律基本一致，最大位移均出现在拱顶区域的外交界点处，且内交界点位移明显小于外交界点位移；随锚索长度增加，内、外交界点处位移逐渐下降；数据显示，锚索长度 4.5m、6.5m、8.0m，对应外交界点处最大位移值依次为 23.9cm、22.9cm、22.5cm，对应内交界点处最小位移值依次为 11.1cm、6.6cm、4.1cm。

为具体分析不同长度锚索的伸长率，提取拱顶、拱腰、边墙位置锚索内、外交界点处位移，如表 5.3-5 所示，并计算伸长率、安全度。

表 5.3-5　锚索伸长率、安全度计算表

锚索位置	锚索长度/m	内交界点位移/cm	外交界点位移/cm	伸长量/cm	自由段长度/cm	伸长率/%	安全度
拱顶锚索①	4.5	11.1	24.0	12.9	350	3.69	1.4
	5.0	9.5	23.5	14.0	400	3.50	1.4
	5.5	9.2	23.3	14.1	400	3.53	1.4
	6.0	7.8	23.1	15.3	450	3.40	1.5
	6.5	6.6	22.9	16.3	500	3.26	1.5
	7.0	5.6	22.7	17.1	550	3.11	1.6
	7.5	4.8	22.6	17.8	600	2.97	1.7
	8.0	4.1	22.4	18.3	650	2.82	1.8

续表

锚索位置	锚索长度/m	内交界点位移/cm	外交界点位移/cm	伸长量/cm	自由段长度/cm	伸长率/%	安全度
拱腰锚索②	4.5	15.5	20.8	5.3	350	1.51	3.3
	5.0	14.6	20.7	6.1	400	1.53	3.3
	5.5	14.4	20.4	6.0	400	1.50	3.3
	6.0	13.7	20.2	6.5	450	1.44	3.5
	6.5	13.0	20.0	7.0	500	1.40	3.6
	7.0	12.3	19.9	7.6	550	1.38	3.6
	7.5	11.8	19.8	8.0	600	1.33	3.8
	8.0	11.3	19.8	8.5	650	1.31	3.8
边墙锚索③	4.5	16.7	19.0	2.3	350	0.66	7.6
	5.0	16.2	18.9	2.7	400	0.68	7.4
	5.5	15.9	18.8	2.9	400	0.73	6.9
	6.0	15.5	18.8	3.3	450	0.73	6.8
	6.5	14.9	18.7	3.8	500	0.76	6.6
	7.0	14.7	18.7	4.0	550	0.73	6.9
	7.5	14.3	18.7	4.4	600	0.73	6.8
	8.0	13.8	18.5	4.7	650	0.72	6.9

注：安全度=5.0%/伸长率，并设定安全度应≥1.5。

　　由表 5.3-5 可以看出：不同锚索长度下，拱腰锚索②的安全度均超过了 3.0，边墙锚索③的安全度更是超过了 6.0；而相比较言，拱顶锚索①的安全度则明显偏小，锚索长度在 5.5m 内，安全度<1.5。此处，为详细分析拱顶锚索①的安全度变化规律，绘制其与锚索长度的关系曲线，如图 5.3-12 所示。

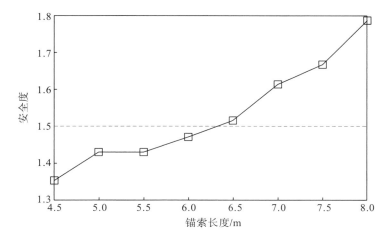

图 5.3-12　拱顶锚索①的长度与安全度关系曲线

由图 5.3-12 可以看出：拱顶锚索①的长度在 6.0m 及以下时，安全度小于 1.5，结构安全性难以得到有效保障；从长度-安全度整体变化规律言，提升锚索长度有助于提高安全度，建议锚索长度应在 6.5m 以上。

5.3.3.4　锚索轴力分析

由式(5.3-1)，并查阅规范《预应力混凝土用钢绞线》(GB/T 5224—2014)中表 4："1×19 结构钢绞线的尺寸及允许偏差、公称横截面积、每米理论重量"，取截面积 $A=313\ mm^2$，计算得到锚索长度 6.5～8m(对应工况 2-6～工况 2-9)的轴力数据如表 5.3-6 所示。

表 5.3-6　锚索轴力

锚索长度/m			6.5	7.0	7.5	8.0
轴力/kN	拱顶锚索①	增加值	2040.8	1946.3	1857.1	1762.4
		最终值	2190.8	2096.3	2007.1	1912.4
	拱腰锚索②	增加值	876.4	865.0	834.7	818.6
		最终值	1026.4	1015.0	984.7	968.6
	边墙锚索③	增加值	475.8	455.3	459.1	452.6
		最终值	625.8	605.3	609.1	602.6

据表 5.3-6 中数据，绘制锚索长度与最终轴力关系如图 5.3-13 所示。需要说明的是，图中锚索轴力是按弹性受力计算得到的，超 550kN 的锚索轴力非真实锚索轴力，后续锚索轴力分析均参照此执行。

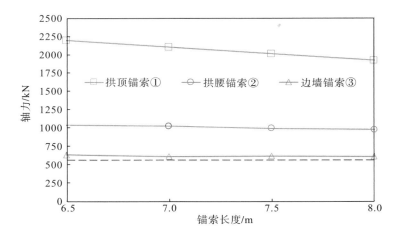

图 5.3-13　不同位置锚索的长度与轴力关系

由图 5.3-13 可以看出：

(1)拱顶锚索①的轴力最大，其次为拱腰锚索②，边墙锚索③受力最小；上述锚索轴力的大小规律与伸长率呈正相关。

（2）从锚索轴力量值上分析，拱顶锚索①、拱腰锚索②、边墙锚索③的轴力均大于锚索的屈服力 550kN，结构安全性得不到有效保障。

综上，增加锚索长度至 6.5～8.0m，围岩位移、锚索伸长率均能符合控制要求，但锚索轴力却难以满足要求，故仍需进一步优化锚索支护参数。而从锚索轴力、伸长率与围岩变形的相互关系出发，减小锚索轴力的关键在于控制围岩位移(差)，因此，后续将从锚索支护形成的加固圈的抵抗变形能力出发，开展进一步研究，即将进一步研究调增锚索支护间距对围岩变形控制的效果，以期满足锚索轴力方面的要求。

5.3.4　预应力锚索间距设计

5.3.4.1　计算工况拟定

锚索间距，即锚索的环、纵向布置，与支护效果密切相关。当间距过大时，"承载拱"效应不强，主动支护作用效应不甚显著，形成的加固圈承载能力不足、变形控制效果不佳；而间距过小，则既不经济，又增加对围岩体的扰动次数与时间，背离快速主动支护的初衷。

工况拟定中锚索预应力取 300 kN，长度取 7.5 m，设定锚索支护间距为单一变量，结合锚索相关施工经验及设计、施工规范，拟定工况如表 5.3-7 所示。部分工况计算模型如图 5.3-14 所示。

表 5.3-7　锚索间距计算工况

工况编号	3-1	3-2	3-3	3-4	3-5	3-6
锚索间距(环×纵)/(cm×cm)	100×120	100×100	100×80	80×80	80×60	60×60
锚索长度/m			7.5			
锚索预应力/kN			300			
内锚固端集中力/kN			300			
外锚固端均布力/kPa			525			

注：工况 3-1 同工况 2-8 为同一工况。

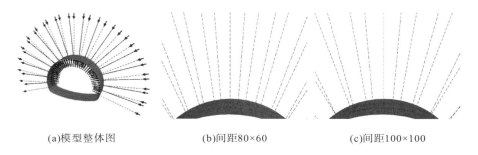

(a)模型整体图　　　　　(b)间距80×60　　　　　(c)间距100×100

图 5.3-14　锚索间距工况模型(部分)

5.3.4.2　围岩位移分析

计算得到工况 3-1～工况 3-7 的竖向和水平位移云图(部分)，如图 5.3-15 和图 5.3-16 所示。

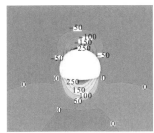
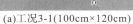
(a)工况3-1(100cm×120cm)
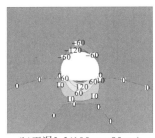
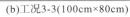
(b)工况3-3(100cm×80cm)
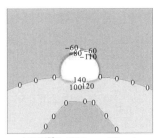
(c)工况3-5(80cm×80cm)

图 5.3-15　竖向位移云图(单位：mm)

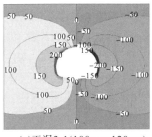
(a)工况3-1(100cm×120cm)
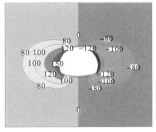
(b)工况3-3(100cm×80cm)
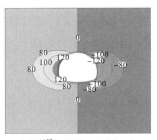
(c)工况3-5(80cm×80cm)

图 5.3-16　水平位移云图(单位：mm)

由图 5.3-15 和图 5.3-16 可以看出：不同锚索间距工况，围岩变形规律基本一致，竖向和水平的最大位移仍是出现在拱顶和边墙区域。从不同工况位移量值变化分析，位移随锚索间距加密快速下降。

绘制拱顶区域最大沉降、边墙区域最大水平位移随锚索支护间距变化的曲线，如图 5.3-17 所示。

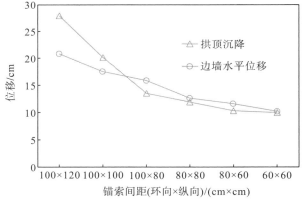

图 5.3-17　测点最大位移随锚索支护间距变化

由图 5.3-17 可以看出：

（1）从围岩位移整体变化规律言，随锚索支护间距增密，拱顶沉降快速下降，但减小量逐渐减小，即间距由 100 cm×120cm 加密至 100cm×80cm 的拱顶沉降减小速率明显大于间距由 100 cm×80cm 加密至 60cm×60cm；而对于边墙水平位移，随锚索支护间距加密基本呈现匀速减小的规律。

（2）与变形管理等级中 $2U_0/3$（23.3cm，为正常施工界限）比较，锚索支护间距为100cm×100cm 时的最大位移为 20.1cm，已小于 $2U_0/3$；当锚索支护间距加密至 100cm×80cm时，最大位移 13.5cm，接近 $U_0/3$（11.7cm，为正常连续施工界限）；当锚索支护间距进一步加密至 80cm×80cm 时，最大位移 11.6，小于 $U_0/3$（11.7cm）。

综上，从围岩变形控制及其收益率角度言，锚索支护间距加密至 100cm×100cm～100cm×80cm 最优，变形位移 $U_0/3$～$2U_0/3$，基本可实现正常连续施工。

5.3.4.3　基于位移差的锚索延伸率分析

提取部分计算工况的锚索位移云图，如图 5.3-18 所示。

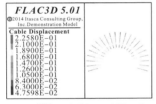 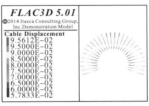 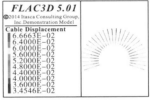

(a)工况3-1(100cm×120cm)　　(b)工况3-2(100cm×80cm)　　(c)工况3-5(80cm×80cm)

图 5.3-18　不同支护间距锚索的位移云图（单位：m）

由图 5.3-18 可以看出，不同支护间距锚索的轴向位移变化规律基本一致，最大位移均出现在拱顶区域的外交界点处，内交界点位移小于外交界点位移，且随着支护间距加密，内、外交界点的位移差迅速下降。数据显示，支护间距为 100 cm×120 cm 时的最大位移差近 18cm，间距增密至 100 cm×80 cm 时的最大位移为 3.8cm，间距进一步增密至 80 cm×80 cm时，最大位移为 3.2cm。

为具体分析不同支护间距锚索的伸长率，提取拱顶、拱腰、边墙位置锚索内、外交界点处位移，如表 5.3-8 所示，并计算伸长率、安全度。

表 5.3-8　锚索伸长率、安全度计算表

锚索位置	锚索支护间距/(cm×cm)	内交界点位移/cm	外交界点位移/cm	伸长量/cm	自由段长度/cm	伸长率/%	安全度
拱顶锚索①	100×120	4.8	22.6	17.8	600	2.97	1.69
	100×100	9.3	15.3	6.0	600	1.00	5.00
	100×80	5.8	9.4	3.6	600	0.60	8.33
	80×80	4.7	8.0	3.3	600	0.55	9.09

锚索位置	锚索支护间距/(cm×cm)	内交界点位移/cm	外交界点位移/cm	伸长量/cm	自由段长度/cm	伸长率/%	安全度
	80×60	3.4	6.2	2.8	600	0.47	10.71
	60×60	2.9	5.0	2.1	600	0.35	14.29
拱腰锚索②	100×120	11.8	19.8	8.0	600	1.33	3.75
	100×100	10.7	14.8	4.1	600	0.68	7.32
	100×80	7.1	9.5	2.4	600	0.40	12.50
	80×80	5.9	8.2	2.3	600	0.38	13.04
	80×60	5.1	6.5	1.4	600	0.23	21.43
	60×60	4.0	5.3	1.3	600	0.22	23.08
边墙锚索③	100×120	14.3	18.7	4.4	600	0.73	6.82
	100×100	12.2	14.5	2.3	600	0.38	13.04
	100×80	8.0	9.6	1.6	600	0.27	18.75
	80×80	7.0	8.3	1.3	600	0.22	23.08
	80×60	5.5	6.7	1.2	600	0.20	25.00
	60×60	4.6	5.5	0.9	600	0.15	33.33

由表 5.3-8 可以看出：锚索支护间距增至 100cm×100cm 后，安全度均超过 5.00，故从锚索延伸率角度言，当锚索支护间距小于 100cm×100cm 后，已能完全符合要求。

5.3.4.4　锚索轴力分析

参照 5.3.3.4 节，计算得到锚索支护间距为 100cm×120cm～60cm×60cm（对应工况 3-1～工况 3-6）的轴力数据，如表 5.3-9 所示.

表 5.3-9　锚索轴力

	锚索支护间距/(cm×cm)		100×120	100×100	100×80	80×80	80×60	60×60
轴力/kN	拱顶锚索①	增加值	1857.1	626.0	375.6	344.3	292.1	219.1
		最终值	2007.1	776.0	525.6	494.3	442.1	369.1
	拱腰锚索②	增加值	834.7	427.8	250.4	240.0	146.1	135.6
		最终值	984.7	577.8	400.4	390.0	296.1	285.6
	边墙锚索③	增加值	459.1	240.0	166.9	135.6	125.2	93.9
		最终值	609.1	390.0	316.9	285.6	275.2	243.9

据表 5.3-9 中数据，绘制锚索支护间距与轴力关系如图 5.3-19 所示。

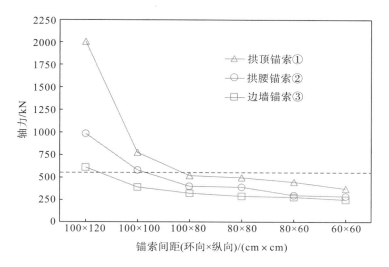

图 5.3-19　不同位置锚索的支护间距与轴力关系

由图 5.3-19 可以看出：

(1)不同锚索支护间距，拱顶锚索①轴力最大，其次为拱腰锚索②，边墙锚索③受力最小；且随着间距加密，三者间的差值逐渐减小。

(2)从锚索轴力量值上分析，间距为 100cm×100cm 时，拱顶锚索①和拱腰锚索②的轴力仍大于屈服力 550kN；间距加密为 100cm×80cm，最大轴力 525.6kN(<550kN)，安全度 1.05，已能够满足轴力控制要求；进一步，间距加密至 80cm×80cm，最大轴力 494.3kN，安全度 1.11；相同的，间距为 80cm×80cm、60cm×60cm 时最大轴力和安全度为 442.1kN、369.1kN 和 1.24、1.49。

综上，锚索间距加密至 100cm×80cm，围岩位移、锚索伸长率、锚索轴力已均能符合控制要求。故结合经济性等因素，建议锚索支护间距优先选择 100cm×80cm，适当考虑 80cm×80cm 间距。

5.3.5　预应力锚索短、长组合设计

5.3.5.1　计算工况拟定

鉴于高应力软岩大变形隧道具有变形量大、变形速度快等特点，短、长组合支护在大变形隧道工程应用中具有如下优势：

(1)短锚索与隧道近区围岩形成组合加固拱结构，充分利用支护结构和围岩的共同作用原理，发挥围岩的自承能力。同时，长锚索在此基础上将组合加固拱结构与远区围岩联系在一起，提升"近加固区"的稳定性，并远近结合进一步控制围岩变形。

(2)短锚索施工快捷，可在短时间内提高近区围岩的整体性和稳定性，尤其当遇到围岩大变形时，可先施工完成短锚索，再进一步施工长锚索。

(3)短、长组合对"板梁弯曲"引发的变形更具针对性,短锚索将薄层结构固定串联形成组合梁,长锚索限制因切向应力增大导致的层间滑动。

基于上述,有必要在适宜锚索预应力、长度、间距的基础上,进一步明确锚索的支护形式(等长或短、长组合)。工况拟定中,锚索预应力取 300 kN,间距取 100 cm×80 cm,锚索长度平均值同等长锚索长度 7.5m,拟定工况如表 5.3-10 所示。计算模型如图 5.3-20 所示。

表 5.3-10　锚索短、长组合计算工况

工况编号	4-1	4-2	4-3
锚索短、长组合形式/m	7.5+7.5	5+10	6+9
锚索间距(环×纵)/(cm×cm)		100×80	
锚索预应力/kN		300	
内锚固端集中力/kN		300	
外锚固端均布力/kPa		525	

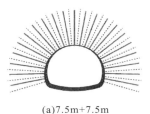
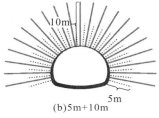
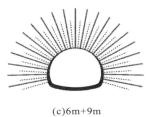

(a)7.5m+7.5m　　　　　(b)5m+10m　　　　　(c)6m+9m

图 5.3-20　组合工况计算模型

5.3.5.2　围岩位移分析

计算得到工况 4-1～工况 4-3 的竖向和水平位移云图,如图 5.3-21 和图 5.3-22 所示。

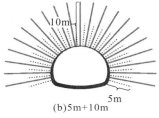

(a)工况4-1(7.5m+7.5m)　　　(b)工况4-2(5m+10m)　　　(c)工况4-3(6m+9m)

图 5.3-21　竖向位移云图(单位:m)

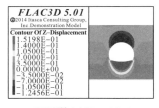
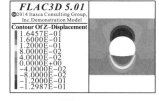

(a)工况4-1(7.5m+7.5m)　　　(b)工况4-2(5m+10m)　　　(c)工况4-3(6m+9m)

图 5.3-22　水平位移云图(单位:m)

由图 5.3-21 和图 5.3-22 可以看出：不同锚索组合工况，围岩变形规律基本一致，竖向和水平的最大位移仍是出现在拱顶、拱底和边墙区域。而从位移量值上分析，短、长组合工况的变形控制效果最优，7.5m+7.5m、5m+10m、6m+9m 的拱顶最大沉降和边墙最大水平位移为 13.5cm、12.5cm、13.0cm 和 15.7cm、13.2cm、13.7cm；究其原因主要为，计算中考虑了短、长锚索施作时间上的差异，即锚索施加时的荷载步(step)差异。

5.3.5.3　基于位移差的锚索延伸率分析

提取计算工况的锚索位移云图，如图 5.3-23 所示。

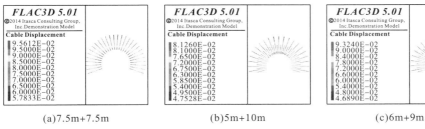

(a)7.5m+7.5m　　　　　　(b)5m+10m　　　　　　(c)6m+9m

图 5.3-23　不同短、长组合锚索的位移云图(单位：m)

由图 5.3-23 可以看出，不同组合锚索的轴向位移变化规律基本一致，不同之处在于，采用短、长组合形式，拱顶区域锚索的最大位移要大于边墙区域锚索，而等长 7.5m 支护则反之；数据显示，短、长组合形式锚索的最大、最小位移均出现了下降。

为具体分析不同支护间距锚索的伸长率，提取拱顶、拱腰、边墙位置锚索内、外交界点处位移，如表 5.3-11 所示，并计算伸长率、安全度。

表 5.3-11　锚索伸长率、安全度计算表

锚索位置	锚索组合/m		内交界点位移/cm	外交界点位移/cm	伸长量/cm	自由段长度/cm	伸长率/%	安全度
拱顶锚索①	7.5(+7.5)		5.8	9.4	3.6	600	0.60	8.33
	5+10	5	5.6	8.1	2.5	400	0.63	8.00
		10	4.7	8.1	3.4	850	0.40	12.50
	6+9	6	5.4	9.3	3.9	450	0.87	5.77
		9	4.7	9.3	4.6	750	0.61	8.15
拱腰锚索②	7.5(+7.5)		7.1	9.5	2.4	600	0.40	12.50
	5+10	5	6.5	7.8	1.3	400	0.33	15.38
		10	5.6	8.0	2.4	850	0.28	17.71
	6+9	6	6.5	9.1	2.6	450	0.58	8.65
		9	5.9	9.1	3.2	750	0.43	11.72
边墙锚索③	7.5(+7.5)		8.0	9.6	1.6	600	0.27	18.75
	5+10	5	6.9	7.7	0.8	400	0.20	25.00
		10	5.9	7.6	1.7	850	0.20	25.00
	6+9	6	6.5	8.7	2.2	450	0.49	10.23
		9	7.5	8.6	1.1	750	0.15	34.09

由表 5.3-11 可以看出：等长 7.5m，以及 5m+10m、6m+9m 支护形式下，锚索安全度均超过 5，故从锚索伸长率角度言，各支护形式均能满足要求。

5.3.5.4　锚索轴力分析

参照 5.3.3.4 节，计算得到不同短、长组合锚索（对应工况 4-1～工况 4-3）的轴力数据，如表 5.3-12 所示。

表 5.3-12　锚索轴力

锚索支护组合形式/m			7.5(+7.5)	5+10		6+9	
				5	10	6	9
轴力/kN	拱顶锚索①	增加值	375.6	391.3	250.4	542.5	383.9
		最终值	525.6	541.3	400.4	692.5	533.9
	拱腰锚索②	增加值	250.4	203.5	176.8	363.1	269.2
		最终值	400.4	353.5	326.8	513.1	419.2
	边墙锚索③	增加值	166.9	125.2	125.2	306.0	91.8
		最终值	316.9	275.2	275.2	456.0	241.8

据表 5.3-12 中数据，绘制锚索长度与轴力关系如图 5.3-24 所示。

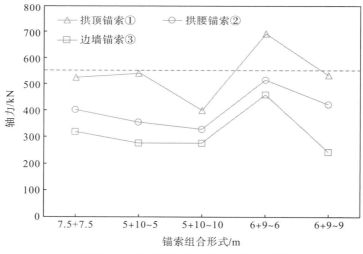

图 5.3-24　锚索支护组合形式与轴力关系

由图 5.3-24 可以看出：

（1）短、长组合式锚索中，短锚索轴力要大于长锚索，以 6m+9m 为例，6m、9m 锚索的最大轴力分别为 692.5kN、533.9kN。

（2）从锚索轴力量值上分析，等长 7.5m 和 5m+10m 短、长组合式锚索轴力均小于 550kN，最大值为 542.5kN，出现在 5m+10m～5m 拱顶锚索处；而 6m+9m～6m 锚索的最大轴力超过了 550kN，结构安全性难以得到有效保障。

综上，等长 7.5m 和 5m+10m 短、长组合式锚索的围岩位移、锚索伸长率、锚索轴力均能符合控制要求。同时，5m+10m～10m 锚索最大轴力 400.4kN，故可适当调增 10m 锚索的预应力至 350kN，以便于更好地控制围岩变形。

5.3.6　主动支护关键参数建议

据 5.3.2～5.3.5 节的数值计算分析，确定主动支护（预应力锚索）关键参数，如表 5.3-13 所示。

表 5.3-13　主动支护关键参数取值

支护载体	支护形式	锚索预应力/kN	锚索长度/m	锚索间距（环向×纵向）/(cm×cm)
锚索	等长支护	300	7.5+7.5	100×80～80×80
	短、长组合支护	300+300/350	5+10	

表 5.3-13 中，考虑现场锚索钻进工效和对围岩变形的控制效果，应优先采用 5m+10m 短、长组合支护形式；同时，为便于施工及管理，组合方式可设置为沿隧道纵向一环短锚索、一环长锚索。

5.4　本　章　小　结

本章以提出的可实现主动支护效应的围岩本构模型为基础，融合数值计算方法，提出了基于位移差的预应力锚固系统参数定量分析方法，并将其成功应用于木寨岭公路隧道预应力锚固系统的设计中，得到的主要结论如下：

（1）通过分析围岩变形规律，提出了基于材料延伸、受力及施工工效的锚杆（索）参数设计"三控"准则；在此基础上，进一步提出了考虑洞周围岩变形控制值的预应力锚固系统最优参数设计方法，实现了锚固系统参数由定性向定量的转变。

（2）依托木寨岭公路隧道试验段围岩力学参数，开展了基于位移差/梯度的预应力锚固系统参数设计，得到的适宜参数如表 5.3-13 所示。

（3）依据数值计算（过程）结果，得到规律性结论如下：①软岩大变形中，施加主动支护可使断面变形更均匀，进而增强了支护结构体系的整体稳定性。②提升预应力或者增密锚索支护间距，均能有效减小围岩变形，但上述变形控制效果随预应力增加或锚索支护间距加密，逐渐减弱；相较而言，锚索长度和组合形式对变形控制的影响较小。③锚索长度对锚索的延伸率和轴力均有明显影响，短锚索更易破坏。④较于等长锚索形式，短、长组合锚索中的短锚索受力将可能出现增加，应重点关注；但短、长组合锚索中的长锚索受力一般会有较大幅度下降，故可适当增加其预应力，以利于围岩变形控制，并提升短锚索结构的安全性。

第6章 软岩隧道中快速主动支护体系变形控制效应

快速主动支护体系在软岩隧道中的变形控制效应究竟如何？前述章节针对依托工程确定的支护参数是否科学合理，能否达到预期效果，都有待于通过现场实施来进一步检验。由此，在依托工程木寨岭公路隧道设定的支护试验段，即里程 YK218+800～YK218+820 段开展了主动支护体系的现场试验研究，通过对试验过程中围岩变形特征、结构受力特性、锚索轴力等指标的监控与分析，评价主动支护体系作用下木寨岭软岩隧道大变形段的围岩-结构稳定性与支护结构安全性特征，进而揭示主动支护体系在软岩隧道中的适用性与可靠性，验证前述章节参数制定的科学性。

6.1 木寨岭公路隧道主动支护试验段概况

YK218+800～YK218+820 段原设计为 SVc 型强力被动支护体系(图 1.3-4)，该段围岩主要为炭质板岩夹砂质板岩，黑色，薄层状结构，层厚 1～20cm，倾角 75°～90°；该段岩体完整性差(K_v=0.43～0.59，[BQ]=156.5～181.5)，围岩自稳能力弱、易掉块；掌子面围岩如图 6.1-1 所示，显示随里程增加，掌子面围岩层理化减弱，但破碎程度有所增加。

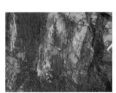

(a)YK218+801.4 (b)YK218+806 (c)YK218+810 (d)YK218+815.6

图 6.1-1 掌子面围岩

在 YK218+800～YK218+810 段进行的现场点荷载强度测试试验(图 6.1-2)表明该段岩体的单轴抗压强度为 15.2～25.8MPa，遇水软化后仅为 9.8MPa，属于典型软岩范畴。结合地应力场分析，岩石的强度应力比 R_c/σ_{max} 为 1.23～1.77，该段属极高地应力区。

(a)试验加载

(b)试验完成

图 6.1-2　点荷载试验

6.2　软岩试验段主动支护体系方案设计

6.2.1　主动支护体系关键设计参数

据 5.3.6 节中表 5.3-13 "主动支护关键参数取值"，确定如下：

(1)实际施工中预应力锚索支护环向间距 100cm，纵向间距 80cm，每环 23 根。

(2)预应力锚索支护形式定为 5m+10m 短、长组合形式，纵向交替布置，即沿隧道纵向一环 5m 锚索，一环 10m 锚索。

(3)为充分发挥预应力锚固系统的主动支护能力，取预应力值范围 300～400kN；考虑到 Φ21.8 锚索 1.5 倍承载安全性(513/1.5≈350kN)，并结合浅部、深部围岩锚固能力差异性，确定 5m 锚索施加 300kN 预应力，10m 锚索施加 350kN 预应力。

(4)考虑到主、被动支护构件的变形协调，位移控制目标宜设定为 30～35cm，本次试验段取预留变形量为 35cm。

(5)采用 "树脂锚固+注浆锚固" 相结合，树脂锚固长度不小于 100cm。

(6)取消原锚杆支护。

被动支护(技术)构件主要为钢拱架、喷射混凝土、钢筋网和二衬，同原 SVc 设计，不变。

绘制主动支护体系结构设计图，如图 6.2-1 所示。

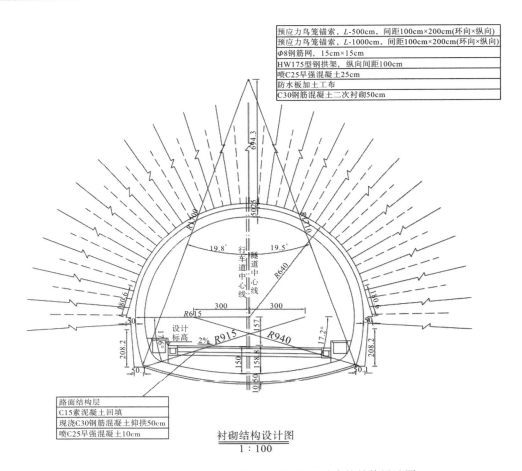

图 6.2-1　YK218+800～YK218+820 段主动支护结构设计图

6.2.2　主动支护体系组成构件

　　主动支护体系以快速主动支护理论为基础，联合主动支护技术和隧道既有被动支护技术共同组成。前述第 3 章中研发的鸟笼锚索系统即是一种"及时(树脂端锚)+永久(水泥浆全长锚固)"预应力锚固系统，其树脂段具备实现快速(强)预应力支护的能力，及时注浆确保了整个锚固系统在隧道全服役期内发挥可靠的支护效应，基于上述特性，主动支护技术的实现将以鸟笼锚索系统为核心载体。

　　为尽可能扩散预应力，达到更好的支护效果，主动支护技术还将采用协同辅助构件，钢带和网，故确定主动支护技术的最终形式为"锚网带"，如图 6.2-2 所示，其中：①锚，即为鸟笼锚索系统，主要由鸟笼锚索、垫板、锚具、注浆球垫、防腐套管、树脂锚固剂和纯水泥浆等组成；②带，选用应用最广、预应力扩散效果良好的 W 型钢带；③网，考虑支护围岩大变形需要，选用柔性勾花网(菱形金属网)。

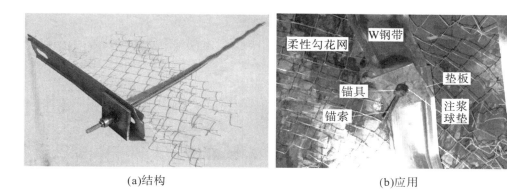

(a)结构　　　　　　　　　　　　(b)应用

图 6.2-2　主动支护技术组成

在主动支护技术确定的基础上，明确主动支护体系由"鸟笼锚索系统+柔性勾花网+W 钢带+钢筋网+型钢拱架+喷射混凝土+模筑混凝土二衬"组成，其中"钢筋网+型钢拱架+喷射混凝土+模筑混凝土二衬"称为被动支护(技术)构件。

6.2.3　主动支护体系的构件组成与性能要求

1. 主动支护(技术)构件

(1)锚索体：采用 1×19S-21.8mm-1860MPa 锚索，长度为 L-500cm 和 L-1000cm 两种；钻孔直径 45mm。

(2)鸟笼段：最大直径 33～34mm；L-500 cm 鸟笼段长度 1.2 m，L-1000 cm 鸟笼段长度 1.5 m。

(3)锚固剂：L-500cm 锚索为 3 节 CKb3540 锚固剂；L-1000 cm 锚索为 4 节 CKb3540 锚固剂；注浆采用 0.4 水灰比 P.O42.5 纯水泥浆。

(4)垫板：采用方形平板垫板，尺寸为长×宽×厚=250mm×250mm×20mm，中心孔直径 60mm。

(5)W 钢带：2 孔一片；长度 1300mm，宽度 280mm，厚度 2.8mm；材质 Q235。

(6)柔性勾花网：型号 300#10cm×10cm，网格尺寸 100mm×100mm。

2. 被动支护(技术)构件

(1)钢拱架采用 HW175 型钢拱架。

(2)喷射混凝土采用 C25 早强混凝土。

(3)二衬采用 C30 钢筋混凝土。

6.2.4 与分部开挖相配套的主动支护技术施工设计

以木寨岭公路隧道施工中采用的三台阶法(第一台阶高度 300cm, 长度控制在 5～8m; 第二台阶高度 300cm, 长度控制在 15～20m; 第三台阶高度 350～461cm, 图 6.2-3) 为例, 设计主动支护技术如下。

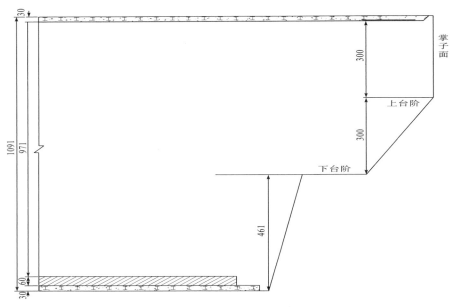

图 6.2-3 三台阶施工方案

1. 上台阶主动支护设计
(1) 开挖进尺: 0.8m; 扩挖量(预留变形量): 35cm。
(2) 采用"锚网带"形式, 布置如图 6.2-4 所示。

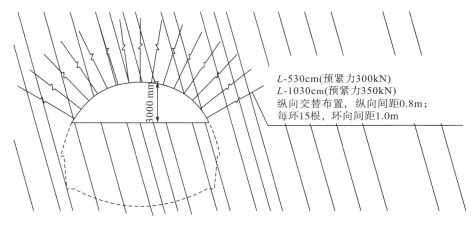

(a)支护断面图

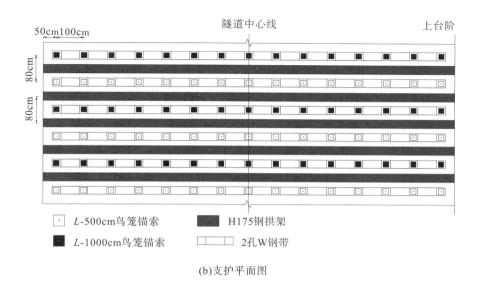

(b)支护平面图

图 6.2-4　上台阶主动支护布置图

(3)设计说明：①上台阶柔性勾花网需搭接成环；②环向每 2 根锚索采用 W 钢带相互连接，要求搭接成环；③断面开挖后即刻进行主动支护技术施工，完成后再进行被动支护技术施工；④鸟笼锚索施工角度宜与节理面大角度相交；⑤控制左、右两侧最下一根鸟笼锚索距台阶 0.5m 左右。

2. 中台阶主动支护设计

(1)开挖进尺：0.8m；扩挖量(预留变形量)：35cm。

(2)采用"锚网带"形式，布置如图 6.2-5 所示。

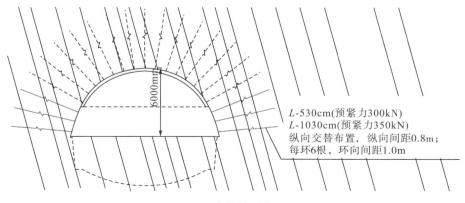

(a)支护断面图

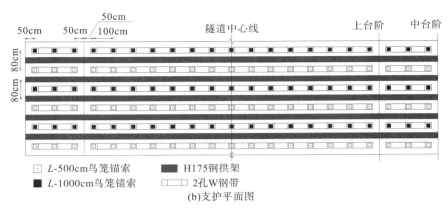

图 6.2-5　中台阶主动支护布置图(含上台阶)

(3)设计说明：①环向每 2 根锚索采用 W 钢带相互连接；②断面开挖后即刻进行主动支护技术施工，完成后再进行被动支护技术施工；③鸟笼锚索施工角度宜与节理面大角度相交；④控制左、右侧最上(下)鸟笼锚索距上(中)台阶 0.5m 左右。

3. 下台阶主动支护设计

(1)开挖进尺：0.8m；扩挖量(预留变形量)：35cm。

(2)采用"锚"形式，布置如图 6.2-6 所示。

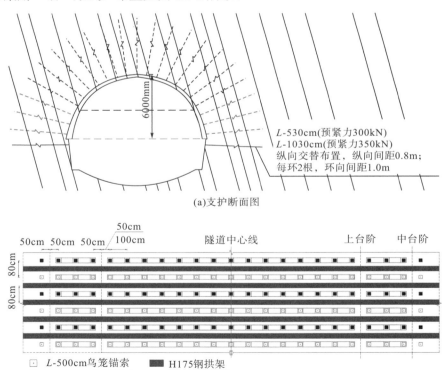

图 6.2-6　下台阶主动支护布置图(含上、中台阶)

（3）说明：①断面开挖后即刻进行主动支护技术施工，完成后再进行被动支护技术施工；②鸟笼锚索施工角度宜与节理面大角度相交；③控制鸟笼锚索距中台阶 0.5m 左右。

6.3　软岩隧道中主动支护体系变形控制效果分析

6.3.1　试验段主动支护体系监控方案的制定

为准确了解主动支护体系对软岩隧道的变形控制效果，施工过程中每 5m 设置一个位移监测断面，重点监测拱顶沉降、拱腰水平位移和边墙水平位移；且对断面 YK218+805.2 进一步开展了鸟笼锚索轴力监测、钢架内力监测和初支与围岩间压力监测；同时，作为对比，在主动支护试验段前约 20m 同样每隔 5m 设置一个位移监测断面。具体监测断面如表 6.3-1 所示。

表 6.3-1　试验时选定的典型监测断面

监测项目	断面里程		
	YK218+780～YK218+805(隔 5m)	YK218+805.2	ZK218+805～ZK218+820(隔 5m)
拱顶沉降	√	√	√
拱腰、边墙水平(收敛)位移	√	√	√
锚索轴力	—	√	—
钢架内力	—	√	—
初支与围岩间压力	—	√	—

6.3.1.1　隧道拱顶沉降、周边收敛监测

1. 监测内容

拱顶沉降和洞壁测线水平收敛(洞壁测点水平位移)。

2. 监测目的

（1）围岩变形是隧道围岩应力状态变化的最直观反映，可为判断隧道空间的稳定性提供可靠的信息。

（2）根据变形速率判断隧道围岩的稳定程度，为二次衬砌提供合理的支护时机。

（3）判断支护体系设计与施工方法选取的合理性，用以指导设计和施工。

3. 监测方法

沿隧道纵向每隔 5m 布置一个监测断面，应保证在监测断面爆破后 24h 内测读初次读数。在拱顶、上中台阶、中下台阶的连接处左、右位置各设置一个测点，如图 6.3-1 所示，A 点为拱顶沉降监测点，B、C、D、E 为水平位移监测点。通过 TS09 全站仪测读位移。

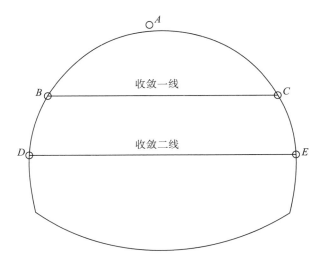

图 6.3-1　监测点布置示意图

4. 监测频率

一般情况下，隧道拱顶沉降和水平位移监测的频率可参照表 6.3-2 执行，直至二次衬砌施作。监测频率可根据监测数据和现场围岩变形实际情况及时调整。

表 6.3-2　隧道拱顶沉降和水平位移监测频率

开挖后时间	1～15 天	16～30 天	1～3 个月	3 个月以上
监测频率	1～2 次/天	1 次/2 天	1～2 次/周	1～3 次/月

6.3.1.2　鸟笼锚索轴力监测

1. 监测内容

监测鸟笼锚索轴力变化，了解鸟笼锚索的工作状况。

2. 监测目的

(1)了解鸟笼锚索的实际工作状态，分析其受力与隧道开挖间的相互关系。

(2)判断鸟笼锚索设计参数的合理性，指导/修正后续锚索参数设计。

3. 监测方法

在锚索垫板施作完成后，将锚索测力计安装于锚索垫板上，锚索索体从测力计中心开孔处穿过，然后安装锚具，确保测力计的受力面与待测点处的压力方向垂直并平稳固定于垫板与锚具之间，如图 6.3-2 所示。需要注意的是：当测力计出现明显几何偏心(测力计各分测量值差异显著)时，应即时予以调整，以确保测量读数准确合理，必要时可在测力计量测时加设平整钢板以确保其受力均匀稳定。在锚索测力计完成安装定位后应及时调零，读取初值。

图 6.3-2　锚索测力计的安装

4. 测点布设

每一监测断面设置 5 个锚索测力计，如图 6.3-3（a）所示。鉴于采用三台阶法开挖，且中台阶左右错台，锚索测力计的安设顺序应与开挖顺序相适应，如图 6.3-3（b）所示。

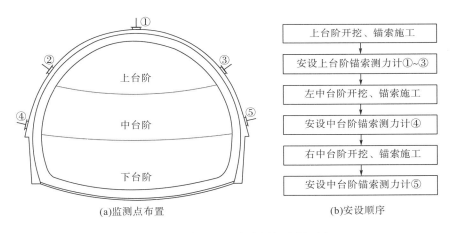

（a）监测点布置　　　　　　　　　（b）安设顺序

图 6.3-3　测力计监测点布置与安设顺序

5. 监测频率

同表 6.3-2 "隧道拱顶沉降和水平位移监测频率"。

6.3.1.3　钢拱架受力监测

1. 量测内容

监测钢拱架受力变化，了解钢拱架的工作状况。

2. 量测目的

（1）了解钢拱架的实际工作状态，分析其受力与隧道开挖间的相互关系。

（2）判断钢拱架设计参数的合理性，指导/修正后续钢拱架参数设计。

3. 监测方法

采用振弦式钢筋应变计测量钢拱架应变。安装步骤(图6.3-4)如下：待立完钢拱架后，在钢拱架腹板与翼缘(上、下)交接位置处(沿拱架轴向布设)，将应变计(上、下各一个)两端与腹板点焊牢固，即完成应变计的安装。安装过程中务必注意应变计两端均需焊接于钢拱架腹板，且应沿拱架轴向布设。

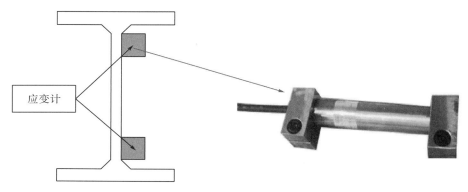

图6.3-4　钢拱架应变计的安装

4. 测量元件布设

每一监测断面设置5对钢筋应变计，如图6.3-5(a)所示。鉴于采用三台阶法开挖，且中台阶左右错台，应变计的安设顺序应与开挖顺序相适应，如图6.3-5(b)所示。

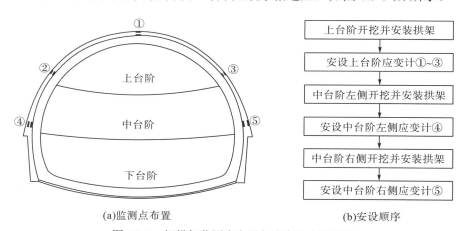

(a)监测点布置　　　　　　　　(b)安设顺序

图6.3-5　钢拱架监测点布置与应变计安设顺序

5. 监测频率

同表6.3-2"隧道拱顶沉降和水平位移监测频率"。

6.3.1.4　围岩压力监测

1. 量测内容

监测围岩与初期支护间的压力。

2. 量测目的

(1)了解初期支护对围岩的支护效果。

(2)为进一步优化后续支护有关参数提供依据。

3. 监测方法

采用振弦式双膜土压力盒测量围岩压力。为确保土压力盒与围岩密贴,需采用安装支架来固定土压力盒位置。一般安装步骤(图 6.3-6)如下:待立完钢拱架后,将土压力盒放置于安装支架面板上,将安装支架杆柄与拱架上下翼缘侧边紧贴,然后调整安装支架位置,直至土压力盒与围岩密贴,最后将杆柄与拱架翼缘焊接固定,即完成土压力盒的安装。安装过程中务必注意土压力盒需与围岩密贴。

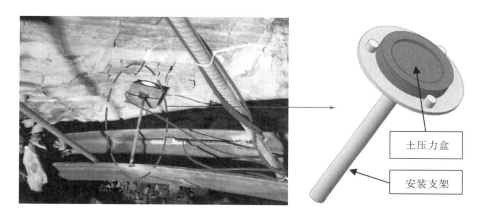

图 6.3-6　土压力盒的安装

4. 测量元件布设

每一监测断面设置 5 个土压力盒,如图 6.3-7(a)所示。鉴于采用三台阶法开挖,且中台阶左右错台,土压力盒的安设顺序应与开挖顺序相适应,如图 6.3-7(b)所示。

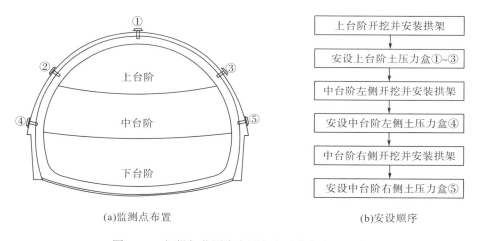

(a)监测点布置　　　　　　　　　　　　(b)安设顺序

图 6.3-7　钢拱架监测点布置与土压力盒安设顺序

5. 监测频率

同表 6.3-2"隧道拱顶沉降和水平位移监测频率"。

6.3.2 围岩稳定性分析

6.3.2.1 监测断面变形分析

1. YK218+800 断面

YK218+800 断面(图 6.3-8)各测点随支护时间的增长,逐渐趋于基本稳定。拱顶 A 下沉 49mm;断面具有随机变形的特点,最大位移表现为右拱腰 C>左边墙 D>左拱腰 B>右边墙 E>拱顶 A;5 个测点中的右拱腰 C 测点变形最大,累计变形量达 229 mm。最大变形速率达到 92mm/d,出现在左边墙 D 测点;各监测点在 2~5d 后,其变形速率呈现明显下降。总体上,断面开挖后 25d 内,变形速率较大,25d 后,变形速率变化范围为 0~3mm/d,围岩整体变形基本趋于稳定。

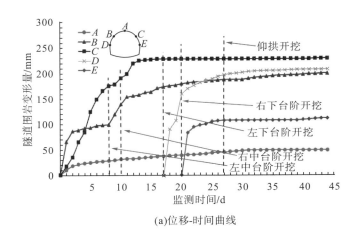

(a)位移-时间曲线

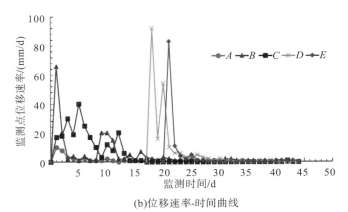

(b)位移速率-时间曲线

图 6.3-8　YK218+800 断面

2. YK218+805 断面

YK218+805 断面(图 6.3-9)各测点随支护时间的增长，逐渐趋于基本稳定。拱顶 *A* 下沉最大值为 43mm；拱腰(*B*/*C*)和边墙(*D*/*E*)为非对称变形，围岩的左侧(*B*/*D*)变形大于右侧(*C*/*E*)变形；5 个测点中的左拱腰 *B* 测点变形最大，累计变形量达 234 mm。最大变形速率达到 57mm/d，出现在左边墙 *D* 测点；各监测点在 2~5d 后，其变形速率呈现明显下降。总体上，断面开挖后 30d 内，变形速率较大，30d 后，变形速率变化范围为 0~3 mm/d，围岩整体变形基本趋于稳定。

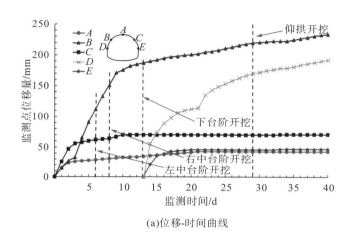

(a)位移-时间曲线

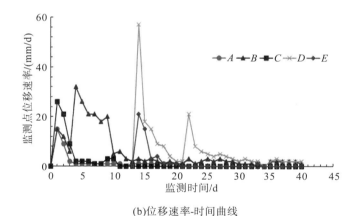

(b)位移速率-时间曲线

图 6.3-9　YK218+805 断面

3. YK218+810 断面

YK218+810 断面(图 6.3-10)各测点随支护时间的增长，逐渐趋于基本稳定。拱顶 *A* 下沉最大值为 110mm；断面变形较为均匀，各测点的位移量在 110~140mm；5 个测点中的左拱腰 *B* 测点变形最大，累计变形量达 137 mm。最大变形速率达到 66mm/d，

出现在拱顶 A 测点；各监测点在 2～8d 后，其变形速率呈现明显下降。总体上，断面开挖后 20d 内，变形速率较大，20d 后，变形速率变化范围为 0～3mm/d，围岩整体变形基本趋于稳定。

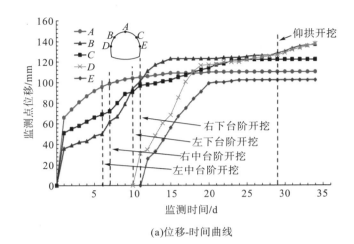

(a)位移-时间曲线

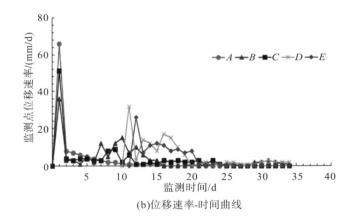

(b)位移速率-时间曲线

图 6.3-10　YK218+810 断面

4. YK218+815 断面

YK218+815 断面(图 6.3-11)各测点随支护时间的增长，逐渐趋于基本稳定。拱顶 A 下沉最大值为 46mm；除拱顶 A 外，断面其余部位的变形较为均匀，各测点的位移量在 120～160mm；5 个测点中的左边墙 D 测点变形最大，累计变形量达 160 mm。最大变形速率达到 71mm/d，出现在右边墙 E 测点；各监测点在 2～5d 后，其变形速率呈现明显下降。总体上，断面开挖后 20d 内，变形速率较大，20d 后，变形速率变化范围为 0～3mm/d，围岩整体变形基本趋于稳定。

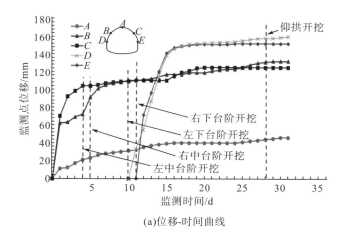

(a)位移-时间曲线

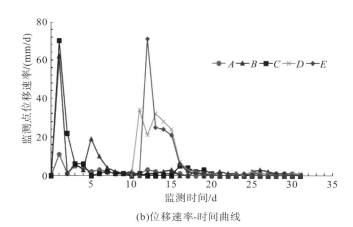

(b)位移速率-时间曲线

图 6.3-11　YK218+815 断面

5. YK218+820 断面

YK218+820 断面(图 6.3-12)各测点随支护时间的增长，逐渐趋于基本稳定。拱顶 A 下沉最大值为 86mm；拱腰(B/C)和边墙(D/E)为非对称变形，围岩的右侧(C/E)变形大于左侧(B/D)变形；5 个测点中的右拱腰 C 测点变形最大，累计变形量达 132 mm。最大变形速率达到 79mm/d，出现在右拱腰 C 测点；各监测点在 2~5d 后，其变形速率呈现明显下降。总体上，断面开挖后 20d 内，变形速率较大，20d 后，变形速率变化范围为 0~3mm/d，围岩整体变形基本趋于稳定。

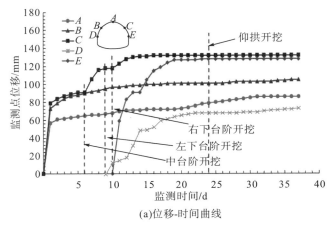

(a)位移-时间曲线

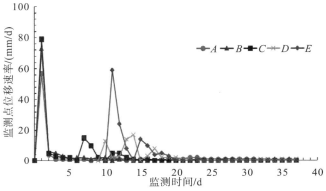

(b)位移速率-时间曲线

图 6.3-12　YK218+820 断面

6.3.2.2　整体变形规律分析

(1)除 YK218+800 和 YK218+820 断面最大位移出现在右拱腰 C 测点外,其余断面均出现在隧道左侧,其中 YK218+805、YK218+810 断面出现在左拱腰,YK218+815 断面出现在左边墙,表明围岩变形在该区段具有倾向性。结合掌子面围岩情况分析,YK218+800断面附近右拱腰处地下水发育,YK218+820 断面掌子面右侧围岩性状要明显差于左侧外,其余断面左、右侧掌子面围岩并未有明显差异,变形主要受岩层的倾角影响,致断面左侧位移要稍微大于右侧。

(2)各断面最大位移 137~234mm,断面开挖后 30d 内,基本都可趋于稳定。测点变形速率一般在开挖揭露后 2~5d 出现明显下降,测点位移则一般在开挖揭露后的 5~10d内收敛(<1~3mm/d)。

(3)最大变形速率 57~92mm/d,大多出现在测点开挖后第 2d(锚索施工完成后测得),并在第 3d 出现显著下降。监测结果显示变更后的支护体系适应性增强,对围岩变形具有较强的控制能力。

6.3.3 支护结构受力特性与安全性分析

在主动支护体系试验段，选择断面 YK218+805.2，对施作主动支护体系后的围岩（与初期支护间）压力、拱架应力和鸟笼锚索轴力进行监测。图 6.3-13 为现场监测实景。

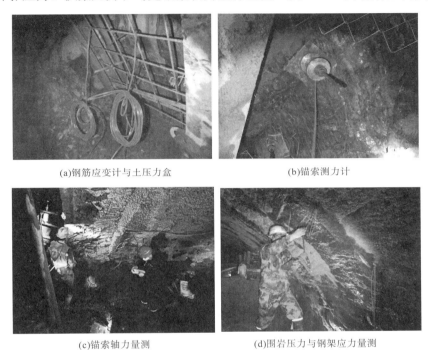

(a)钢筋应变计与土压力盒 (b)锚索测力计

(c)锚索轴力量测 (d)围岩压力与钢架应力量测

图 6.3-13 监测元件与现场监测

6.3.3.1 鸟笼锚索轴力

试验测得鸟笼锚索轴力时程曲线，如图 6.3-14 所示。

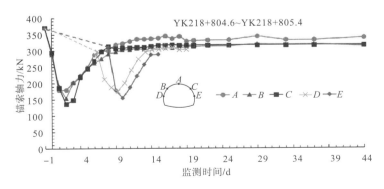

图 6.3-14 鸟笼锚索轴力时程曲线

注：横坐标"−1"对应的轴力值表示千斤顶加载的预应力值；A/B/C 线中横坐标"0"表示千斤顶卸载后，

加载到锚索上的顶紧力，对应 D 线为"6"，E 线为"8"。

由图 6.3-14 可以看出：

(1)千斤顶施加的预应力与加载至锚索上的预紧力存在差异，差值达到 70～90kN，该值即为加载阶段的预应力损失。本次试验获得的 5m 锚索加载至 370kN 左右的预应力损失率为 20%～30%。

(2)鸟笼锚索支护过程包含急速下降期、快速承载期和缓慢承载期。其中，①急速下降期出现在锚索安装后的 1～3d，降幅 40%～60%，析之原因，主要是近距离爆破和 "锚索-垫板-围岩"系统间"多界面"的受力传递过程；②快速承载期出现在急速下降期后的 5～7d 内，锚索轴力在此期间快速增长，该阶段的围岩变形速率一般仍较高；③缓慢承载期出现在快速承载期后，锚索轴力基本稳定，该阶段一般出现在支护体系的变形基本已经完成后。

(3)本次监测获得的轴力值以拱顶 A 部位鸟笼锚索最大，为 340kN；其次为左拱腰 B 和右拱腰 C 部位的鸟笼锚索，为 320kN；其后分别为左边墙 D 部位的鸟笼锚索(监测 14d 后测试元件损坏)和右边墙 E 部位的鸟笼锚索(监测 8d 后，测试元件损坏)，分别为 305kN 和 290kN。试验测得鸟笼锚索轴力在 290～340kN，表明鸟笼锚索系统发挥出了预设的支护能力。

6.3.3.2　钢拱架受力

拱架内、外侧应力时程曲线如图 6.3-15 所示。图 6.3-16 为计算的拱架弯矩 M 与轴力 N，图 6.3-17 为第 44d 的轴力 N 与弯矩 M 分布图。

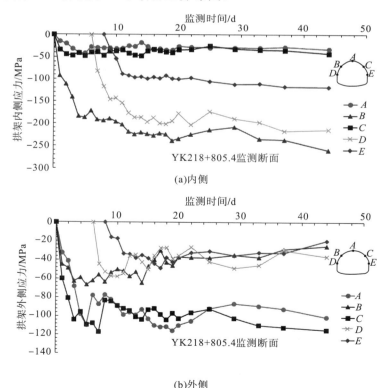

图 6.3-15　拱架应力时程曲线

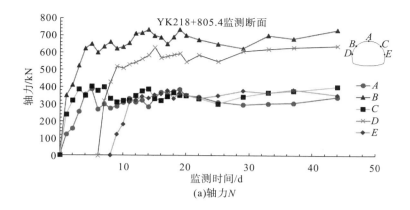

(a)轴力 N

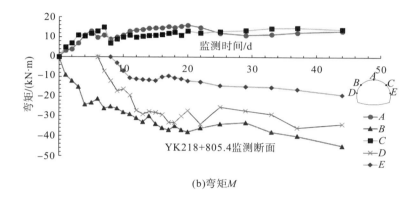

(b)弯矩 M

图 6.3-16　拱架轴力 N、弯矩 M 随时间变化曲线

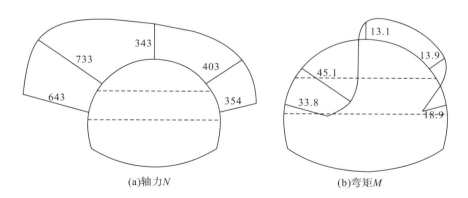

(a)轴力 N　　　　　　　　　(b)弯矩 M

图 6.3-17　拱架轴力 N、弯矩 M(第 44d)分布图(单位：kN、kN・m)

由图 6.3-15 知，随时间推移，拱架内、外侧的应力均逐渐增大，拱架在安装后的 5d 内其应力快速增长，5～20d 增速趋缓，20d 后应力基本稳定，变化幅度较小。

由图 6.3-16 和图 6.3-17 可知，开挖断面 20d 后，轴力在 340～650kN，弯矩在 10～50kN・m；计算得左拱腰处拱架(翼缘外侧)最大应力为 277.5MPa，设定拱架受力验算保守取值为 375MPa，最小安全系数为 1.35。

6.3.3.3　围岩压力

围岩压力时程曲线如图 6.3-18 所示，第 44d 围岩压力分布如图 6.3-19 所示。

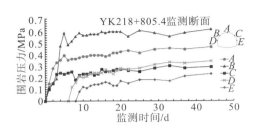

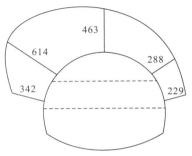

图 6.3-18　围岩压力时程曲线　　　　　图 6.3-19　围岩压力(第 44d)分布(kPa)

由图 6.3-18 和图 6.3-19 可以看出：各测点围岩压力在开挖后的 2～5d 内增长迅速，之后变化趋缓，与围岩变形规律基本一致；量值上，监测断面(稳定后)的围岩压力分布在 0.23～0.62MPa 间，压力最大值出现于左拱腰 B 部位，超过 0.614MPa，其次为拱顶 A 部位的 0.463MPa、左边墙 D 部位的 0.342MPa、右拱腰 C 部位的 0.296 MPa 和右边墙 E 部位的 0.229MPa；量值上左侧部位测点要明显大于右侧，主要原因应是层理角度、左右侧围岩岩性差异和开挖工序(左侧先开挖)等因素导致。

6.4　软岩隧道中主、被动支护体系的变形控制效应对比

为进一步揭示主动支护的变形控制效果，选择试验段前后约 20m(YK218+780～YK218+800 和 YK218+820～YK218+840，支护体系为 SVc 型衬砌)的"强力被动支护"段与"主动支护"段(YK218+800～YK218+820)进行变形控制效果对比分析。

6.4.1　"强力被动支护"段概况

6.4.1.1　岩性状况分析

YK218+780～YK218+800 段(埋深 565～575m)施工开挖揭示，该段围岩主要为炭质板岩夹砂质板岩，黑色，薄层状结构，层厚 1～20cm，倾角 75°～90°；该段岩体完整性差，围岩自稳能力弱、易掉块；掌子面围岩如图 6.4-1 所示，显示随里程增加，掌子面围岩逐渐呈现较明显的挤压性，片理化程度加剧。

(a)YK218+781.8　　(b)YK218+786.6　　(c)YK218+791.4　　(d)YK218+798.6

图 6.4-1　掌子面典型围岩

与 YK218+800～YK218+820 段（主动支护体系试验段）围岩对比，YK218+780～YK218+800 段围岩层理角度（倾角）、层厚与岩体组成（主要为炭质板岩夹砂质板岩）等均未出现明显变化。

6.4.1.2　围岩稳定性分析

1. 监测断面变形分析
1) YK218+780 断面

YK218+780 断面（图 6.4-2）各测点随支护时间的增长，逐渐趋于基本稳定。拱顶 A 下沉最大值为 127mm；拱腰（B/C）和边墙（D/E）为非对称变形，围岩的右侧（C/E）变形大于左侧（B/D）变形；5 个测点中的右边墙 E 测点变形最大，累计变形量达 247 mm（侵限 47mm）。最大变形速率达到 56mm/d，出现在右边墙 E 测点；各监测点在 4～16d 后，其变形速率"显著下降"（定义为小于本监测点最大变形速率的 1/4）。总体上，断面开挖 20d 后，变形速率变化范围为 0～2mm/d，围岩整体变形基本趋于稳定。

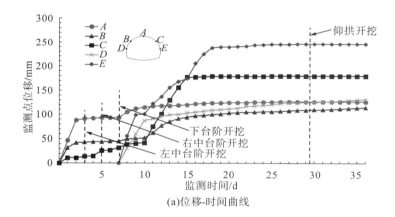

(a)位移-时间曲线

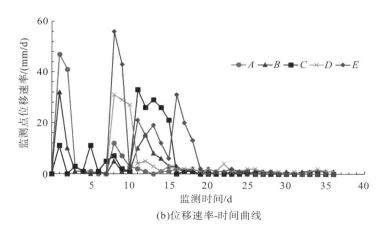

(b)位移速率-时间曲线

图 6.4-2　YK218+780 断面

2）YK218+785 断面

YK218+785 断面（图 6.4-3）各测点随支护时间的增长，逐渐趋于基本稳定。拱顶 A 下沉最大值为 58mm。拱腰（B/C）和边墙（D/E）为非对称变形，围岩的右侧（C/E）变形大于左侧（B/D）变形；5 个测点中的右边墙 E 测点变形最大，累计变形量达 240mm（侵限 40mm）。最大变形速率为 74mm/d，出现在右边墙 E 测点；各监测点在 5～13d 后，其变形速率"显著下降"。总体上，断面开挖 18d 后，变形速率变化范围为 0～2mm/d，围岩变形趋于稳定。

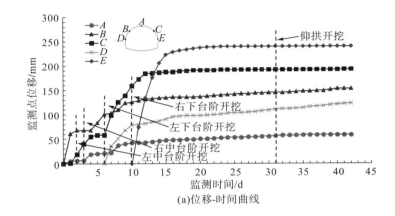

(a)位移-时间曲线

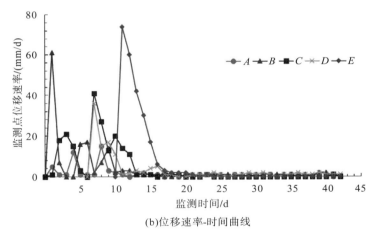

(b)位移速率-时间曲线

图 6.4-3　YK218+785 断面

3）YK218+790 断面

YK218+790 断面（图 6.4-4）各测点随支护时间的增长，逐渐趋于基本稳定。拱顶 A 下沉最大值为 77mm。拱腰（B/C）和边墙（D/E）为非对称变形，围岩的右侧（C/E）变形大于左侧（B/D）变形；5 个测点中的右拱腰 C 测点变形最大，累计变形量达 404mm（侵限 54mm）。最大变形速率为 112mm/d，出现在右拱腰 C 测点；各监测点在 3～11d 后，变形速率"显著下降"。总体上，断面开挖 30d 后，变形速率变化范围为 0～2mm/d，围岩变形趋于稳定。

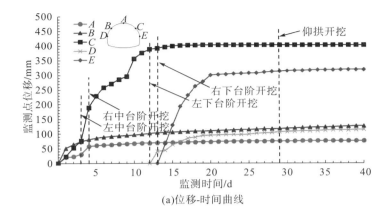

(a)位移-时间曲线

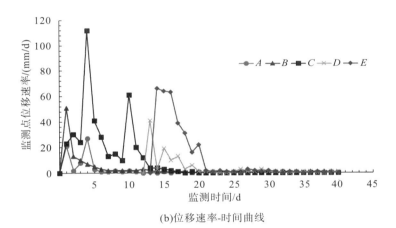

(b)位移速率-时间曲线

图 6.4-4　YK218+790 断面

4) YK218+795 断面

YK218+795 断面(图 6.4-5)各测点随支护时间的增长,逐渐趋于基本稳定。拱顶 A 下沉最大值为 73mm。拱腰(B/C)和边墙(D/E)为非对称变形,围岩的右侧(C/E)变形大于左侧(B/D)变形;5 个测点中的右拱腰 C 测点变形最大,累计变形量达 529mm(侵限 179mm),其次为右边墙 E 测点的 359mm(侵限 9mm)。最大变形速率为 94mm/d,出现在右拱腰 C 测点;各监测点在 3～16d 后,其变形速率"显著下降"。总体上,断面开挖 29d 后,变形速率变化范围为 0～2mm/d,围岩变形趋于稳定。

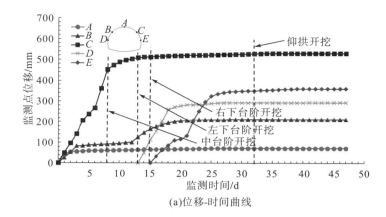

(a)位移-时间曲线

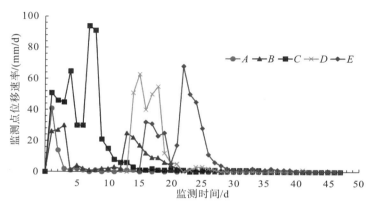

(b)位移速率-时间曲线

图 6.4-5　YK218+795 断面

2. 整体变形规律分析

（1）最大位移均出现在断面右侧，其中 YK218+780、YK218+785 断面出现在右边墙，YK218+790、YK218+795 断面出现在右拱腰，表明围岩变形在该区段具有倾向性。结合掌子面围岩情况分析，岩层近竖直状，右侧围岩破碎程度加剧，且拱腰部位在里程YK218+790 后，地下水发育程度加剧是导致上述现象的主要因素。

（2）既有支护体系下，断面开挖后 30d 内，基本都可趋于稳定，围岩具有明显"变而不塌"的现象，属典型挤压大变形。测点变形速率一般在开挖后 5d 左右出现明显下降，测点位移则一般在开挖揭露后的 7～15d 内收敛（<1～3mm/d），表明隧道开挖后短时间内岩体即完成了大部分的位移（能量）释放。

（3）YK218+780 和 YK218+785 断面的最大变形速率为 56mm/d 和 74mm/d，量值较大，表明原有支护体系的适用性差，对围岩变形的控制能力弱。后续，虽在 YK218+790 断面之后，将预留变形量由 20cm 调整至 35cm，但随着围岩岩性条件变差，YK218+790、YK218+795 断面的最大变形速率达到了 112mm/d 和 94mm/d，且最终出现了（局部）侵限（>35cm）（图 6.4-6），表明该支护体系已不具备适用性。

(a)远景　　　　　　　　　　　(b)近景

图 6.4-6　YK218+790～YK218+795 右侧侵限

6.4.2　主动与强力被动支护模式下围岩稳定性对比分析

6.4.2.1　最大位移

图 6.4-7 为里程 YK218+780～YK218+820 共计 9 个断面的最大位移值和对应的测点位置编号。需要说明的是，YK218+790～YK218+800 的预留变形量由 20cm 调整至 35cm。

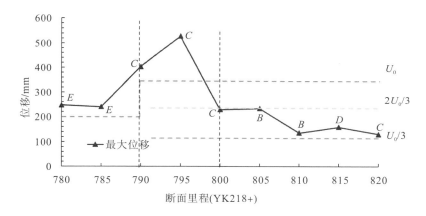

图 6.4-7　YK218+780～YK218+820 断面最大位移变化曲线

注：U_0 为预留变形量

由图 6.4-7 可以看出：

(1)断面最大位移主要出现在右拱腰 C 测点(4 次)，其次为左拱腰 B 测点(2 次)和右边墙 E 测点(2 次)，再次为左边墙 D 测点。拱腰位置仍是重点关注部位。

(2)YK218+780、YK218+785 断面最大位移为 247mm、240mm，超过了 20cm 的预留变形量；后在 YK218+790 断面将预留变形量调整至 35cm，但随着围岩条件持续变差和地下水发育加剧，YK218+790、YK218+795 断面最大变形量超过了 35cm，并在右拱腰 C 处出现了明显的喷射混凝土损裂破坏和局部掉块，SVc 型支护体系已不再具备适用性。

(3)自 YK218+800 断面起，采用主动支护技术，围岩变形即得到了有效控制，

YK218+800 断面的最大位移降至 229mm，相比 YK218+795 断面的最大位移 529mm，位移减小 300mm，减幅 56.7%。

（4）YK218+800、YK218+805 断面受前述支护段影响，其最大变形量约 $2U_0/3$；但自 YK218+810 断面起，围岩最大变形量接近 $U_0/3$，主动支护取得了极好的支护效果。

综上所述，采用主动支护技术有效地规避了强力被动支护模式下频发的围岩大变形现象；结合试验数据分析，主动支护适用于围岩位移（强力被动支护下）达到 35～55cm 的情况。

6.4.2.2　初始变形速率

根据监测数据绘制了 YK218+780～YK218+820 断面 3d、5d 和 7d 的最大平均变形速率和对应的测点位置编号，如图 6.4-8 所示。

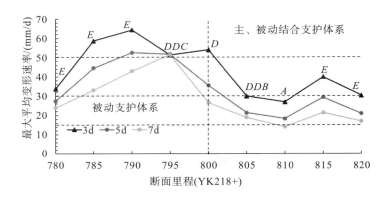

图 6.4-8　YK218+780～YK218+820 断面 3d、5d 和 7d 最大平均变形速率变化曲线

注：DDC 表示 3d、5d 和 7d 的最大平均变形速率分别出现在 D 测点、D 测点和 C 测点

由图 6.4-8 可以看出：

（1）3d、5d 和 7d 的断面最大平均变形速率主要出现在右边墙 E 测点及左边墙 D 测点。结合前述对测点出现最大位移部位的分析，知最大位移和最大平均变形速率出现部位存在一定差异，即 3d、5d 和 7d 的最大平均变形速率主要出现于下半断面，而最大位移则主要出现在上半断面。析之原因，岩层近垂直，边墙部位应是变形较大部位，但施工采用三台阶法，上半断面测点的监测时间要比下半断面测点多 7d 以上，因此出现了上述不一致的现象。

（2）一般情况，$\overline{V}_{3d} > \overline{V}_{5d} > \overline{V}_{7d}$（$\overline{V}$ 为最大平均变形速率），表明随着时间的推移，围岩能量逐渐释放，最大平均变形速率减小；但在 YK218+795 断面，$\overline{V}_{3d} \approx \overline{V}_{5d} \approx \overline{V}_{7d} > 50\,\mathrm{mm/d}$，断面（局部）前 7d 一直处于高速变形状态，最终变形量达到了 529mm，出现明显的（局部）侵限，显示 SVc 型支护体系未能对围岩进行有效支护，适应性不佳。

（3）自 YK218+800 断面起，采用主动支护技术后，断面 3d、5d 和 7d 的最大平均变形速率呈现了下降。具体表现为，在 YK218+800 断面虽 $\overline{V}_{3d}$ 与 YK218+795 断面相比出现了轻微上升，但 $\overline{V}_{5d}$、$\overline{V}_{7d}$ 均呈现明显减小，对应量值为 35.6mm/d、26.7mm/d，显示受原支护变形段影响，YK218+800 断面开挖后的早期围岩变形仍较为强烈，但因采用了主动支护技术，围岩最大平均变形速率在 3d 后即得到较好的控制，最终反映在 YK218+800 断面的最大变形值减至 229mm。

借鉴中国铁路总公司《铁路挤压性围岩隧道技术规范》(Q/CR 9512—2019)中对变形速率、变形潜势和支护体系适应性的评价表 8.3.2，并结合木寨岭公路隧道现场围岩变形与支护损裂状态，设定：$\overline{V}\leqslant15$mm/d 为低等速率，记"低"，对应支护体系评价为"强"；15mm/d $<\overline{V}\leqslant30$mm/d 为普通速率，记"普"，对应支护体系评价为"合理"；30mm/d $<\overline{V}\leqslant50$mm/d 为中等速率，记"中"，对应支护体系评价为"偏弱"；$\overline{V}>50$mm/d 为高等速率，记"高"，对应支护体系评价为"弱"。基于此，给出各断面的最大平均变形速率评价如表 6.4-1 和表 6.4-2 所示。

表 6.4-1　最大平均变形速率评价（SVc）

里程	780			785			790			795		
类型	$\overline{V}_{3d}$	$\overline{V}_{5d}$	$\overline{V}_{7d}$	$\overline{V}_{3d}$	$\overline{V}_{5d}$	$\overline{V}_{7d}$	$\overline{V}_{3d}$	$\overline{V}_{5d}$	$\overline{V}_{7d}$	$\overline{V}_{3d}$	$\overline{V}_{5d}$	$\overline{V}_{7d}$
等级	中	普	普	高	中	中	高	高	中	高	高	高
体系评价	偏弱	合理	合理	弱	偏弱	偏弱	弱	弱	偏弱	弱	弱	弱
变形/mm	247			240			404			529		

表 6.4-2　最大平均变形速率评价（主动）

里程	800			805			810			815			820		
类型	$\overline{V}_{3d}$	$\overline{V}_{5d}$	$\overline{V}_{7d}$	$\overline{V}_{3d}$	$\overline{V}_{5d}$	$\overline{V}_{7d}$	$\overline{V}_{3d}$	$\overline{V}_{5d}$	$\overline{V}_{7d}$	$\overline{V}_{3d}$	$\overline{V}_{5d}$	$\overline{V}_{7d}$	$\overline{V}_{3d}$	$\overline{V}_{5d}$	$\overline{V}_{7d}$
等级	高	中	普	普	普	普	普	普	低	中	普	普	普	普	普
体系评价	弱	偏弱	合理	合理	合理	合理	合理	合理	强	偏弱	合理	合理	合理	合理	合理
变形/mm	229			234			137			160			132		

由表 6.4-1 和表 6.4-2 可知：

（1）YK218+790、YK218+795 断面出现大变形，相应 $\overline{V}_{3d}$、$\overline{V}_{5d}$、$\overline{V}_{7d}$ 的等级为"高、高、中"和"高、高、高"，结合 YK218+780、YK218+785 断面"中、普、普"和"高、中、中"分析，可知当 $\overline{V}_{3d}$ 等级为"高"时，需密切注意后续围岩变形情况；当 $\overline{V}_{3d}$、$\overline{V}_{5d}$ 等级均为"高"时，出现围岩大变形的概率很大。

（2）YK218+800 断面，$\overline{V}_{3d}$、$\overline{V}_{5d}$、$\overline{V}_{7d}$ 的等级为"高、中、普"，与 YK218+785 断面"高、中、中"相近，表明采用主动支护技术后围岩变形趋势显著下降；后续，YK218+805 断面 $\overline{V}_{3d}$、$\overline{V}_{5d}$、$\overline{V}_{7d}$ 等级进一步降为"普、普、普"，且至 YK218+820 里程，变形速率基本维持在"普"，表明采用主动支护技术后围岩由 YK218+785～YK218+795 的"高速"变形状态转变至"普通"变形状态。

(3) SVc 支护体系从 YK218+785 断面起已逐渐变为"偏弱",至 YK218+790 断面适用性进一步降低,为"弱、弱、偏弱",再至 YK218+795 断面适用性再次降低,为"全弱";而在 YK218+800 断面开始采用主动支护技术后,YK218+800 断面支护体系的评价即变为基本合理(弱、偏弱、合理),至 YK218+805 断面变为"合理",且后续段落基本维持在了"合理"状态。上述变化显示,对于围岩大变形,主动支护体系具有显著的支护优势。

6.5 本 章 小 结

本章依托研制的高强预应力鸟笼锚索和主动支护体系关键参数设计研究成果,开展了主动支护体系变形控制效应的现场试验研究。本章得到的结论如下:

(1) 主动支护体系由"鸟笼锚索系统+柔性勾花网+ W 钢带+钢筋网+型钢拱架+喷射混凝土+模筑混凝土二衬"组成,其中"钢筋网+型钢拱架+喷射混凝土+模筑混凝土二衬"称为被动支护(技术)构件。

(2) 主动支护试验段,断面最大位移为 137~234mm,一般在开挖揭露后的 5~10d 内收敛(<1~3mm/d);测点最大变形速率为 57~92 mm/d,一般在开挖揭露后 2~5d 内出现明显下降;显示出主动支护体系对围岩变形具有较强的控制能力。

(3) 鸟笼锚索支护过程包含急速下降期、快速承载期和缓慢承载期。其中,急速下降期降幅为 40%~60%,快速承载期出现在急速下降期后的 5~7d 内,缓慢承载期出现于围岩变形基本稳定后。试验测得鸟笼锚索稳定轴力在 290~340kN,显示鸟笼锚索系统发挥出了预设的支护能力。

(4) 与强力被动支护相比较,主动支护技术有效地规避了频发的围岩大变形现象;结合试验数据分析,主动支护适用于围岩位移(强力被动支护下)达到 35~55cm 的情况。

(5) 主动支护体系大幅降低了围岩早期的变形速率,使围岩形变能的释放呈现出稳定可控态势。

(6) 大变形隧道中,相比强力被动支护体系,主动支护体系的适用性更佳,反映在试验中对支护体系的评价以"合理"为主。

第7章　软岩隧道中快速主动
支护体系配套工艺技术

在以新型预应力鸟笼锚索系统为主体的主动支护技术实施过程中，为更好地体现该技术的支护及时性、优越性和可靠性，应重视对关键工艺技术的控制。长期以来，我国工程界对软岩隧道的施工受强力被动支护理念的影响，基本采用"先支后锚"的工艺技术，即软岩隧道开挖后，尽快施作具有较强抗力的拱架系统，而后再进行锚固系统的施作，在此施工工艺下，锚固系统的及时性难以体现。因此，在以鸟笼锚索为核心载体的主动支护体系施工过程中，传统的"先支后锚"的工艺技术因有悖于前述的快速主动支护理念，应对其进行变革，而变革的核心则是施工中应率先对鸟笼锚索进行施作。鉴于此，本章根据主动支护体系在木寨岭公路隧道中的施作过程，对软岩隧道中基于鸟笼锚索系统的主动支护体系关键工艺进行系统研究，最终形成软岩隧道中"先锚后支"的成套施工工艺技术。

7.1　软岩隧道中鸟笼锚索系统快速施工工艺

7.1.1　软岩隧道中可快速成孔的锚杆钻机选型与钻具改进

对软岩隧道中的锚杆(索)支护言，影响支护及时性的首要因素为钻孔时效性。受围岩岩性软、岩体破碎、缩孔等不利因素影响，钻进过程中钻头极易出现卡钻、掉钻和钻进效率低等问题，极大地限制了锚杆(索)，尤其是长锚杆(索)，在大变形隧道中的成功应用。为此，研究锚杆(索)快速施工工艺必先行明确适宜的钻孔机具，即锚杆钻机和钻具。

7.1.1.1　软岩隧道中适宜锚杆钻机及其关键参数研究

锚杆钻机按结构类型划分为单体式、钻车式和机载式(图 7.1-1)。其中，单体式钻机轻便、灵活，适用范围最广；钻车式钻机机械化程度高、扭矩大、功率大、钻进速度快，较适用于大断面巷道和公路、铁路隧道；机载式钻机一般是在掘进机上配备锚杆钻机，实现掘锚一体功能。

此外，单体式锚杆钻机还可按动力来源分为气动式、液压式及电动式，或按破岩方式分为旋转式、冲击式和冲击-旋转式。

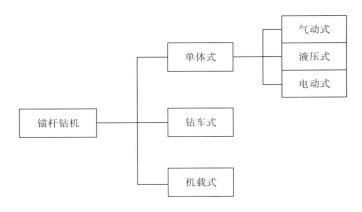

图 7.1-1　锚杆钻机分类

软岩隧道,尤其是高地应力软岩隧道,多采用三台阶法开挖。以两车道公路隧道为例,上台阶高度一般在 3～4m 不等,故钻车式和机载式钻机因受限于作业面高度,将难以得到有效应用。因此,到目前为止,软岩隧道中的锚孔施工仍以单体式锚杆钻机为主。

7.1.1.1.1　软岩隧道钻孔特性分析——以炭质板岩为例

以木寨岭公路隧道炭质板岩 [图 7.1-2(a)] 为研究对象,该型炭质板岩以泥岩为基岩,岩性致密,结构细,单轴饱和抗压强度 15～30MPa,力学特性上表现为微膨胀性、遇水易软化,隧道开挖临空后,围岩易发生塑性变形而挤入。

木寨岭公路隧道炭质板岩总体岩性呈现出强度低、塑性高、组成颗粒细腻、具微膨胀性和遇水易软化 [图 7.1-2(b)] 等特性。伴随高地应力、岩体破碎与水钻(钻孔)工艺等不利因素影响,预计钻进过程中将不可避免且极易出现钻进速度慢,以及塌孔、缩孔和钻头泥包(钻头体上黏附大量岩屑,影响钻进效率)等现象。

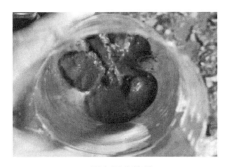

(a)薄层结构　　　　　　　　　　　　　　　　　(b)遇水泥化特性

图 7.1-2　典型炭质板岩(薄层状)

7.1.1.1.2　软岩隧道中不同破岩方式的锚杆钻机关键参数分析

目前,常用隧道锚杆钻机的破岩方式主要有两种:旋转式和冲击-旋转式。

1. 旋转式钻机适宜动力参数分析[48]

对于旋转式钻机，影响其钻进速度的主要因素为转速 N、推力 F 和回转转矩 M。

(1)钻机的适宜转速 N 与岩石的普氏系数 f 有关：

$$N = \frac{C}{f\sqrt{D}} \tag{7.1-1}$$

式中，C 为切削速度常数，6000～10300mm·r/min；D 为钻头直径，mm；f 为岩石普氏硬度系数。根据木寨岭公路隧道炭质板岩的岩体特性，取 C=10300 mm·r/min（软岩）、f=5；设钻孔直径 D=32mm，可计算得到最优额定转速 N=364 r/min。

(2)钻机的适宜推力 F 与侵入岩石深度 h 存在下述关系：

$$F = k \cdot h^m \tag{7.1-2}$$

式中，k 为侵入系数，t/mm；m 为常数，0.5～2，软岩取 1.0。而钻(进)速(度)v 与侵入岩石深度 h 和转速 N 间则存在如下关系：

$$v = \frac{Nh}{30} \times 10^{-3} \tag{7.1-3}$$

现设定目标钻速 v=1 m/min=0.0167m/s，f=5，当取 k=5500N/mm^2，计算得适宜推力 F=7.55kN。

(3)钻机的适宜转矩 M，一般指钻进过程中钻头受到的阻力转矩：

$$M = \frac{D}{2}\left(k'\tau_p hD + \frac{1}{2}\mu F\right) \tag{7.1-4}$$

式中，k' 为侧面剪切系数，k'=1+h/D；τ_p 为岩石抗剪强度，Pa；μ 为摩擦系数。根据木寨岭公路隧道炭质板岩的岩体特性取 τ_p=65N/mm^2，μ=0.17，计算得到适宜转矩 M=57.92N·m。

综合上述，木寨岭公路隧道炭质板岩岩性条件下，当选定钻孔直径 D=32mm，旋转式钻机适宜(匹配性)参数指标为：转速 N=364 r/min，推力 F=7.55kN，转矩 M=57.92N·m。

2. 冲击-旋转式钻机适宜动力参数分析

对于冲击-旋转式钻机，影响钻进速度的因素主要是冲击功率 P(冲击能 e 和冲击频率 f)。对于隧道围岩为一般岩石、钎头直径为 40mm 时的钻速计算公式为

$$v = 0.135 k_d k_p ef \tag{7.1-5}$$

式中，k_d 为钎头直径修正系数，当钎头直径为 40mm 时，k_d=1，38mm 时，k_d=1.324，42mm 时，k_d=0.907；k_p 为压气压力对凿碎比功影响的修正系数，当压气压力为 0.63MPa，k_p=1。

实际工程中，冲击-旋转式钻机钻进，存在最优冲击频率与冲击能，主要原因为下述两点：其一为如功率过高，岩渣无法及时排出，堆积于底部，将吸收冲击能量；其二为如冲击频率过高，破岩过程将不充分。

7.1.1.1.3　软岩隧道中锚杆钻机的现场选型试验研究

结合炭质板岩岩体特性及前述钻机动力参数与钻速间关系的分析，共选择了 4 种锚杆钻机：旋转式单体钻机选择矿山隧道中应用最广的 MQT-130/3.2 气动锚杆钻机和 MYT-125/330 液压锚杆钻机；冲击-旋转式单体钻机选择 YG80 导轨式凿岩机(大功率)和 YT28 气腿式凿岩机(公路隧道中应用最广)。

1. 旋转式单体钻机钻孔试验研究

采用旋转式钻机打设 Φ32mm 钻孔。据上一节计算，当钻孔直径 D=32mm 时，旋转式钻机适宜(匹配性)参数指标为：转速 N=364 r/min，推力 F=7.55kN，转矩 M=57.92N·m。

表 7.1-1、表 7.1-2 分别为 MQT-130/3.2 气动锚杆钻机和 MYT-125/330 液压锚杆钻机的关键性能参数。可看出，与计算的参数指标相比较，除钻速较低外，其余参数均能符合计算参数值。

表 7.1-1　MQT-130/3.2 气动锚杆钻机关键参数

基本性能参数	单位	数值
整机重量	kg	55
工作压力(气压)	MPa	0.63
额定转速 N	r/min	260
最大推力 F	kN	8
额定转矩 M	N·m	150

注：适用于 f≤10 的各种煤巷、半煤岩巷、岩巷的锚护作业。

表 7.1-2　MYT-125/330 液压锚杆钻机参数

基本性能参数	单位	数值
整机重量	kg	53
工作压力(液压)	MPa	15
额定转速 N	r/min	330
最大推力 F	kN	12
额定转矩 M	N·m	125

注：适用于 f≤8 的各种煤巷、半煤岩巷、岩巷的锚护作业。

MQT-130/3.2 气动锚杆钻机(图 7.1-3)现场钻孔试验共开展 2 次。

(1)试验例 1，木寨岭公路隧道 2#斜井里程 K001+710，炭质板岩，拱顶沉降 382mm，于右边墙部位，钻 Φ32mm 孔，0～3m 耗时约 8min，3～4m 出现严重卡钻，无法继续。

(2)试验例 2，同一位置，钻进 4m，钻杆折断。

(a)钻机　　　　　　　　　　　　　　　(b)现场施钻

图 7.1-3　MQT-130/3.2 气动锚杆钻机试验

MYT-125/330 液压锚杆钻机(图 7.1-4)现场钻孔试验共开展 2 次。

(1)试验例 1,木寨岭公路隧道 2#斜井里程 K001+717,炭质板岩,岩体破碎,拱顶沉降 376mm,于拱顶部位,钻 5m 深 Φ32mm 孔,共计 10 个,每孔耗时 8～10min,有效钻速(除去钻杆加长耗时)约 0.8m/min。

(2)试验例 2,木寨岭公路隧道 2#斜井里程 K001+720,炭质板岩,岩体破碎,拱顶沉降 368mm,于拱顶部位,钻 10m 深 Φ32mm 孔,共计 1 个,耗时约 1h。

(a)钻机

(b)现场施钻

图 7.1-4 MYT-125/330 液压锚杆钻机试验

综上,MYT-125/330 液压钻机施钻效率较高,究其原因为其关键参数(转速、转矩、推力)与现场钻孔环境更为适配。结合岩性分析,软岩隧道($f<5$)应优选转速高的旋转式钻机,同时转矩和推力不宜过大,以避免出现钻杆折断与卡钻。

2. 冲击-旋转式单体钻机

冲击-旋转式单体钻机的关键钻进参数主要为冲击能 e 和冲击频率 f。表 7.1-3、表 7.1-4 分别给出了 YG80 导轨式凿岩机和 YT28 气腿式凿岩机的关键性能参数。

表 7.1-3 YG80 导轨式凿岩机参数

基本性能参数	单位	数值
整机重量	kg	69
工作压力(气压)	MPa	0.63
冲击能量 e	J	215
冲击频率 f	Hz	32

注:适用于中硬或坚硬(f=8～18)岩石的多方位岩孔。

表 7.1-4   YT28 气腿式凿岩机参数

基本性能参数	单位	数值
重量	kg	26
工作气压	MPa	0.63
冲击能量 e	J	≥ 70
冲击频率 f	Hz	≥ 37

注：适用于在中硬或坚硬（f=8～18）岩石上钻凿水平或倾斜方向炮孔或锚杆孔。

YG80 导轨式凿岩机（图 7.1-5）现场钻孔试验共开展 1 次。

木寨岭公路隧道 2#斜井里程 K001+725，炭质板岩，岩体破碎，拱顶沉降 348mm，于左边墙部位，钻 7.5m 深（极限深度）Φ50mm 孔，共计 1 个，耗时 1h。钻孔过程显示，岩层大多表现为软弱坚硬夹层互层，钻进过程中需放缓钻速，出现卡钻趋势时，应停止钻进，反复掏孔空钻，清除碎渣，而后方可继续钻进，孔深度超 5～6m 时，卡钻趋势愈发明显。

(a)钻机

(b)现场施钻

图 7.1-5   YG80 导轨式凿岩机试验

YT28 气腿式凿岩机（图 7.1-6）现场钻孔试验共开展 2 次。

（1）试验例 1，木寨岭公路隧道 2#斜井里程 K001+728，炭质板岩，岩体破碎，拱顶沉降 344mm，于右边墙部位，钻 4.5～5m 深 Φ42mm 孔，共计 3 个，每孔平均耗时约 15～20min，有效钻速（除去钻杆加长耗时）约 0.4m/min。

（2）试验例 2，木寨岭公路隧道 2#斜井里程 K001+730，炭质板岩，岩体破碎，拱顶沉降 346mm，于右边墙部位，钻 10m 深 Φ42mm 孔，共计 4 个，耗时分别为 1h、1.5h、1.4h 和 2h，其中 3 个钻孔无法成功塞入锚杆。表 7.1-5 给出了 1h 耗时的具体工效，0～3m 耗时 8min，3～6m 耗时 16min，6～10m 耗时 36min，表明随钻进深度增加，每延米的成孔耗时逐渐增大。

(a)钻机　　　　　　　　　　　　(b)现场施钻

图 7.1-6　YT28 气腿式凿岩机试验

表 7.1-5　10m 钻孔工效

| 序号 | 长度/m | 项目 | 钎杆 |
			耗时/min
第 1 根	3	钻进	7 / 8
		加连接套	1
第 2 根	3	钻进	14 / 16
		加连接套	2
第 3 根	4	钻进	36 / 36
总耗时(含钻孔定位时间)			60

　　YT28 气腿式凿岩机的钻孔工效相对较高,原因主要归结为冲击能和冲击频率上的差异,结合岩性分析可知,较高的冲击频率有利于提高钻孔工效,但冲击能不应提高过多,否则不利于及时排出钻渣。对于 10m 长锚孔的施工,YG80 导轨式凿岩机不具备适用性,YT28 气腿式凿岩机的效率一般,耗时超 1h,同时边墙处的成孔率(该处特指可顺利塞入锚杆)低。结合钻孔采用的“一字型”钻头分析可知,需进一步对钻头进行优化选型。

　　3. 软岩隧道三台阶工法的钻机优化配置

　　(1)考虑钻机的钻(凿)孔方位、成孔质量和施工效率,YT28 气腿式凿岩机基本不适于钻凿拱腰(倾角 45°)以上位置的钻孔。

　　(2)单体式锚杆钻机分为顶板锚杆钻机和帮(边墙)锚杆钻机,顶板锚杆钻机适用于施工拱腰(倾角 45°)以上位置的锚孔,帮锚杆钻机适用于施工边墙区域的钻孔。但是,支腿式帮锚杆钻机重量是 YT28 气腿式凿岩机的 2~4 倍,作业强度大,且在隧道从业者中的熟悉度低。

　　综上,以软岩隧道最常用的三台阶工法为例,上台阶钻机以单体式锚杆钻机[图 7.1-7(a)]适用性最优,中、下台阶可选用 YT28 气腿式凿岩机 [图 7.1-7(b)]。

(a)上台阶的单体式锚杆钻机　　　　　(b)中、下台阶的YT28气腿式凿岩机

图 7.1-7　锚杆钻机选型

7.1.1.2　软岩隧道中适配于深大孔径锚孔的钻具改进

截至目前，锚杆(索)钻具的研究主要源自于煤矿巷道。但是，煤矿巷道工程中应用的"小"孔径(28～32mm)成孔技术，与交通隧道的锚孔(考虑耐久性，孔径一般>42mm)存在明显的"尺度"差异。同时，隧道工程一般采用常规凿岩钻机(以 YT28 气腿式凿岩机为主)配一字型钻头进行"深挖硬凿"，对深锚孔成孔技术的研究极少。

此外，打设的锚孔可稳定成孔也是锚杆(索)支护技术在软岩大变形隧道中成功应用的前提。而前述研究表明，现有钻机搭配常用钻具，虽然能施打长锚孔，但成孔效果较差，这将会制约后续锚杆(索)安装和围岩可锚性的发挥。故为满足软岩隧道中施作深孔、大孔径的锚孔，研发改进现行的钻具极为必要。

7.1.1.2.1　试验设备与材料

1. 钻机

考虑现场动力来源，结合施工组织效率和作业人员对机械的熟悉程度，上台阶锚孔施工采用 MQT-130/3.2(高转速)气动锚杆钻机；中、下台阶锚孔施工采用 YT28 气腿式凿岩机，两种钻机的关键性能参数如表 7.1-6 所示。

表 7.1-6　钻机关键性能参数

基本性能参数	单位	MQT-130/3.2	YT28
整机重量	kg	55	26
工作压力(气压)	MPa	0.63	0.63
额定转速 N	r/min	300	—
最大推力 F	kN	8	—
额定转矩 M	N·m	150	—
冲击能量 e	J	—	≥70
冲击频率 f	Hz	—	≥37

2. 钻头
1) PDC 钻头

MQT-130/3.2(高转速)气动锚杆钻机采用 PDC 钻头，共计选择 4 种形式(图 7.1-8)，具体参数如表 7.1-7 所示。

(a)PDC-1　　(b)PDC-2　　(c)PDC-3[48]　　(d)PDC-4

图 7.1-8　4 种 PDC 钻头

表 7.1-7　4 种 PDC 钻头关键参数

编号	形式	钻头直径/mm	后倾角/(°)	侧转角/(°)	接头形式	材质
PDC-1			20		细螺纹	
PDC-2	双翼 PDC	45	20	5	粗螺纹	35CrMo 合金钢 +PDC
PDC-3			17.5			
PDC-4	小(双翼)+大(三翼)组合 PDC	28+45	17.5+20	5+7.5	细螺纹+粗螺纹	

2) YT28 冲击钻头

YT28 气腿式凿岩机常用 2 种不同类型冲击钻头(图 7.1-9)，具体参数如表 7.1-8 所示。

(a)CJ-1　　(b)CJ-2

图 7.1-9　2 种冲击钻头

表 7.1-8　2 种冲击钻头关键参数

编号	形式	钻头直径/mm	接头形式	材质
CJ-1	一字型	45	内六方插接式	35CrMo 钢
CJ-2	十字型			

3. 锚索与锚固剂

钻孔完成后需即刻进行预应力锚索支护。锚索采用 1×19s-21.8mm-1860MPa 鸟笼注浆锚索（图 7.1-10），鸟笼段最大直径 33～34mm。为满足后期注浆段保护层厚度（>16 mm）要求和方便注浆，钻孔直径设定为 45 mm。树脂锚固剂采用 CKb3540 锚固剂（图 7.1-11）。

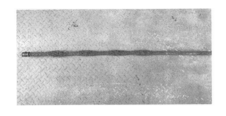

图 7.1-10　鸟笼锚索

图 7.1-11　CKb3540 锚固剂

7.1.1.2.2　试验方案与过程

试验选择在木寨岭公路隧道右线 YK218+800～YK218+832 段进行，图 7.1-12 为试验段典型掌子面围岩。

图 7.1-12　试验段典型掌子面围岩

具体现场试验过程如下：

（1）采用 MQT-130/3.2（高转速）+PDC-1（/-2/-3/-4）钻头于上台阶打设 45°～90°锚孔，采用 YT28 钻+CJ-1（/-2/-3）钻头于中、下台阶打设 0°～30°锚孔，具体工况如表 7.1-9 所示。

（2）钻孔至预定深度，进行验孔与清孔，采用 PVC 管将 3～4 节 CKb3540 树脂锚固剂逐节推入至锚孔底部，后装入锚索抵至锚固剂，在上台阶用"MQT-130/3.2（高转速）气动锚杆钻机+锚索搅拌器"，以及中、下台阶用"ZQS-50/2.3S 型气动手持式钻机+锚索搅拌器"边搅拌边推入锚索至孔底，整个搅拌时间为 15～20s，搅拌完成后，静置 1 min，取下钻机与搅拌器，即完成锚索安装。

（3）继续等待 15 min，采用 MQ22-300/63 张拉机具，对锚索进行张拉。

表 7.1-9　试验工况

钻头类型	钻头编号	说明
PDC	PDC-1	共计使用 5 个钻头，均出现螺纹断裂，未能成孔
	PDC-2	6 个断面，共计 90 个钻孔；5m、10m 钻孔各 45 个
	PDC-3	12 个断面，共计 180 个钻孔；5m、10m 钻孔各 90 个
	PDC-4	22 个断面，共计 330 个钻孔；5m、10m 钻孔各 165 个
CJ	CJ-1	10 个断面，共计 60 个钻孔；5m、10m 钻孔各 30 个
	CJ-2	30 个断面，共计 180 个钻孔；5m、10m 钻孔各 90 个

7.1.1.2.3　试验结果与分析

评价钻孔施工的优劣性，应从三方面(因素)进行考虑，其一为钻具的使用寿命；其二为钻进工效；其三为成孔效果。其中，成孔效果的最直接评价方式是采用钻孔成像设备，然而操作过程费时费力，易影响现场施工，故选择采用分析安装过程和最终锚固力合格率的方式，间接地对成孔效果进行评价。

1. 失效模式与钻头寿命

1) PDC 钻头

PDC 钻头的(主要)失效形式如图 7.1-13 所示。PDC-1 失效模式为钻头体螺纹段断裂(非常规失效)，其余 3 种 PDC 钻头失效模式一致，均为切削齿失效。其中，PDC-2 和 PDC-4 表现为切削齿过度磨损，致钻进效率、保径能力明显降低；PDC-3 表现为切削齿过度磨损(常规失效)和切削齿断裂崩刃(非常规失效)，两种形式各占 50%左右。

(a)PDC-1　　(b)PDC-2　　(c)PDC-3　　(d)PDC-4
图 7.1-13　4 种 PDC 钻头失效形式

PDC-1 与 PDC-4 中小钻头的接头螺纹皆为细螺纹形式，但仅 PDC-1 出现了螺纹处断裂，表明钻头直径增大时，螺纹处的应力明显增加，致常规小钻头的细螺纹连接形式已不具备适用性，应选用对结构材料性能损伤较小的粗螺纹形式；PDC-2 与 PDC-3 切削齿(后倾角度不同)失效形式不一致，这与较大的后倾角有助于切削齿抗冲击、抗研磨的结论相吻合；PDC-3 与 PDC-4 中小钻头(钻头直径不同)失效形式不一致，表明大直径钻头中的切削齿对后倾角更为敏感，即减小后倾角更易导致大直径钻头的"非常规失效"。

依据现场实际施工要求与经验，定义"钻头使用寿命"如下：①钻进 0～5m 时效率小于 1 m/10 min，或钻进 5～10 m 时效率小于 1 m/15 min，认为失效；②非常规失效，包括钻头体螺纹段断裂和切削齿断裂崩刃等；③保径能力明显下降，主要表现为锚索安装(塞入)困难明显加大，难以操作。

基于上述,获取 4 种 PDC 钻头的平均使用寿命如图 7.1-14 所示,其中,PDC-2 和 PDC-4 的使用寿命增长率是以 PDC-3 的使用寿命为基准进行绘制的。

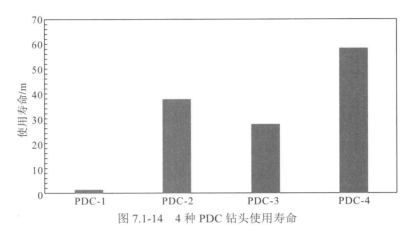

图 7.1-14　4 种 PDC 钻头使用寿命

如图 7.1-14 所示,PDC-1、PDC-2、PDC-3 和 PDC-4 钻头的使用寿命为 1.5 m、37.8 m、27.7 m 和 58.5 m,其中,PDC-4 钻头的使用寿命由导向钻具决定。对于 PDC-1 钻头,其不具备适用性,在实际施工中共使用了 5 个钻头,均出现螺纹断裂,最大锚孔深度仅 2.5 m;对比 PDC-2 与 PDC-3 钻头,后倾角增加 2.5°,使用寿命增加 10.1 m,增长 36.5%;对比 PDC-4 与 PDC-3 钻头,PDC-4 中的导向钻具直径减小 17 mm,使用寿命增加 30.8 m,增长 111%。上述分析表明,后倾角与钻具直径是影响双翼内凹 PDC 钻头使用寿命的关键因素。

综合上述对失效模式和钻头使用寿命的分析可知,4 种钻头的优劣性如下:PDC-4> PDC-2> PDC-3> PDC-1。

2) YT28 冲击钻头

YT28 气腿式凿岩机的 2 种冲击钻头(主要)失效形式如图 7.1-15 所示,表现为钎(钻)头刃口"钝化"。依据产品使用说明与施工经验,且因所选钻头"钝化"后可直接在现场进行修磨,故该处定义的"钻头使用寿命"为需修磨前的使用时间,而非(钻头)完全损坏,具体准则为:钻(钎)头刃口出现平台宽度≥3mm,或钎头出现倒锥,或钻进能力明显下降。基于上述,获取 2 种钻头的平均使用寿命如图 7.1-16 所示。

(a)CJ-1

(b)CJ-2

图 7.1-15　2 种冲击钻头失效形式

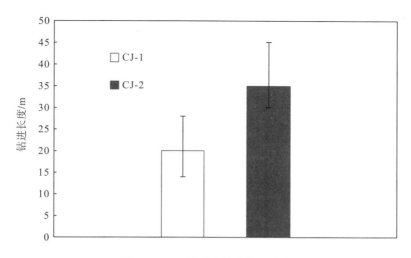

图 7.1-16　2 种冲击钻头使用寿命

　　如图 7.1-16 所示，CJ-2 钻头(十字钻)的使用寿命明显优于 CJ-1(一字钻)，平均使用寿命达到了 35m，而 CJ-1 钻头仅为 20m，分析原因主要为"一字型"钻头破岩凿碎点较少(单个圆弧形凿刃)，仅依靠钻头两端刃口破碎整个孔周围岩，凿碎效率低、破碎程度差，往往需要重复多次转动才能较好地破碎孔底围岩，导致"一字型"钻头在钻进较短距离后就由于刃口过度磨损而"钝化"失效。

　　综合上述对失效模式和钻头使用寿命的分析可知，2 种钻头的优劣性如下：CJ-2>CJ-1。

　　2. 钻进(平均)工效

　　1)PDC 钻头

　　表 7.1-10 为 4 种钻头钻进的耗时明细，图 7.1-17 为与之对应的工效分析图，其中图 7.1-17(b)为以 PDC-3 钻进耗时为基准，绘制的 PDC-2 和 PDC-4 钻进耗时变化率。

表 7.1-10　4 种钻头钻进耗时

钻头类型	编号	钻进 5m 平均耗时 /min	5～8m 平均耗时 /min	8～10m 平均耗时 /min	钻进 10m 平均耗时 /min
PDC	PDC-1	螺纹断裂，发生在刚开钻或钻进至 2m 左右			
	PDC-2	29	23	30	82
	PDC-3	25	16	22	63
	PDC-4	24	15	19	58

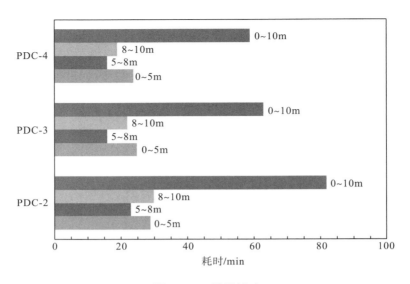

图 7.1-17　钻进耗时

分析表 7.1-10 和图 7.1-17，可看出：①对比 PDC-2 与 PDC-3 钻头，后倾角增加 2.5°，钻进耗时明显增加，0～5m、5～8m 和 8～10m 分别增加 4 min、7 min 和 8 min，对应增长率为 0.8 min/m、2.3 min/m、4.0 min/m，显示后倾角增加，钻进工效明显降低，且随着钻进深度的增加，钻进效率进一步降低；②对比 PDC-4 与 PDC-3 钻头，钻进耗时差异较小，0～5m、5～8m 和 8～10m 分别仅减小 1 min、1 min 和 3 min，对应增长率为-0.1 min/m、-0.3 min/m 和-1.0 min/m，显示 PDC-4（小、大组合钻）在钻进效率上并未有明显优势；但相较而言，8～10m 的钻进效率有较大的提升，原因主要为使用 PDC-3 钻头在钻进 8～10 m（部分钻孔）时，出现了钻头泥包现象，致钻进效率明显降低，而 PDC-4（小、大组合钻）在大小钻连接部位增设了左右两侧出水通道，避免了钻头泥包的形成。

上述分析表明，后倾角是影响双翼内凹 PDC 钻头钻进工效的关键因素，钻孔直径相同前提下，PDC-4（小、大组合钻）虽不能明显提升工效，但可有效规避在施钻以泥岩为基岩的岩层中出现的钻头泥包。

综合上述对钻进工效和钻进过程的分析可知，钻头的优劣性如下：PDC-4（略）>PDC-3>PDC-2。

2）YT28 冲击钻头

表 7.1-11 为 2 种冲击钻头钻进的耗时明细，图 7.1-18 为与之对应的工效分析图。

表 7.1-11　2 种冲击钻头钻进耗时

钻头类型	编号	钻进 5m 平均耗时 /min	5～8m 平均耗时 /min	8～10m 平均耗时 /min	钻进 10m 平均耗时 /min
CJ	CJ-1	17	20	27	64
	CJ-2	25	22	24	71

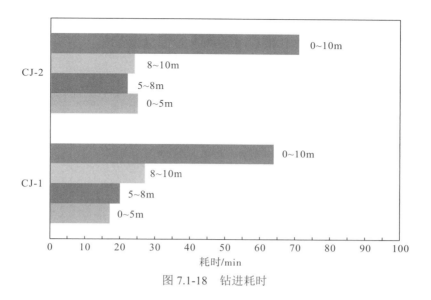

图 7.1-18　钻进耗时

分析表 7.1-11 和图 7.1-18,可看出:对比 CJ-1 与 CJ-2 钻头,CJ-1 钻进 5m 和 10m 的耗时均要小于 CJ-2,相差 8min 和 7min。但随钻进深度增加,两者的每米平均耗时逐渐接近,最终在钻进 8~10m 时,CJ-2 的耗时小于了 CJ-1。出现上述现象的主要原因是 CJ-1 钻头的设计更适用于钻进"软"岩层,但现场施工反馈超 6m 后,可能因对岩体破碎不充分,易出现卡钻(钎)现象;而 CJ-2(十字钻)则基本不宜出现卡钻现象。

综合上述对钻进工效和钻进过程的分析可知,2 种钻头的优劣性如下:CJ-1(略)>CJ-2。

3. 锚索安装和锚固力测试

对成孔效果的检验应以工程实践为指导,以数据分析为基础,具体而言即是从安装的便捷性与最终的锚固力(预紧力)进行双重考量。图 7.1-19 为现场安装过程中出现的两种现象:①当成孔效果良好时,仅单人操作即可将锚索插入至孔底(与锚固剂接触位置),如图 7.1-19(a)所示;②当成孔效果差时,则需要锚杆钻进配以多人进行"旋转式"推入,如图 7.1-19(b)所示,作业强度与危险性均增加。

(a)人工

(b)机械

图 7.1-19　锚索安装实况

1)PDC 钻头

图 7.1-20 给出了采用 PDC-2、PDC-3、PDC-4 钻头出现的"机械式"推入概率。

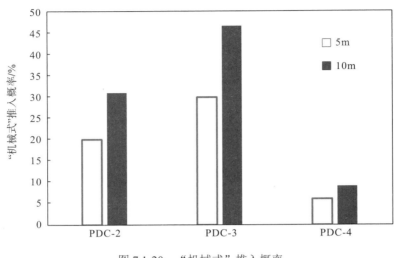

图 7.1-20　"机械式"推入概率

由图 7.1-20 可以看出：①10 m 钻孔出现"机械式"推入的概率明显大于 5 m，显示随钻孔深度增加，安装便捷性下降，推测原因为钻孔深度增加，保径能力、顺直度和平顺性均可能存在不同程度的降低。具体分析，3 种钻头出现"机械式"推入概率，PDC-2-5 m、PDC-2-10 m 为 20%、31%，PDC-3-5 m、PDC-3-10 m 为 30%、47%，PDC-4-5 m、PDC-4-10 m 为 6%、9%。②出现"机械式"推入概率 PDC-2<PDC-3，而 PDC-2 与 PDC-3 钻头的差异集中在后倾角度（差异 2.5°），表明后倾角度对成孔效果有影响。结合对钻进工效的分析可知，一定程度上减小后倾角可使钻进工效得到较大提升，但会减弱成孔效果，分析原因，应是高地应力软弱地质围岩条件使得较快的成孔速率更易出现诸如塌孔、缩孔及斜孔等问题，继而引发锚索装入困难。③出现"机械式"推入概率 PDC-4<<PDC-2，显示了高地应力软弱地质围岩条件下，小、大组合式钻头在成孔效果方面具有极大的优势。分析原因，小钻头可提前释放高应力，为后续大钻头的成孔提供有利条件，类似于严重挤压型隧道施工中的小导洞工法，减弱了塌孔及缩孔效应，同时，小钻头亦可起到定位、导向作用，减弱了钻进过程中的斜孔效应。

图 7.1-21 给出了采用 PDC-2、PDC-3、PDC-4 钻头的锚固成功率。锚固成功率的定义如下：结合设计要求的锚固力，即锚索施工要求锚索张拉至不小于 300 kN，以 300 kN 为基准，张拉力超过 300 kN，认为锚固合格，未能张拉至 300 kN，则不合格，如此统计锚固成功率（需指出的是锚固成功率的统计是在排除出水锚孔的前提下进行的）。

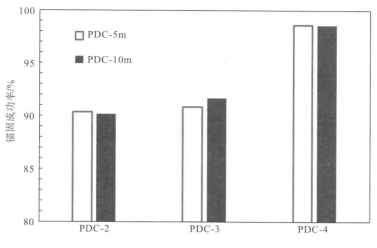

图 7.1-21　锚固成功率(PDC 钻头)

图 7.1-21 所示的锚固成功率与图 7.1-20 所示的"机械式"推入概率具有明显的相关性，表现为"机械式"推入概率越大，锚固成功率越低，这表明树脂锚索的锚固力与锚孔的成孔效果密切相关。高地应力软弱破碎围岩中，应尽可能地避免出现塌孔、缩孔及斜孔，方能提升锚固成功率。

综合上述，从锚索的安装便捷性和锚固成功率两方面分析成孔效果，3 种 PDC 钻头的优劣性如下：PDC-4>> PDC-2> PDC-3。

2)YT28 冲击钻头

YT28 冲击钻头施工的钻孔孔径一般要大于钻头直径，同时"冲击-旋转式"钻孔工艺对岩体的扰动较大，有可能进一步加大钻孔直径。根据现场施工反馈情况，在钻孔完成后，进行 1～2 次的重复清孔，即可保证锚索的顺利安装。

图 7.1-22 给出了采用 CJ-1 和 CJ-2 钻头施工时锚索的锚固成功率。

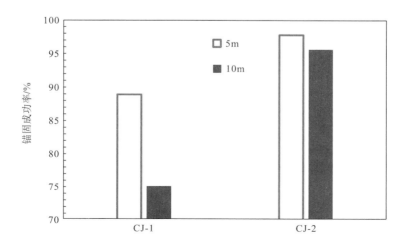

图 7.1-22　锚固成功率(冲击钻头)

如图 7.1-22 所示，CJ-2 的锚固成孔率要优于 CJ-1，两者 5m 和 10m 的锚固成功率分别为 89%、98%（5m）和 75%、95%（10m）。上述量值差异的原因，主要为成孔效果的差异，CJ-1 成孔的直线度要明显弱于 CJ-2，且随钻入深度增加，愈发明显；同时，边墙部位的（部分）锚孔近似水平，锚固剂在搅拌过程中易"沉底"，锚固过程中对钻孔直线度的要求要高于拱腰及以上部位。

综合上述，根据锚索的锚固成功率分析成孔效果，2 种冲击钻头优劣性如下：CJ-2>CJ-1。

7.1.1.3 软岩隧道中适宜钻孔机具配置

综合钻进速率、钻头使用寿命、安装便捷性和锚固成功率等四个维度，提出软岩隧道中优选的钻孔机具配置为："单体式气动锚杆钻机+小、大组合式 PDC 钻头"和"YT28 气腿式凿岩机+十字型冲击钻头"。其中：①"YT28 气腿式凿岩机+十字型冲击钻头"主要适用于边墙部位的钻孔施工；②拱腰以上部位则优选"单体式锚杆钻机+小、大组合式 PDC 钻头"。

7.1.2 鸟笼锚索现场工艺试验

在开展主动支护体系试验前，在木寨岭公路隧道右线 YK218+795 上台阶拱腰部位和 YK218+788 中台阶边墙部位，均进行了 3 次（2 次 5.3m +1 次 10.3m）鸟笼锚索完整施工工艺试验。

7.1.2.1 完整试验过程

1. 钻（造）孔

钻孔前对岩面进一步处理，清除危险岩块；钻孔方向与岩面垂直。上台阶拱腰部位 3 个孔位的钻孔施工采用"单体式气动锚杆钻机+小、大组合式 PDC 钻头"，边墙部位 3 个孔位的钻孔施工采用"YT28 气腿式凿岩机+十字型冲击钻头"[图 7.1-23（a）、（b）]。钻头直径均为 45mm。

钻孔由两人协同完成，上台阶钻孔过程中，密切注意顶部围岩，以防掉块伤人。钻孔深度：5.3m 锚索控制钻孔深度在 5m 最宜；10.3m 锚索控制钻孔深度在 10m 最宜。钻孔（清孔）完毕后，对实际孔径、孔深、孔位、孔向和孔洁净度进行自检，并予以记录[图 7.1-23（c）]。

(a)施钻(YT28)　　　　　　(b)施钻(锚杆钻机)　　　　　(c)清孔、验孔等

图 7.1-23 成孔施工

2. 安装（锚固）锚索

钻孔完成后，采用 PE 管，沿钻孔壁缓慢推进 3 节锚固剂直至孔底，并使其不滑落［图 7.1-24（a）］；后人工推入鸟笼锚索至与锚固剂相抵触；采用锚索搅拌连接器将锚索外露端与手持式钻机相连，开启钻机并平稳匀速推入锚索至孔底，整个推进搅拌时间控制在 15～20s［图 7.1-24（b）］。静置 15min 后，插入隔离套管，放置垫板、注浆球垫（与套管旋转相连）和锚具［图 7.1-24（c）］。

(a)安装锚固剂　　　　　　(b)搅拌锚固　　　　　　(c)安装套管、垫板等

图 7.1-24　安装（锚固）锚索

3. 预应力张拉

采用气动锚索张拉仪，三人配合，一人辅助千斤顶加载，一人观察加载过程中岩面状态，一人控制油泵，控制张拉力不小于 300kN（图 7.1-25）。

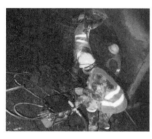

(a)锚索张拉　　　　　　(b)千斤顶观察　　　　　　(c)张拉力控制

图 7.1-25　预应力张拉

4. 及时注浆

将注浆管与注浆球垫直接相连。采用 0.4 水灰比 P.O42.5 纯水泥浆。注浆过程中，注浆压力保持在 0.5MPa 左右，待垫板背后溢浆后，停止注浆，如图 7.1-26 所示。

图 7.1-26　及时注浆

7.1.2.2　试验结论与建议

此次鸟笼锚索现场工艺性试验，对选用的鸟笼锚索施工工艺、施工设备、施工人员操作手法和技术进行了全面检验。试验表明：优选的钻孔机具配置，在软岩隧道中能够实现稳定、高效成孔；鸟笼锚索具备快速安装与锚固能力，从钻孔完成起计时，至预应力加载前的整个过程可控制在 20min 内；预应力加载过程较为便捷，与传统锚索预应力加载工艺一致，实施效果较好；采用的注浆工艺，即"0.4 水灰比纯水泥浆+注浆球垫+防腐套管"的注浆体系，能够有效保证注浆密实度。

据工艺试验，建议搅拌推进过程中推进时间与沉底后的搅拌时间比值为 7∶3；建议优化千斤顶限位板结构，以减小加载锁定过程中的预应力损失。

7.1.3　鸟笼锚索施工工艺流程与要点

7.1.3.1　施工工艺流程

图 7.1-27 为鸟笼锚索施工工艺流程图，主要包括：确定锚索位置(测量与放样)、钻孔、清孔与验孔、安装锚固剂、插入锚索、搅拌锚固、安装附件、张拉预应力和注浆。核心是钻、锚、注，涉及搅拌时间、静置时间和注浆时间 3 个关键性参数。

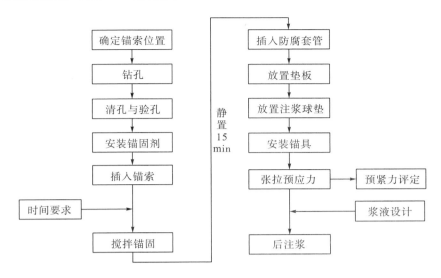

图 7.1-27　施工工艺流程

7.1.3.2　快速施工工艺要点

1. 钻具配置

优选的钻孔机具配置为：上台阶"单体式锚杆钻机(高转速)+小、大组合式 PDC 钻头"，中、下台阶"YT28 气腿式凿岩机+十字型冲击钻头"。

2. 快速锚固实施

当围岩岩体可锚性能较好时，一般采用超快型树脂锚固剂(CKa、CKb 系列)，快速搅拌 15~20s 即完成凝结锚固；遵循最优搅拌时间配置，即推进时间与沉底后的搅拌时间比值为 7:3。

3. 预应力加载优化

已有锚具的限位板多数采用深槽固定方式，常在使用中发现由于槽深，钢绞线、锚具、夹片等制造的公差，导致槽深和夹片的外露量不匹配，即存在如下两个主要弊端：

(1) 当槽深过大时，限位板和夹片之间有较大空隙，导致限位板失去了应有作用，无法限制夹片的位置，这样当千斤顶卸载的时候，在巨大应力的作用下夹片会出现一定的后移，从而造成不同程度的应力损失，导致张拉效果不佳。

(2) 当槽深过小时，夹片由于较长而直接跟限位板接触，导致千斤顶的荷载无法施加在锚具上而全部施加在夹片上，这样夹片在锚具的巨大握裹力作用下和钢绞线之间会产生巨大的摩阻力，从而导致夹片出现自锁现象，夹片和钢绞线之间的摩阻力甚至能抵消大部分的推力，从而无法将千斤顶荷载全部传递到钢绞线上或者导致夹片出现断丝、滑丝现象以及钢绞线刮伤严重的不良后果。

上述两种情况的存在都会降低钢绞线的工作性能甚至留下安全隐患，为此，锚索加载施工中的千斤顶限位板应采用弹性限位板形式，即通过在挡板后面安装高强弹簧的形式，实现限位板的"可移动"。图 7.1-28 为采用的张拉千斤顶结构图。

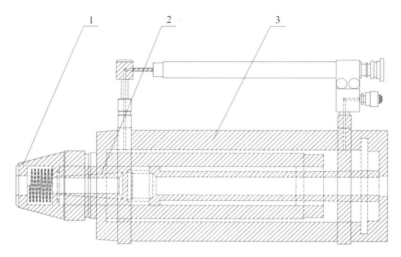

1-顶压器总成；2-工具锚；3-油缸

图 7.1-28　张拉千斤顶结构图

7.2　软岩隧道主动支护体系关键施工工艺技术

7.2.1　主动支护技术的工艺流程与要点

主动支护技术由"鸟笼锚索系统+W 钢带+柔性勾花网"组成，图 7.2-1 为木寨岭公路隧道现场施作的主动支护结构。

(a)上台阶　　　　　　　　(b)中台阶　　　　　　　　(c)下台阶

图 7.2-1　主动支护技术

主动支护技术施工工艺即是在鸟笼锚索系统的施工中加入 W 钢带和勾花网的施工工序。在施工锚索系统前，即进行"挂网"；在"插入防腐套管"后，"放置垫板"前，增加"固定 W 钢带"的工序。具体施工工艺流程如图 7.2-2 所示。

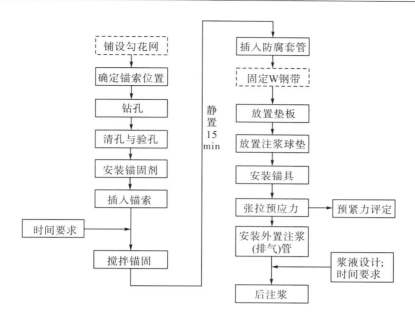

图 7.2-2　主动支护技术施工工艺流程

主动支护技术的施工控制要点，在涵盖鸟笼锚索系统施工工艺要点基础上，增加了"铺设勾花网"和"固定 W 钢带"两个施工工艺要点，具体如下：

(1)勾花网、W 钢带与锚索或其他锚固装置应连接牢固，配套使用。

(2)铺设的"网片"应搭接成环。

(3)W 钢带优选 2 孔型，"带"与"带"重叠一孔。

(4)垫板安置时，一边应与钢带长度方向平行，不宜大角度斜交。

7.2.2　主动支护体系"先锚后支"工艺流程与要点

施工中为实现"及时主动"支护理念，主动支护体系对现行隧道开挖后先喷射混凝土、再立拱架及施设锚杆等传统工艺流程(工序)进行了改进，在洞室开挖后"即刻"进行以预应力鸟笼锚索系统为核心的主动支护技术的施作，而后再进行被动支护技术施工，即喷射混凝土施工与拱架架设，上述施工工序的改变是施工过程中体现快速主动支护的关键。

图 7.2-3 为木寨岭公路隧道现场施作的主动支护体系支护效果。图 7.2-4 为木寨岭公路隧道主动支护体系的三台阶施工工序，其中"主动支护技术"指代"以预应力鸟笼注浆锚索系统为核心的锚网带主动支护技术"，"被动支护技术"指代"传统初期支护中的架设钢拱架、挂钢筋网和喷射混凝土"。

图 7.2-3　支护效果

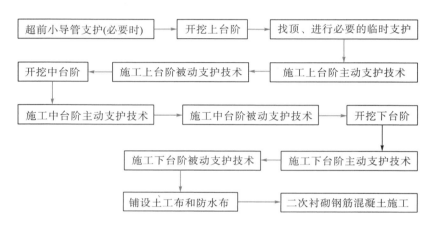

图 7.2-4　主动支护体系施工工艺流程(三台阶施工)

以主动支护技术为核心的"先锚后支"工艺流程涉及的关键技术要点如下：

(1)观察开挖后隧道断面成型情况，若拱部围岩较为破碎、超挖较多，则应施工超前小导管支护。

(2)鉴于隧道围岩主体为炭质板岩，为水敏性岩体，应采取控水措施，特别是应减少钻孔过程中的用水，鸟笼锚索支护后尽快喷浆封闭。

(3)根据开挖后围岩变形监测数据，在局部变形较大部位加设补打鸟笼锚索进行补强支护。

(4)务必要对鸟笼锚索的长期受力状态进行监测。

7.3　本　章　小　结

本章根据主动支护体系在木寨岭公路隧道中的施作过程，对软岩隧道中基于鸟笼锚索系统的主动支护体系关键工艺技术进行系统研究，得到主要结论如下：

(1)软岩挤压型大变形隧道，旋转式钻机的控制性参数指标为转速，应优选额定钻速较高的锚杆钻机；冲击-旋转式钻机的控制性指标为冲击频率 f，应优选冲击频率高的钻机，且冲击能不宜过大。

(2)针对锚杆钻机适配钻头的研究得到：

①小、大组合式钻头可有效避免炭质板岩(泥质变余结构)等岩层中出现钻具泥包现象，且在使用寿命、锚索安装便捷性和锚固成功率等方面均具备明显优势，能极大改善高地应力软弱破碎围岩钻孔过程中出现的塌孔、缩孔及斜孔等情况。

②后倾角是影响 PDC 钻头钻进工效的关键因素，应以 20°为基准；软弱破碎围岩条件下，适当减小后倾角可有效提升钻进效率，表现为后倾角由 20°减小至 17.5°，钻进 10 m 耗时减少 19 min。

③后倾角是影响双翼内凹 PDC 钻头使用寿命的关键因素之一，表现为后倾角由 17.5°增加至 20°，钻头使用寿命增长 10.1 m、增幅 36.5%；钻头直径增大对螺纹段结构提出了更高的要求，宜采用粗螺纹形式。

(3)针对 YT28 气腿式凿岩机适配钻头的研究得到：使用寿命方面，十字型冲击钻头 CJ-2 能有效钻进 35 m，优于一字型冲击钻头 CJ-1 的 20 m；钻进工效方面，CJ-1 钻进 5m 和 10m 的耗时分别为 17min 和 64min，较 CJ-2 快 8min 和 7min，但存在易卡钻的弊端；成孔锚固性能方面，CJ-2 的 5 m、10 m 锚索的锚固成功率达 98%、95%，优于 CJ-1 的 89%、75%。

(4)软岩隧道中优选的钻孔机具配置为："单体式锚杆钻机+小、大组合式 PDC 钻头"和"YT28 气腿式凿岩机+十字型冲击钻头"。其中："YT28 气腿式凿岩机+十字型冲击钻头"主要适用于边墙部位的钻孔施工；拱腰以上部位则优选"单体式锚杆钻机+小、大组合式 PDC 钻头"。

(5)鸟笼锚索施工工艺核心是钻、锚、注，涉及搅拌时间、静置时间和注浆时间 3 个关键性参数。快速施工工艺要点主要包括钻具配置、快速锚固实施和预应力加载优化。

(6)软岩隧道主动支护体系"先锚后支"的工艺流程为，在洞室开挖后"即刻"进行以预应力鸟笼锚索系统为核心的主动支护技术的施作，而后再进行被动支护技术施工，即喷射混凝土施工与拱架架设。

参 考 文 献

[1]汪波, 郭新新, 何川, 等. 当前我国高地应力隧道支护技术特点及发展趋势浅析[J]. 现代隧道技术, 2018, 55(5): 1-10.

[2]周艺, 何川, 汪波, 等. 基于支护参数优化的强震区软岩隧道变形控制技术研究[J]. 岩土力学, 2013, 34(4):1147-1155.

[3]王福善. 木寨岭隧道极高地应力软岩大变形控制技术[J]. 隧道与地下工程灾害防治, 2020(10): 1-13.

[4]汪波, 喻炜, 刘锦超, 等. 交通/水工隧道中基于预应力锚固系统的及时主动支护理念及其技术实现[J]. 中国公路学报, 2020, 33(12): 118-129.

[5]刘德军, 左建平, 刘海雁, 等. 我国煤矿巷道支护理论及技术的现状与发展趋势[J]. 矿业科学学报, 2020, 5(1): 22-33.

[6]潘贵豪, 明世祥, 刘新强, 等. 高应力软岩巷道支护新理论及应用研究[J]. 湖南科技大学学报(自然科学版), 2009, 24(3): 11-15.

[7]李志军, 郭新新, 马振旺, 等. 挤压大变形隧道研究现状及高强预应力一次(型)支护体系[J].隧道建设(中英文), 2020, 40(6): 755-782.

[8]汪波, 李天斌, 何川, 等. 强震区软岩隧道大变形破坏特征及其成因机制分析[J]. 岩石力学与工程学报, 2012, 31(5): 928-936.

[9]邵广宁. 同寨隧道二衬开裂原因分析及处理方案浅议[J]. 兰州交通大学学报, 2014, 33(1): 79-82.

[10]汪波, 王杰, 吴德兴, 等. 让压支护技术在软岩大变形隧道中的应用探讨[J]. 公路交通科技, 2015, 32(5): 115-122.

[11]Barla G, Bonini M, Semeraro M. Analysis of the behaviour of a yield-control support system in squeezing rock[J]. Tunnel and Underground Space Technology, 2011(26): 146-154.

[12]仇文革, 王刚, 龚伦, 等. 一种适应隧道大变形的限阻耗能型支护结构研发与应用[J]. 岩石力学与工程学报, 2018, 37(8): 1785-1795.

[13]江贝, 王琦, 魏华勇, 等. 地下工程吸能锚杆研究现状与展望[J]. 矿业科学学报, 2021, 6(5): 569-580.

[14]Song G, Stankus J. Control mechanism of a tensioned bolt system in the laminated roof with a large horizontal stress[A]. The 16th Int. Conf. on Ground Control in Mining[C]. Morgan town, West Virginia, 1997:167 -172.

[15]康红普, 王金华, 林健. 高预应力强力支护系统及其在深部巷道中的应用[J]. 煤炭学报, 2007, 32(12): 1233-1238.

[16]Kang H P, Wang J H, Lin J. Reinforcement technique and its application in complicated roadways in underground coal mines[J]. Journal of Engineering Materials and Technology, 2011, 117(3): 255-259.

[17]何满潮, 齐干, 程骋, 等. 深部复合顶板煤巷变形破坏机制及耦合支护设计[J]. 岩石力学与工程学报, 2007, 26(5): 987-993.

[18]张农, 高明仕. 煤巷高强预应力锚杆支护技术与应用[J]. 中国矿业大学学报, 2004, 33(5): 524-527.

[19]Li C C. Rockbolting Principles and Applications[M]. Oxford, United Kingdom: Elsevier / Butterworth-Heinemann, 2017.

[20]吴奎. 挤压变形隧道中让压支护的力学机理研究[D]. 西安: 西安建筑科技大学, 2021.

[21]中华人民共和国煤炭工业部. MT 143—1986, 巷道金属支架系列[S]. 1986.

[22]国家市场监督总局, 中国国家标准化管理委员会. GB/T 35056—2018, 煤矿巷道锚杆支护技术规范[S]. 2018.

[23]国家铁路局. TB/T 3356—2014, 预应力中空锚杆[S]. 2014.

[24]康红普. 我国煤矿巷道围岩控制技术发展70年及展望[J]. 岩石力学与工程学报, 2021, 40(1): 1-30.

[25]中交第一公路勘察设计研究院有限公司. 兰州至海口国家高速公路渭源至武都段（WW06 合同段）两阶段施工图设计[R]. 西安：中交第一公路勘察设计研究院有限公司, 2016.

[26]交通运输部办公厅. JTG 3370.1—2018, 公路隧道设计规范 第一册 土建工程[S]. 2018.

[27]Hongpu K, Jian L, Yongzheng W. Development of high pretensioned and intensive supporting system and its application in coal mine roadways[J]. Procedia Earth and Planetary Science, 2009, 1（1）:479-485.

[28]陆银龙, 王连国, 杨峰, 等. 软弱岩石峰后应变软化力学特性研究[J]. 岩石力学与工程学报, 2010, 29（3）: 640-648.

[29]王吉渊. 围压对煤体力学性质影响的实验研究[J]. 煤矿安全, 2010, 41（12）:14-16.

[30]康红普, 王金华. 煤巷锚杆支护理论与成套技术[M]. 北京：煤炭工业出版社, 2007.

[31]康红普, 吴建星. 锚杆托板的力学性能与支护效果分析[J]. 煤炭学报, 2012, 37（1）: 8-16.

[32]Guo X, Wang B, Ma Z, et al. Application of the micro-clamped fiber Bragg grating（FBG）sensor in rock bolt support quality monitoring[J]. Advances in Civil Engineering, 2020: 1-10.

[33]国家煤炭工业局. MT/T 861—2000, 矿用 W 型钢带[S]. 2000.

[34]石垚. 不同组合构件对锚杆支护应力场影响的实验室研究[D]. 北京：煤炭科学研究总院, 2016.

[35]Wang X, Du Y, Pan Y, et al. An elastic and brittle model with damage and application in study on rock localized failures[J]. Yingyong Jichu yu Gongcheng Kexue Xuebao/Journal of Basic Science and Engineering, 2012, 20（4）:642-653.

[36]徐平, 杨启贵, 徐年丰. 三峡工程永久船闸中隔墩裂缝扩展及加固效果数值分析[J]. 岩石力学与工程学报, 2001（1）: 11-15.

[37]中华人民共和国国家质量监督检验检疫总局, 中国国家标准化管理委员会. GB/T 5224—2014, 预应力混凝土用钢绞线[S]. 2014.

[38]康红普, 林健, 张冰川. 小孔径预应力锚索加固困难巷道的研究与实践[J]. 岩石力学与工程学报, 2003（3）: 387-390.

[39]康红普, 杨景贺, 姜鹏飞. 锚索索力学性能测试与分析[J]. 煤炭科学技术, 2015, 43（6）: 29-33, 106.

[40]中华人民共和国国家质量监督检验检疫总局, 中国国家标准化管理委员会. GB/T 14370—2015, 预应力筋用锚具、夹具和连接器[S]. 2015.

[41]国家安全生产监督管理总局. MT 146.1—2011, 树脂锚杆 第 1 部分：锚固剂[S]. 2011.

[42]Hoek E, Brown E T. Practical estimates of rock mass strength[J]. Int. J. Rock Mech. Min. Sci., 1997, 34（8）:1165-1186.

[43]尤明庆. 岩石试样的杨氏模量与围压的关系[J]. 岩石力学与工程学报, 2001, 22（1）:53.

[44]曾飞涛, 邵龙潭, 郭晓霞. 围压对横观各向同性砂岩弹性参数的影响[J]. 地下空间与工程学报, 2019, 15（2）:128-136.

[45]中华人民共和国水利部. SL/T 264—2020, 水利水电工程岩石试验规程[S]. 2020.

[46]陈育民, 徐鼎平. FLAC/FLAC3D 基础与工程实例：第 2 版[M]. 北京：中国水利水电出版社, 2013.

[47]汪波, 蔡树垚, 李杰, 等. 地下工程中基于位移差/梯度的锚固件长度设计方法：CN111062087A[P]. 2021-04-01.

[48]郭新新, 杨铁轮, 马振旺, 等. 软岩挤压型大变形隧道锚杆施工特性及工艺优化[J]. 铁道科学与工程学报, 2020, 17（4）: 924-930.

[49]郭新新, 马振旺, 吴航通, 等. 用于锚杆/锚索钻孔的组合钻头结构：CN212003038U[P]. 2020-11-24.

彩　　版

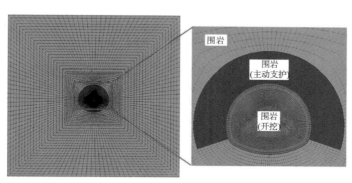

图 2.2-1　数值计算模型

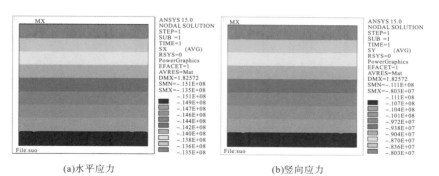

(a)水平应力　　　　　　　　　　　　　　　(b)竖向应力

图 2.2-2　初始应力场(单位：Pa)

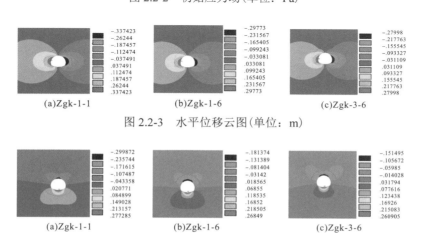

(a)Zgk-1-1　　　　　　　(b)Zgk-1-6　　　　　　　(c)Zgk-3-6

图 2.2-3　水平位移云图(单位：m)

(a)Zgk-1-1　　　　　　　(b)Zgk-1-6　　　　　　　(c)Zgk-3-6

图 2.2-4　竖向位移云图(单位：m)

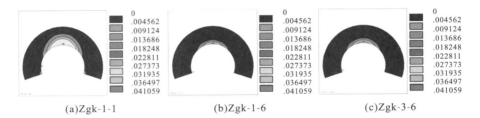

(a)Zgk-1-1　　　　　　(b)Zgk-1-6　　　　　　(c)Zgk-3-6

图 2.2-8　塑性区云图

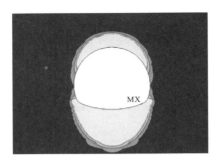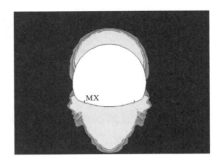

(a)塑性区贯通(Zgk-1-5)　　　　　(b)计算不收敛(单元畸形)(Zgk-1-6)

图 2.2-13　隧道围岩不稳定形态

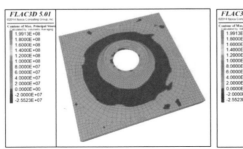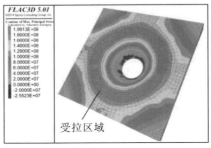

(a)S_1应力云图

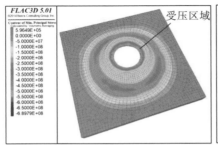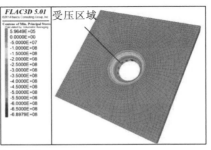

(b)S_3应力云图

图 3.1-17　130kN 荷载时的方碗形垫板应力云图（单位：Pa）

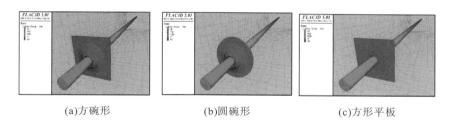

(a)方碗形　　　(b)圆碗形　　　(c)方形平板

图 3.1-18　不同型式垫板模型

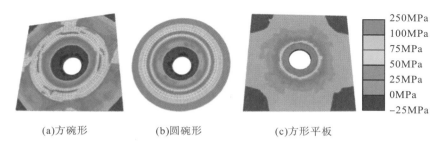

(a)方碗形　　　(b)圆碗形　　　(c)方形平板

250MPa
100MPa
75MPa
50MPa
25MPa
0MPa
−25MPa

图 3.1-20　S_1 应力云图(单位：MPa)

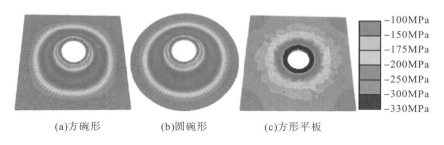

(a)方碗形　　　(b)圆碗形　　　(c)方形平板

−100MPa
−150MPa
−175MPa
−200MPa
−250MPa
−300MPa
−330MPa

图 3.1-21　S_3 应力云图(单位：MPa)

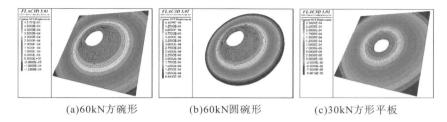

(a)60kN方碗形　　　(b)60kN圆碗形　　　(c)30kN方形平板

图 3.1-22　竖向位移云图(单位：m)

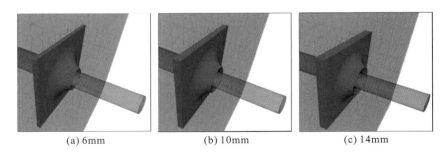

(a) 6mm　　　　　　(b) 10mm　　　　　　(c) 14mm

图 3.1-24　不同厚度垫板模型

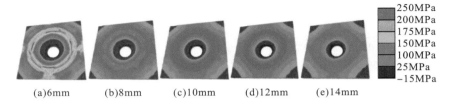

(a)6mm　　(b)8mm　　(c)10mm　　(d)12mm　　(e)14mm

图 3.1-26　不同厚度方碗形垫板 S_1 应力云图(单位：MPa)

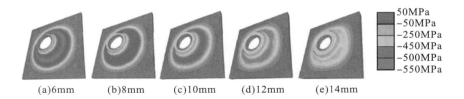

(a)6mm　　(b)8mm　　(c)10mm　　(d)12mm　　(e)14mm

图 3.1-27　不同厚度方碗形垫板 S_3 应力云图(单位：MPa)

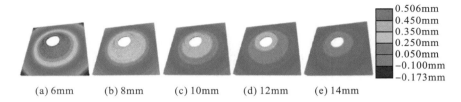

(a) 6mm　　(b) 8mm　　(c) 10mm　　(d) 12mm　　(e) 14mm

图 3.1-28　不同厚度方碗形垫板竖向位移云图(单位：mm)

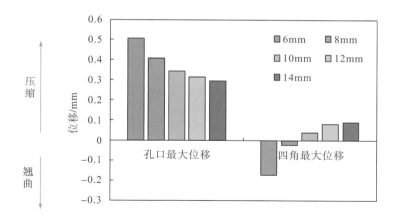

图 3.1-29 不同厚度方碗形垫板的特征点位移

(a) 120mm × 120mm × 10mm　(b) 200mm × 200mm × 10mm　(c) 300mm × 300mm × 10mm

图 3.1-30 不同尺寸垫板模型

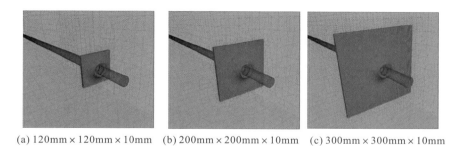

(a) 120 × 120　(b) 150 × 150　(c) 200 × 200　(d) 250 × 250　(e) 300 × 300

图 3.1-32 不同尺寸方碗形垫板 S_1 应力云图（单位：MPa）

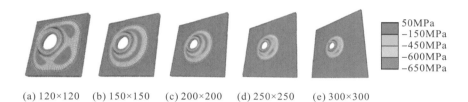

(a) 120×120　(b) 150×150　(c) 200×200　(d) 250×250　(e) 300×300

图 3.1-33 不同尺寸方碗形垫板 S_3 应力云图（单位：MPa）

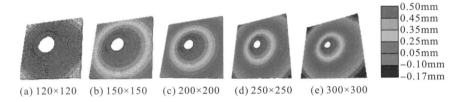

(a) 120×120　(b) 150×150　(c) 200×200　(d) 250×250　(e) 300×300

图 3.1-34　不同尺寸方碗形垫板竖向位移云图（单位：mm）

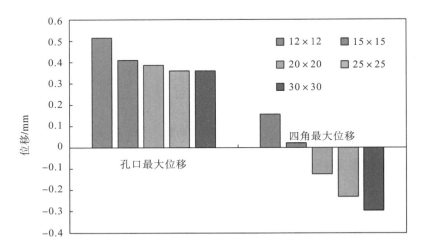

图 3.1-35　不同尺寸方碗形垫板的特征点位移

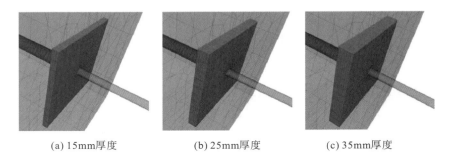

(a) 15mm厚度　　　　(b) 25mm厚度　　　　(c) 35mm厚度

图 3.1-36　不同厚度方形平板垫板

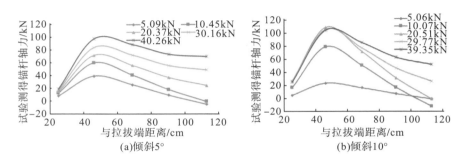

(a)倾斜5°　　　　　　　　(b)倾斜10°

图 3.2-17　无球形垫圈时的杆体受力

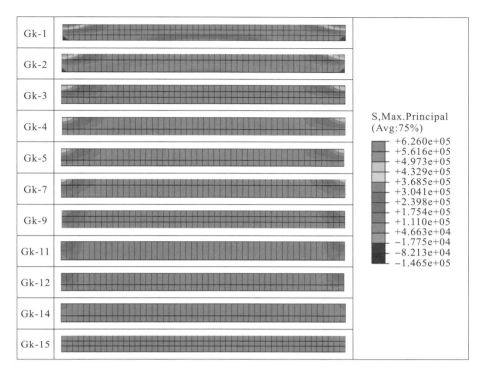

图 3.4-7　不同工况围岩 S_1 应力(最大主应力)云图(单位：Pa)

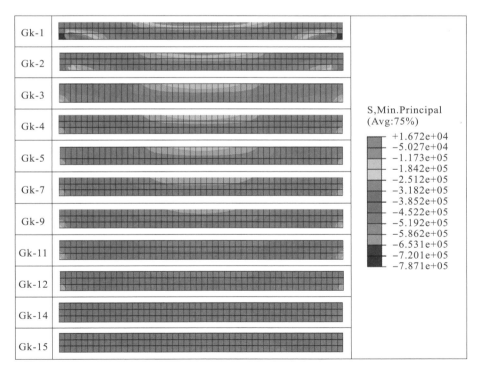

图 3.4-8　不同工况围岩 S_3 应力(最小主应力)云图(单位：Pa)

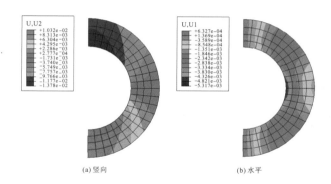

(a) 竖向   (b) 水平

图 3.4-12　预应力锚杆支护下的围岩位移云图（单位：m）

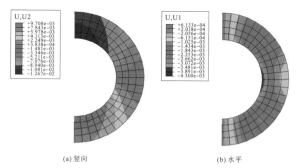

(a) 竖向   (b) 水平

图 3.4-13　预应力锚带支护下的围岩位移云图（单位：m）

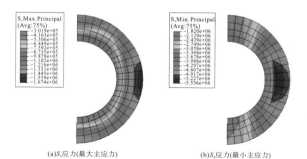

(a)S_1应力(最大主应力)   (b)S_3应力(最小主应力)

图 3.4-14　预应力锚杆支护下的围岩应力云图（单位：Pa）

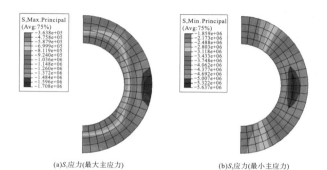

(a)S_1应力(最大主应力)   (b)S_3应力(最小主应力)

图 3.4-15　预应力锚带支护下的围岩应力云图（单位：Pa）

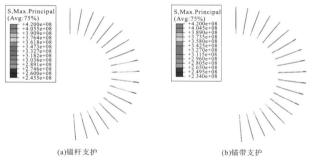

(a)锚杆支护　　　　　　　　(b)锚带支护

图 3.4-16　锚杆应力云图(单位：Pa)

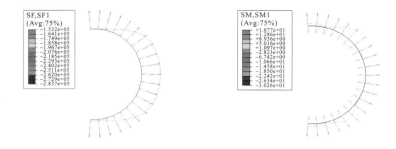

图 3.4-18　钢带轴力分布(单位：N)　　图 3.4-19　钢带弯矩分布(单位：m·N)

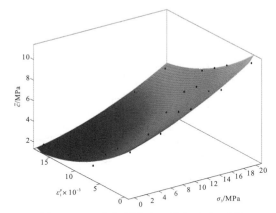

图 4.1-12　广义黏聚力 $\bar{c}$ 的拟合曲面图

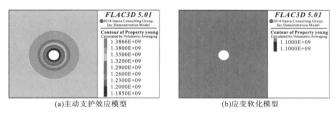

(a)主动支护效应模型　　　　　　(b)应变软化模型

图 4.2-2　弹性模量 E 云图(单位：Pa)

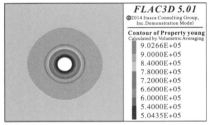 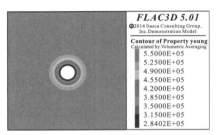

(a)主动支护效应模型   (b)应变软化模型

图 4.2-3   黏聚力 c 云图（单位：Pa）

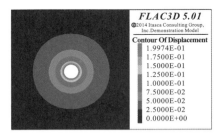 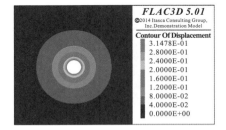

(a)主动支护效应模型   (b)应变软化模型

图 4.2-4   围岩径向位移云图（单位：m）

(a)主动支护效应模型   (b)应变软化模型

图 4.2-5   围岩塑性区

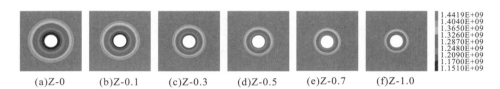

(a)Z-0   (b)Z-0.1   (c)Z-0.3   (d)Z-0.5   (e)Z-0.7   (f)Z-1.0

图 4.3-1   弹性模量 E 云图（单位：Pa）

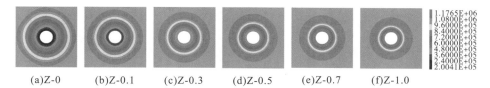

(a)Z-0 (b)Z-0.1 (c)Z-0.3 (d)Z-0.5 (e)Z-0.7 (f)Z-1.0

图 4.3-2 黏聚力 c 云图（单位：Pa）

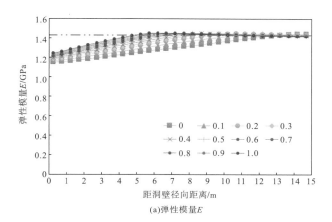

(a)弹性模量 E

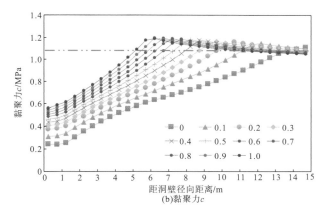

(b)黏聚力 c

图 4.3-3 不同预应力下 E、c 与距洞壁径向距离的关系

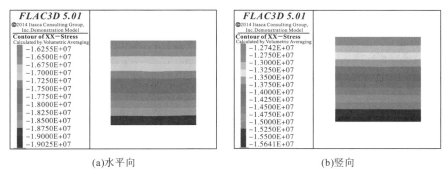

(a)水平向 (b)竖向

图 5.2-3 初始应力（单位：Pa）

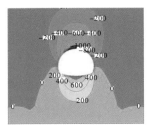 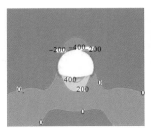 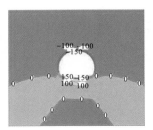

(a)工况1-0(0kN)　　　　　　(b)工况1-1(100kN)　　　　　　(c)工况1-5(500kN)

图 5.3-1　竖向位移云图(单位：mm)

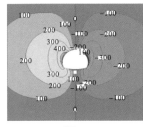 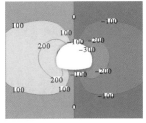 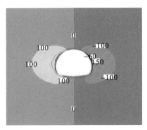

(a)工况1-0(0kN)　　　　　　(b)工况1-1(100kN)　　　　　　(c)工况1-5(500kN)

图 5.3-2　水平位移云图(单位：mm)

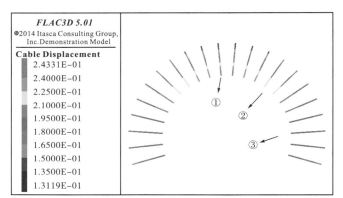

图 5.3-6　锚索位移云图(单位：m)

①-拱顶锚索；②-拱腰锚索；③-边墙锚索

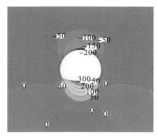 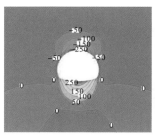 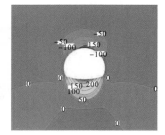

(a)工况2-3(5.0m)　　　　　　(b)工况2-7(7.0m)　　　　　　(b)工况2-9(8.0m)

图 5.3-8　竖向位移云图(单位：mm)

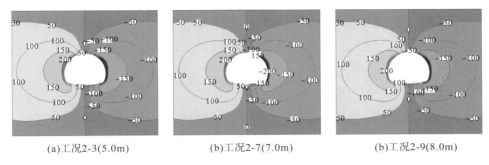

(a)工况2-3(5.0m)　　　(b)工况2-7(7.0m)　　　(b)工况2-9(8.0m)

图5.3-9　水平位移云图(单位：mm)

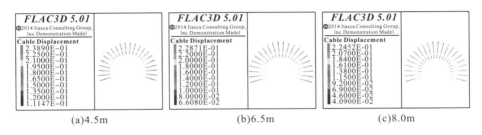

(a)4.5m　　　　　(b)6.5m　　　　　(c)8.0m

图5.3-11　不同长度锚索的位移云图(单位：m)

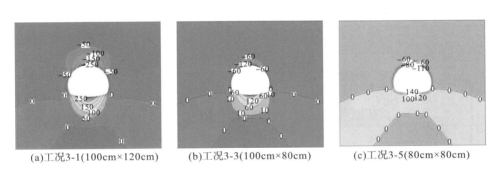

(a)工况3-1(100cm×120cm)　　(b)工况3-3(100cm×80cm)　　(c)工况3-5(80cm×80cm)

图5.3-15　竖向位移云图(单位：mm)

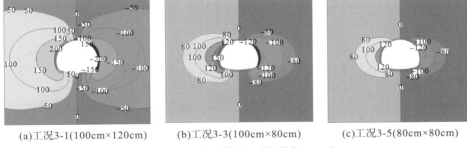

(a)工况3-1(100cm×120cm)　　(b)工况3-3(100cm×80cm)　　(c)工况3-5(80cm×80cm)

图5.3-16　水平位移云图(单位：mm)

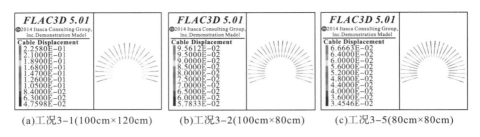

(a)工况3-1(100cm×120cm)　　(b)工况3-2(100cm×80cm)　　(c)工况3-5(80cm×80cm)

图 5.3-18　不同支护间距锚索的位移云图(单位：m)

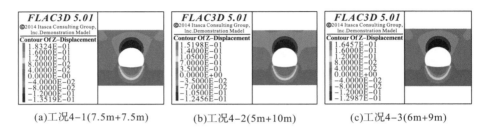

(a)工况4-1(7.5m+7.5m)　　　(b)工况4-2(5m+10m)　　　(c)工况4-3(6m+9m)

图 5.3-21　竖向位移云图(单位：m)

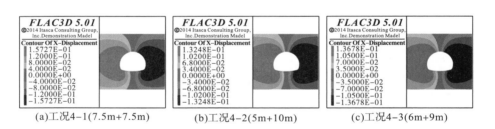

(a)工况4-1(7.5m+7.5m)　　　(b)工况4-2(5m+10m)　　　(c)工况4-3(6m+9m)

图 5.3-22　水平位移云图(单位：m)

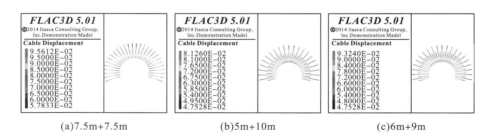

(a)7.5m+7.5m　　　　　　(b)5m+10m　　　　　　(c)6m+9m

图 5.3-23　不同短、长组合锚索的位移云图(单位：m)